神谷美恵子コレクション

生きがいについて

みすず書房

目次

亡き父にささぐ

はじめに

平穏無事なくらしにめぐまれている者にとっては思い浮かべることさえむつかしいかも知れないが、世のなかには、毎朝目がさめるとその目ざめるということがおそろしくてたまらないひとがあちこちにいる。ああ今日もまた一日を生きて行かなければならないのだという考えに打ちのめされ、起き出す力も出て来ないひとたちである。耐えがたい苦しみや悲しみ、身の切られるような孤独とさびしさ、はてしもない虚無と倦怠。そうしたもののなかで、どうして生きて行かなければならないのだろうか、なんのために、と彼らはいくたびも自問せずにいられない。たとえば治りにくい病気にかかっているひと、最愛の者をうしなったひと、自分のすべてを賭けた仕事や理想に挫折したひと、罪を犯した自分をもてあましているひと、ひとり人生の裏通りを歩いているようなひとなど。

いったい私たちの毎日の生活を生きるかいあるように感じさせているものは何であろうか。ひとたび生きがいをうしなったら、どんなふうにしてまた新しい生きがいを見いだすのだろうか。これはずいぶん前から私の思いの中心を占めて来たことがらである。しかしこれを一つの課題として或る衝撃とともに受けとったのは、九年前に瀬戸内海の島にある、らいの国立療養所長島愛生園に滞在していた時であった。そこへ私はたびたび行って、一連の精神医学的調査を行なっていたのだが、そのなかで文章完成テストというのを試みてみておどろいた。テストに応じた男性軽症患者一八〇名のうち、ほとんど半数の者が将来になんの希望も目標も持っていないと記し、「毎日、時をむだにすごしている」、「無意味な生活を有意義に暮そうと、むだな努力をしている」、「たいくつだ」などと、まるで申しあわせたように書いていたのである。さいきんは、らいに対するよい薬も出て来て、治療により無菌状態になるひとが在園患者の大多数を占め、社会復帰のできるひともふえて来た。とはいうものの、後遺症のあるひと、老齢化したひと、家庭や社会にうけ入れられないひとなどが多く、今さら社会復帰を望まないひと、または望めないひとがきわめて多い。このテストを受けたひとたちのほとんどは、そういう部類に属する患者さんたちであった。衣食住は国家の手で一応保障され、もちろん決して満足な状態ではないにせよ、作業や娯楽のしくみもあるなかで、このひとたちは「無意味感」にいちばん悩んでいるのであった。

しかしまた回答のなかには、生きるよろこびをきわだって感じさせるものが少数ながらまざっていた。たとえば、その一つには次のように記してある。

「ここの生活……かえって生きる味に尊厳さがあり、人間の本質に近づき得る。

将来……人を愛し、己が生命を大切に、ますますなりたい。これは人間の望みだ、目的だ、と思う。」

これを書いた患者さんとはその後、個人的に知り合うことができたが、右のことばが決して単なる虚勢ではなく、彼の存在そのものから流れ出る、いきいきしたもののあらわれであることが、まぎれもなく感じとられた。彼は当時三九歳、かなりの重症で、松葉杖にすがって歩いている体は永年の病のためにおとろえ、髪の毛はすでにまっしろであったが、とうとう数年後には亡くなった。あとに彼の手になる多くの詩がのこされている。

同じ条件のなかにいてもあるひとは生きがいが感じられなくて悩み、あるひとは生きるよろこびにあふれている。このちがいはどこから来るのであろうか。性格の問題だとか、生活史や心の持ちかたのちがいだとか、対人関係や社会生活のしくみを変えればだれもが生きがいを感じるようになるはずだなどと、いろいろ答は出されるであろう。そのひとつひとつに一面の真理があるにちがいないが、生きがいという大きな問題はあまりあっさりと片づけてすむものではなさそうである。充分時をかけてよく考えてみなければ、と思ったのが本書を書いた主な動機の一つである。

したがって、本書では、とくに後半で、愛生園で得た資料がいわば主役を演ずるような形になっている。しかし統計やアンケートや心理テストの結果は、すでにいくつかの論文(1)にまとめたので、ここではほとんどふれていない。それに人間の生きがいというような奥深い問題を探求する上で意味のあるものは、むしろそうした機械的調査のあらい網の目からは洩れてしまうもののなかにふくまれていると思われ、そういうこぼれ落ちたもののなかから考える材料をひろいあげた。

しかしらいのひとたちの持っている問題も、結局、人間がみな持っている問題を、つきつめた特殊な形であらわしているのにすぎないのであるから、これだけを切りはなして扱うべきではないとも考えた。それでほかの病気や苦難のために生きがいをうばわれるような状況にあるひとびとのこともしらべてみた。がん、原爆症のひと、最愛の者をうしなったひと、死刑囚、戦没学生その他。また人間の心の世界をやはりつきつめた形であらわしているという意味で、過去二〇年間、精神科医として接して来たひとびとの例をも参照した。そのほか、精神医学にかぎらず、心理学、文学、哲学、伝記など、広い範囲のかきものや実例をも参考にした。

しかしなんといっても主役はらいのひとたちである。「苦悩のプライヴァシィ」を侵害する不愉快な調査に応じ、苦しい呼吸のなかから、いろいろと語って下さった方、不自由な手でこまごまと手記を書いて下さった方などにここで心から感謝したい。どんな師のことばよりも、どんな書物の説くところよりも、らいのひとたちの、生きた存在に接しえて来たことが、私に多くのものを教えてくれたと思っている。

わざわざ研究などしなくても、はじめからいえることは、人間がいきいきと生きて行くために、生きがいほど必要なものはない、という事実である。それゆえに人間から生きがいをうばうほど残酷なことはなく、人間に生きがいをあたえるほど大きな愛はない。しかし、ひとの心の世界はそれぞれちがうものであるから、たったひとりのひとにさえ、生きがいを与えるということは、なかなかできるものではない。あるひとにとって何が生きがいになりうるかという問いに対しては、できあいの答はひとつもないはずで、この本も何かそういう答をひとにおしつけようという意図はまったくない。ただこの生きがいという、つかみどころのないような問題を、いろいろな角度から眺めてみて、少しでも事の真相に近づきたいとねがうのみである。著者の理解と考えの及ばないところに、まだたくさんの大切なものが残されているにちがいない。

1　生きがいということば

生きがいということばは、日本語だけにあるらしい。こういうことばがあるということは日本人の心の生活のなかで、生きる目的や意味や価値が問題にされて来たことを示すものであろう。たとえそれがあまり深い反省や思索をこめて用いられて来たのではないにせよ、日本人がただ漫然と生の流れに流されて来たのではないことがうかがえる。

辞書によると生きがいとは「世に生きているだけの効力、生きているしあわせ、利益、効験」などとある。これを英、独、仏などの外国語に訳そうとすると、「生きるに価する」とか、「生きる価値または意味のある」などとするほかはないらしい。こうした論理的、哲学的概念にくらべると、生きがいということばにはいかにも日本語らしいあいまいさと、それゆえの余韻とふくらみがある。それは日本人の心理の非合理性、直観性(1)をよくあらわしているとともに、人間の感じる生きがいというものの、ひとくちにはいい切れない複雑なニュアンスを、かえってよく表現しているのかも知れない。フランス語でいう存在理由《レーゾン・デートル》とあまりちがわないかも知れないが、生きがいという表現にはもっと具体的、生活的なふくみがあるから、むしろ生存理由 raison de vivre, raison d'existence(2)といったほうがよさそうに思える。

もうひとつ生きがいに似たことばに、はりあいというのがある。これも西洋語にないようであるが、これは生きがいの一面をよくあらわしていると思う。人間はただ真空のなかでぽつんと生きているのは耐えがたいもので、自分の生きていることに対して、自分をとりまく世界から、何かてごたえを感じないと心身共に健康に生きて行きにくいものらしい。これはいわゆる感覚遮断の実験(3)によってもよく証明される。宇宙の孤独な旅びとも自分を見まもる地球上のひとの眼を感じればこそ、無重力への冒険に生きがいを感じるのであろう。美を求める心の強いひとが一枚の絵に強い感動をうけるときも、そのよろこびのなかには、ああ、こんな美しいものにめぐりあえるとは私も生きているはりあいがあった、という感激が意識的にせよ、無意識的にせよ、ふくまれている。美を求めてやまない心に対して世界が応《こた》えてくれたことへの感激である。

生きがいということばの使いかたには、ふた通りある。この子は私の生きがいです、などという場合のように生きがいの源泉、または対象となるものを指すときと、生きがいを感じている精神状態を意味するときと、このふたつである。このうち、あとのほうはフランクルのいう「意味感(4)」にちかい。これをここでは一応、「生きがい感」とよぶことにして、前のほうの「生きがい」そのものと区別して行きたい。

2　生きがいを感じる心

感情としての生きがい感

生きがいを感じる心にはいろいろな要素がまざりあっている。これをもしざっと感情的なものと理性的なもののふたつに分けるならば、生きがい感の形成にはどちらが重要であろうか。

りっぱな社会的地位につき円満な家庭を持っているひとが、理くつの上では自分の存在意義を大いにみとめながら、心の深いところでは生きがいが感じられなくて悩むことがある。パスカルのいうとおり心情には理性とはまたべつな道理があるからである。

なんといっても生きがいについていちばん正直なものは感情であろう。もし心のなかにすべてを圧倒するような、強い、いきいきとしたよろこびが「腹の底から」、すなわち存在の根底から湧きあがったとしたら、これこそ生きがい感の最もそぼくな形のものと考えてよかろう。このよろこびは時には思いがけない場合にほとばしり出て、本人をおどろかせることがある。自分の求める生きがいは何かということが、これによって初めて本人にはっきりすることもある。理くつは大ていあとからつくようで、先に理くつが立っても感情は必ずしもそれについて行かない。ゆえにあるひとに真のよろこびをもたらすものこそ、そのひとの生きがいとなりうるものであるといえる。

ただひとすじに、このまじりけのないよろこびを求める心が少年時代から高年に至るまでの一生をつらぬき通した例を、昭和三十五年に文化勲章を受章した数学者岡潔にみることができる。氏が新聞紙上に発表した手記(1)のなかに次のようなことが書いてある。

「……数学という着物を着た私が求めて来たものは、研究や発見の中にある純粋な喜びだ。……私が数学へ入るようになった要素は、幼い頃から私の中につくられていたと言える。

私は幼い頃、和歌山県の紀見峠で育ったが、そこは水の少ない所で、山の中からタケの管で水取りをしていた。私も、近所の鼻ったれ小僧といっしょに、タケの管から漏れる水で箱庭をつくって遊んだが、あのコケをどこに置き、この小松をどこへ植えようかといろいろ構想を立てるのが、とても楽しみだった。思えば、この時にイメージを豊かにする楽しさを覚えたわけで、数学を研究するようになってからも、構想を立てて文献を当たっていく楽しみをずいぶん味わった。

また小学校五年のころ、ある日、山へ昆虫採集に行って、美しいチョウを見つけ、とうとう夕方まで、そのチョウを追いかけたことがあった。その時、もうかくれて見えないだろうと思っていたチョウを、谷間の杉の木で見つけたときの、強く、鋭い喜びは、いまも心のなかに鮮明に残っているが、これこそ発見の純粋な喜びで、私が研究の中で求めている純粋な喜びに通じるものがある。」

岡潔にとって研究こそ最大の生きがいであることはうたがいもないが、その生きがい感はすでに幼時に経験された純粋なよろこびと同質のものであるという。とすると、この種のよろこびは未分化な生命にもすでに宿っているもので、伸びゆく生命の本質的な様相のひとつなのだと思われる。みどり児はべつにそばにだれが見ていなくとも、そしてとくにこれというきっかけがなくとも、うれしくてたまらなそうに、歌のようなものをさえずり、手足をばたばたさせ、ひとりで笑っている。ただ生きていることがたのしくてたまらないから声をあげて笑っているようにみえる。あの全身からほとばしり出るような笑いは発展しつつある生命の、もっとも潑剌とした表現であり、表情であるといえよう。ウォーコップにいわせると、(2)人間の活動のなかで、真のよろこびをもたらすものは目的、効用、必要、理由などと関係のない「それ自らのための活動」であるという。たしかに何か利益や効果を目標とした活動よりも、ただ「やりたいからやる」ことのほうがいきいきしたよろこびを生む。金のためのアルバイトばかりやることを余儀なくされているひとは、金のためでない仕事、金にならない仕事をする自由にどんなにかあこがれることであろう。

目的とか効用というものを一切はなれた純粋なよろこびが経験されることは、おとなになるにしたがって少なくなってくるが、おとなのなかでは詩人のようなひとが一ばんこれを味わいうる人種であろう。ベルギーの象徴派詩人ヴェルハーレンの詩「よろこび」はそのよい例である。次にその意訳をのせておこう。

よろこび

おお、燃えあがる朝にはじまる美しき日よ
烈々として壮麗なる大地ほこらかに
めざめたるいのちの香り強くはげしく
存在はすべて酔いしれ、よろこびにおどる。
ありがとう、わたしの眼よ、
すでに老いたる額の下でなおも澄んだまま
はるかにきらめく光を眺めうるを。
ありがとう、わたしのからだよ、
疾風《はやて》やそよかぜにふれて、
なおきりりとしまり、おののきうるを。
すべてのもののなかにわたしは在《あ》る、
わたしをとりまきわたしにしみわたるすべてのなかに。

厚き芝生よ、かそけき小径《こみち》よ、
樫の木々の茂みよ、かげりなき透明な水よ、
あなたがたはわたしの記憶であり、わたし自身となる。
おお、熱き、深き、強き、やさしき跳躍よ、
もしそれが巨大な翼のように君をもちあげ、
無限へとむかわせたことがあるならば、
ひとよ、つぶやくな、不幸な時でさえ。
どんなわざわいが君を餌食《えじき》にしようとも、
思え、ある日、ある至高な瞬間に
この甘き、おどろくべきよろこびを
心おどらせてあじわいたるを。
君の魂が君の眼にまぼろしをみせ、
君の存在を万物のなかにとけこませ、
このたぐいなき日、この至上の時に
君を神々に似たものとなしたるを。

ふつうのおとなにおいてこうした純粋な「生きるよろこび」が一ばんあざやかにあらわれるの

は、初めての子を生んだ直後の母親の、存在の根底からふきあがるような喜悦であろう。これは筆者がかつて主婦たちの調査[3]をしたときにも、はっきり結果にあらわれていた。出産直後の歓喜は女性の生きがい発見のよろこびともいえよう。

このような母性のよろこびというものは多分に生物学的なものであるから、幼児の示す生の喜悦ときわめて近い性質のものであろう。しかし前にあげた岡潔の場合のように少年時代に蝶々とりや箱庭あそびで経験したよろこびを、のちに数学という高度の知的活動のなかにみいだしたということになると一見ふしぎに思われるかも知れない。しかし子供にとっては「あそび」こそ全人格的な活動であり、真の仕事、すなわち天職なのであるから、そこで味わうよろこびこそ子供の最大の生きがい感であろう。グロース[4]やホイジンガ[5]のいうように無償の遊戯的活動こそ文化的活動の芽ばえる母胎と考えられるのであるから、岡潔の場合もよく理解されるのである。たとえ数学的思考という最も抽象的な知的活動を通して氏のよろこびが経験されるとしても、これを支える情緒的基盤は少年時代とすこしもかわらないと考えてよいのであろう。

官能的な快楽とこういうよろこびとが性質を異にすることは多くのひとが指摘したが、生きがい感をうみ出しうるものはどちらかと考えてみれば、その区別はすぐつけられる。肉体的快楽こそわが生きがい、とかんちがいしてそのあとを追いまわしたあげく、結局みじめな敗残者としての自己をみいだした例は小説にも実世界にも数知れない。官能的な陶酔もまた生命力の発現であり讃歌であることはたしかであるが、人格的な愛から切りはなされている場合にはその輝きは線香花火のようにはかない。しかし束の間のはなばなしい光輝はひとの心の眼をくらませるほど圧倒的であるから、人格のもっと重要な部分がみたされないままにとりのこされていることを忘れさせる作用を持つ。とはいえ歓楽のあとにはにがい後味《あとあじ》が残り、そのにが味は暗黙のうちにこの快楽が生きがい感とはほど遠いものであることをものがたるのである。

このよろこびという感情は、ただそれだけにとどまらず、心のなかにさまざまの副産物をもたらす。

ベルグソン(6)はよろこびには未来にむかうものがふくまれているとみた。たしかによろこびは明るい光のように暗い未知の行手《ゆくて》をも照らし、希望と信頼にみちた心で未来へむかわせる。何か不幸な事情でもないかぎり、みどり児に見いる母親の眼ほど未来と生命へのそぼくな信頼にあふれているものはない。その信頼は苛酷な運命によってうらぎられる可能性が充分にあるのだが、母親はいわば自然の配慮によって目をくらまされているのであるともいえよう。

しかし希望や信頼の念は必ずしも建設的な方向にのみ働くとはかぎらない。そのなかに知らぬ間に傲慢な自負心や自己陶酔がしのびこむこともあるし、これが浅い楽観主義やあらあらしい行動へとひとを駆り立てることもある。これはまたややもすると自己に対するきびしい省察の眼をにぶらせ、他人への思いやりを忘れさせ、人間性の矛盾にみちた複雑さに対してひとを盲目にする傾向もある。多くのひとを動かし、率先して困難な仕事をやりとげる場合には、これも必要なことなのであろう。ためらわずに行動するためには反省しすぎることは禁物なのであるから。しかし、深い認識や観照や思索のためには、よろこびよりもむしろ苦しみや悲しみのほうが寄与するところが大きいと思われる。

よろこびというものの、もう一つきわだった特徴は、ウィリアム・ジェイムズ(7)も気づいたように、それがふしぎに利他的な気分を生みやすい点である。生きがいを感じているひとは他人に対してうらみやねたみを感じにくく、寛容でありやすい。それはマックス・シェラー(8)が言っているように、自分より幸福なひとびとに対するひそかな憎しみの念がはいり込む余地がないからであろう。ことに敏感な神経の持主で、すでにひとの世の苦しみを知っているひとは、生きがいにあふれている自分のしあわせを、他人に対してすまないように感じやすい。あの皮肉屋のジュール・ルナールもそういう人物であった。日記のなかで彼は次のように記している。

「自分の幸福について語るときにはひかえ目でなくてはいけない。あたかも盗みをざんげするかのように告白しなければならない。」(一九〇六年一二月一〇日)

それならば幼い時から苦労の多かったルナールの幸福の泉はどこにあったかというと、それは彼の作家としての生きがいにあったにちがいない。Tablettes d'Eloi という作品の「作家」という一篇のなかで、エロワ即ちルナールは、自分が作家という道をえらんだことについて、父、母、兄、姉、隣人、同僚、批評家などに次々と詰問され、それに答えるという形になっているが、最後に「ある美しい女」が「あのひとは一人前の男じゃないわ!」とかんで吐き出すようにいうと、エロワは昂然と次のように反ばくする。

「いや、ぼくは作家なんだ。ほかのもんじゃない。死ぬまで作家なんだ……できるものなら、文学死《じに》したいものだ。その上もしひょっとしてぼくが永遠に生きてることになるんなら、その永遠のあいだじゅう、文学をやってるつもりだ。ぼくが永遠に生きてることになるんなら、いつまでだってやるよ。そのほかのことはどうだってかまうもんか。ちょうどぶどう造りが醸造桶のなかでぶどうを踏みつぶしながら、太陽と酒に酔いしれて、ひとの嘲ける声に耳もかさないのと同じことだ。……」

すると「遠くの声」が「作家！　作家……作家」とはやす。エロワは一人きりでつぶやく。

「弱気を出すなよ、エロワ。お前は人間のなかで一ばんの幸福者なんだ。」

ルナールの生活のなかで、多くの困苦に耐え、多くのひとの非難に抵抗しうる勇気と忍耐の原動力となったのは、あきらかにこの烈しい生きがい感であった。ここには或ることをなすべくうまれついたひとが、その精神的資質の最も本質的な方向へと、否応なしにひきずられて行く姿がある。それが何に役立つかということはここでは問題ではない。彼はそのようにしか生きえないのであって、べつの生きかたをえらべば、たとえ社会的にもっと恵まれたとしても、人間としてはちっ息してしまったであろう。忍耐力も勇気も消えうせてしまったであろう。

いうまでもなく生きがい感はただよろこびだけからできているものではない。子供でもたえずよろこんでいるわけではない。さまざまの感情の起伏や体験の変化を含んでこそ生の充実感はある。ただ呼吸しているだけでなく、生の内容がゆたかに充実しているという感じ、これが生きがい感の重要な一面ではないか。ルソーは『エミール』の初めのほうでいっている。「もっとも多く生きたひととは、もっとも長生《ながいき》をしたひとではなく、生をもっとも多く感じたひとである」と。

この生存充実感というものを例の『生きられる時間』[9]という角度から言えば、毎日の生きている時間に内容がぎっしりつまっているというだけでなく、時間の流れに対する適度の抵抗感もなくてはならないのであろう。あまりにもするすると過ぎてしまう時間は、意識にほとんど跡をのこさないからである。

この抵抗感は単に意識の内容の変化だけでもおこる。ことに何か思いがけない変化のあるとき、そこにうまれるおどろきが生存充実感をもたらすことは少なくない。このことは愛生園で病室まわりをしていた頃、ちょっとしたことから強く印象づけられた。

小さい島のなかで、同じひとびとの間で同じような日々を過ごしていると、ともすれば生存感は稀薄になりやすいのだが、ある日、ひとりの中年の男の患者さんが、ふと筆者に問いかけた。

「先生は大阪の方から見えたそうですが、あそこの地下鉄は今どこまで行ってますか」

「西田辺までですよ」

「そうですか、そんなところまで行きましたか！」

その感にたえぬと言った声のはずみ、眼の輝き——。外界に関する一個のささやかな新情報でもこれほど強烈な感慨をよびおこしうるのであった。

ほんとうに生きている、という感じをもつためには、生の流れはあまりになめらかであるよりはそこに多少の抵抗感が必要であった。したがって生きるのに努力を要する時間、生きるのが苦しい時間のほうがかえって生存充実感を強めることが少なくない。ただしその際、時間は未来にむかって開かれていなくてはならない。いいかえれば、ひとは自分が何かにむかって前進していると感じられるときにのみ、その努力や苦しみをも目標への道程として、生命の発展の感じとしてうけとめるのである。

したがってひとはべつに生活上の必要にせまられなくても、わざわざ努力を要する仕事に就き、ある目標にむかって歩もうとする。愛生園のある青年は久しく心臓神経症に悩んでいたが、あるとき思い切って園内の気象観測所につとめてみた。この観測所は外部社会にもみとめられているほど優秀で、青年はここの仕事に参加するはりあいのためにみちがえるほど元気になり、神経症の症状もすっかり消えた。ところがその後、年金制度が実施され、その青年もある程度肢体不自由であったため年金をうけることになった。そうなると園内の作業に就いていてはいけないことになり、せっかく生きがいをおぼえていた観測の仕事をやめなくてはならなくなった。暇の時間を持てあますようになると案の定、以前と同じような神経症がいろいろな形をとってあらわれて来たのである。

このようなことを考えれば、人間が常に前途に目標をすえ、それにむかって歩いて行こうとする生の構造を、いわばひとりでに形成してしまうわけがうなずける。それは何もあの「無償の、無目的のよろこび」と矛盾するものではなかろう。なぜならば、人間はべつに誰からたのまれなくても、いわば自分の好きで、いろいろな目標を立てるが、ほんとうをいうと、その目標が到達されるかどうかは真の問題ではないのではないか。ただそういう生の構造のなかで歩いていることとそのことが必要なのではないだろうか。その証拠には一つの目標が到達されてしまうと、無目的の空虚さを恐れるかのように、大急ぎで次の目標を立てる。結局、ひとは無限のかなたにある目標を追っているのだともいえよう。

苦労して得たものほど大きな生きがい感をもたらす、ということは一つの公理ともいえる。知識欲に燃えるアルバイト学生が許されたわずかな時間のなかで味わう勉学のよろこびは、恵まれた学生には想像もつかないほど大きい。ある幸福な家庭の主婦である中年の婦人が、やむにやまれぬ向学心に追いやられて、さまざまの障害をのりこえ、ついにある大学に籍をおくことができたとき、次のように手紙に記している。

「これでやっと望み通り好きな仏文学を一筋に学べるようになり、何か体の内からうれしさが湧き上ってくるようです。」

この表現は、このひとのよろこびの根源的性格をよくものがたっている。

苦しみのなかに生きがいをおぼえるという心の姿は宗教的苦行者や献身愛に生きるひとにしば

しばみとめられる。たとえば一生を弟モーリスへの愛に生きたユージェニー・ド・ゲラン[10]は、パリをはなれて暮していた弟が病のために故郷につれ戻されてくる直前の日記に次のように記している。

「神様の次には、私はあなた（注、弟のこと）のなかに生きています。殉教者のように、苦しみながら。あなたを救うために私の苦しみをささげることができるのだったら、苦しむことなどなんでもありません。」（一八三九年五月二四日）

そして看護のかいもなく、ついに弟が逝いてしまってからの日記——

「彼においてすべてが私にほほ笑みかけ、すべてが気に入り、苦しみまでが私を喜ばせるのでした。ああ神様、彼を失って一体いま私に何を愛せとおっしゃるのですか。

（一八三九年一一月一六日）

身をささげるものが何もないというのは何という欠乏を感じさせるものだろう。幸福とは独立性にあると一見思われるかも知れないが、実際はそのさかさまなのだ。

（一八四一年九月八日）

だれか一人のひとのために希望を持ったり恐れを抱いたりすること。それだけが自分がほんとうに生きているという完全な感じを人間に与えるものなのだ。（一八四二年）」

あきらかにユージェニーの生きがいは献身愛にあったのだ。ソポクレースの描いたアンティゴネーの崇高な姿を初めとして、この種の生きがいの持ちかたは古来西洋でも女性に多い[11]。

読者カード

みすず書房の本をご購入いただき，まことにありがとうございます.

書　名

書店名

・「みすず書房図書目録」最新版をご希望の方にお送りいたします.

（希望する／希望しない）

★ご希望の方は下の「ご住所」欄も必ず記入してください.

・新刊・イベントなどをご案内する「みすず書房ニュースレター」（Eメール）をご希望の方にお送りいたします.

（配信を希望する／希望しない）

★ご希望の方は下の「Eメール」欄も必ず記入してください.

（ふりがな） お名前　　　　　様	〒
ご住所　都・道・府・県	市・郡 区
電話　（　　　　）	
Eメール	

ご記入いただいた個人情報は正当な目的のためにのみ使用いたします.

ありがとうございました. みすず書房ウェブサイト https://www.msz.co.jp では刊行書の詳細な書誌とともに，新刊，近刊，復刊，イベントなどさまざまなご案内を掲載しています. ぜひご利用ください.

郵便はがき

料金受取人払郵便

本郷局承認

6392

差出有効期間
2025年11月
30日まで

113-8790

東京都文京区
本郷2丁目20番7号

みすず書房営業部
行

通信欄

（ご意見・ご感想などお寄せください．小社ウェブサイトでご紹介させていただく場合がございます．あらかじめご了承ください．）

献身という以上、自分の身をささげつくし、自己固有の欲望や自由を犠牲にせずにはできないことであるから、どのように個性の弱いひとであってもそこになんらかの痛みを伴うはずで、その痛みそのものに快感をおぼえるというならばマゾヒズムということになる。しかしそう解釈してはまと外《はず》れであろう。ここでは痛みそのものが求められているのではなく、たとえそのために自分が苦しまなくてはならないことがわかっていても、どこまでも相手をよろこばすことが自分のよろこびであるからこそ献身し、苦しむのである。そこで求められているのはやはり愛のよろこびそのものなのである。したがってこれもやはり一種の自己満足にちがいない。しかし現実には自己を伸ばすということと他を伸ばすということとは両立しにくいことが多いし、真の愛は他の生命を伸ばそうとするものなのであるから、なんらかの意味で自己の身をけずらないですむような愛は、愛という名に値しないといえる。

このほか、将来の或る時を待ち望んでただ現在の苦しい生を耐え忍んでいなくてはならないひともある。この場合にも現在の毎日が未来へと通じているという、その希望の態勢に意味感が生じうる。

重い病の床にあって毎日苦痛を耐えしのぶのがやっと、というひとでも、積極的な生きがい感をもちうるひとがある。多くの場合、宗教的または哲学的な人生のうけとりかたをするひとで、自分のこの苦しい生も、ただ無意味に与えられているのではない。自分にはよくわからないけれども、これはなんらかの大きな摂理によって与えられたものだ。自分はこれをすなおに耐えしのぶことによってその摂理に参加し、ある意義を実現することができるのだ、という意味感に支えられている。

ところで生きがい感と幸福感とはどういう風にちがうのであろうか。たしかに生きがい感は幸福感の一種で、しかもその一ばん大きなものともいえる。けれどもこの二つを並べてみると、そこにニュアンスの差があきらかにみとめられる。ざっとその主なちがいを考えてみれば、生きがい感には幸福感の場合よりも一層はっきりと未来にむかう心の姿勢がある。たとえば、現在の生活を暗たんとしたものに感じても、将来に明るい希望なり目標なりがあれば、それへむかって歩んで行く道程として現在に生きがいが感じられうる。反対にはっきりした使命感を持つひとなどでは、現在の生活があまりにも幸福で、その幸福感が自分の使命感を鈍らせると感じれば、自我の本質的な部分ではかえって苦痛をおぼえるということもある。フローレンス・ナイチンゲールが上流社会の娘として、表面でははなやかな生活をしながら、心のなかでは自分の使命について暗中模索している頃の「病的なメランコリー」の精神状態はその例である。当時の彼女の日記には次のようなことが記してある[12]。

「私が今いだいている思いや感情は六歳の頃から記憶しているものだ。何か一つの職業、仕事、必要なわざ、何か私の全能力を用い、みたすもの、それが私に本質的に必要なものだと私はいつも感じて来た。いつもそれにあこがれて来た。私の思い出しうる最初にして最後の考えは看護の仕事だった。それがだめなら教育事業、それも若いひととの教育でなく悪いひとの教育を……。あらゆるものが試みられた。外国旅行、親切な友人たち、何もかも。ああ、私はどうしたらいいのだろう。望ましい青年だって？　ばかばかしい！　そんなもののどこが望ましいというのだろう！　三十一歳になった現在、私には死以外に何も望ましいものは考えられない。」

もう一つ幸福感とちがうところは、上の例でもわかるように、生きがい感のほうが自我の中心にせまっている、という点である。幸福感には自我の一部だけ、それも末梢的なところだけで感ずるものもたくさんある。たとえば多くの男のひとにとって家庭生活の幸福は、それだけで全面的な生きがい感をうむものではなかろう。ところがどんなに苦労の多い仕事でも、これは自分でなければできない仕事である、と感ずるだけでも生きがいをおぼえることが多い。これはその仕事をすることによって、そのひとの自我の中心にあるいくつかの欲求がみたされるからである。

第三に、生きがい感には、意識的にせよ、無意識的にせよ、価値の認識がふくまれることが多い。そこが幸福感とちがうといえる。この点については項をあらためてくわしく検討したい。

生きがい感のなかに自我感情がふくまれていることは以上からも明らかである。ほかならぬこの自分が生きている意味があり、必要があるのだ、という感じである。これは、すでに直観として感情のなかにそなわっているのではないかと思われるふしがある。というのは、精神薄弱児でも、自分が邪魔者として扱われているか、それともかけがえのない存在として扱われているか、その差を敏感に感じとるものである。幼児についても同様であることは、すこし彼らの生活を観察してみればうたがえない。

したがってひとが仕事をえらぶ場合にも、もし生きがい感を大切にするならば、世間体や収入よりもなるべく自分でなくてはできない仕事をえらぶのがよいということになる。

認識としての生きがい感

生きがい感というものは、そぼくな形では生命の基盤そのものに密着しているので、せいぜい生きるよろこび、または「生存充実感」としてしか意識されない。デュマ[13]のいうように、ひとの生活が自然な形で営まれているときには、一種の自動性をおびて意識にのぼらない傾向があるからであろう。したがって「あなたは何を生きがいにしていますか」とたずねても即座に返事のできないひとが多い。或る調査用紙にこの質問を入れておいたところ、「この問いをみてギョッとした」という感想をのべた主婦もある。

青年時代に生きがいについて悩むひとはかなりいても、大人になると避けておくのがふつうになる。男のひとは一応まともな職業につき、家族を養うことができれば、自分の生活は生きるに値するものと心のどこかで簡単にかたづけてしまうし、女のひとはなお一層そぼくに、一応平和な家庭を営み、家族そろって健康で仲よく暮せれば、その中心である自分の存在意識を十二分に感じてやすらっている。男のひとにしても女のひとにしても、単に社会的な役割を果たすだけで人間の生存意識のすべてがみたされるかどうか、一個の独立人格としての存在理由は何か、というような問いは意識にのぼらないのが一般であろう。それは一種の防衛本能のようなものかも知れない。なぜならば、うっかり本気でこういう問題に立ちむかうならば、今まで安全にみえていた大地に突然割れ目ができ、そこから深淵をのぞきこむような不安や不気味さにおそわれる恐れがあるからである。

しかし長い一生の間には、ふと立ちどまって自分の生きがいは何であろうか、と考えてみたり、自分の存在意義について思い悩んだりすることが出てくる。この時は明らかに認識上の問題となってくるわけで、大まかにいって次のような問いが発せられるわけであろう。

一　自分の生存は何かのため、またはだれかのために必要であるか。

二　自分固有の生きて行く目標は何か。あるとすれば、それに忠実に生きているか。

三　以上あるいはその他から判断して自分は生きている資格があるか。

四　一般に人生というものは生きるのに値するものであるか。

このなかで第四の問いは全くの一般論で、論理的にいえば、まずこれが解決されなければあとの問いも成立しえないわけであるが、実際の生活では必ずしもそうではない。第四の問いがわからないままでも、ほかの問いのどれかに対して確信をもって肯定できれば、大ていのひとはそれだけで結構げんきにくらして行ける。つまりそれだけで人生一般にも意味が賦与されるのであろう。はじめの三問のうちでも、第一の「自分の存在は何かのため、またはだれかのために必要であるか」が肯定的に答えられれば、それだけで充分生きがいをみとめるひとが多いと思われる。老年期の悲哀の大きな部分はこれに充分確信をもって答えられなくなることにあろう。したがって、もし老人に生きがい感を与えようと思うならば、なんなり老人にできる役割を分担してもらうほうがよいし、また何よりも愛の関係において老人の存在がこちらにとって必要なのだ、と感じてもらうことが肝要となる。

人間が最も生きがいを感じるのは、自分がしたいと思うことと義務とが一致したときだと思われるが、それはとりもなおさず右の第一問と第二問の内容が一致した場合であろう。しかしもちろんこれは必ずしも一致しない。生活のための職業のほかに、ほんとうにやりたい仕事を持っている男のひととか、主婦業以外にぜひやりたいことを持っている女のひとの場合などである。その両立が困難になれば第三問にも良心が責められ、うっかりすると神経症になる者や、反応性うつ病や自殺にいたる例さえある。精神医学の臨床上、重要な問題である。

上にあげた四つの問いに答えるには、すべてある価値の基準が前提となる。その基準は必ずしも意識的な検討を経て採用されるわけではないが、人間はみななんらかの価値体系を採用して生きているのであるから、それにもとづいてこの問いにも答えることになるだろう。

どのようにしてひとは特定の価値体系を採用するようになるのであろうか。幼年時代に主として両親を通して社会的環境によってこれが与えられるという考えは、フロイトをはじめ多くのひとによってみとめられて来た。そこに文化人類学者たちのいう文化と人格の関連性があるわけであるが、しかしことはそれほど簡単であろうか。家庭や社会から提供されるさまざまの価値体系は、必ずしも単一でなく、統一されてもいない。またある人間が成長して行く途上には、病気とか死とか、予測できない運命が待ちもうけていることもあるし、別の生活圏から現われて来た人物との出会いを通して、まったくちがった価値体系がもたらされることもある。蓄財を最高の価値として教えられて来た地方の商家の息子が、都会に進学しているうちに師友の感化をうけ、親にそむいて思想運動にてい身するようになる、といった例は決してめずらしくはない。人間は白紙の状態でまわりから提供されるものをうけ入れるわけではなく、多少とも主体的にそれらのものから自分に最もぴったりするものをえらびとるわけである。それ自体どんなに立派な世界観や思想であっても、うけ入れるひとの心のなかにそれが必然性をもってくみこまれ、心の構造それ自体をつくりあげる決定因子となり、もののみかた、というより、みえかたを変えるようにならなければ、それは借りものにすぎない。借りものである何よりの証拠として、その原理にしたがって生きているつもりになっても、実際に生きがい感はうまれないであろう。

ところで生きがいということがとくに認識上の問題になるのはどういうときであろうか。いうまでもなく青年期は一般に、もっとも烈しく、もっとも真剣に生の意味が問われる時期である。

若いひとたちに日頃接している者ならば、だれでもおぼえがあろう。いったいどうして勉強などしなくてはならないのか、どうして生きて行かなくてはならないのか、どんな目標を自分の前においたらよいのか、と不安と疑惑にみちたまなざしで問いつめられたことを。このような問いに対してどのような態度をとり、どのような答をなしうるか、ということが親たる者、教師たる者の試金石の一つである。

ところがその青年たちも大人になると、いつしか生存の意味を問うことを忘れ、ただ生の流れに流されて行くようにみえる者が多い。その流れがせかれるようなことでもないかぎり、ふつう壮年期は無我夢中で過ごしてしまい、だんだん年をとって来てそれまでの生きがいがうしなわれ、生きる目標を変えて行かなくてはならないときに、この問題が再び切実に心を占めることになる。女性の更年期症状といわれるものは、たしかに内分泌系のバランスがくずれるためにひきおこされるものではあるが、そのきわめて多くの部分は生きがいの喪失という危機によるものと思われる。自分にはこれからなんの生きるよろこびがあるだろう、なんの値打《ねうち》が、と問う彼女らの暗たんとしたまなざしには、青年たちのそれとはまたちがう切実さがよみとられるのである。これは何も女性にかぎらず、老人一般の最大の問題であろう。いわゆる社会保障制度の充実だけで解決のできるものでないことは、北欧の老人自殺率がよく示している。

次に過去と生きがい感の関係を考えてみよう。辛苦の多かった生活のために長い年月の間「我を忘れて」苦闘して来たひとがどうやらそこを切りぬけ、ほっと一息をつくとともに、ふと「我にかえって」過去をふりかえり、当時は無意味と思われた日々のなかにも、やはり何ほどかの意味のあったことを見いだし、つくづく生きて来たかいがあった、とつぶやく場合もある。このような時には、過去のいろいろな出来事のなかでも特に意味ある瞬間が暗い忘却の淵から星のように光って浮かびあがって見える。その時、ひとは自分の過去の歴史に対して一つの選択を行なっているのである。そこに意味を賦与するのは現在の自分であり、現在自分の採用している価値体系なのである。

もし過去の生活がまったく意味のないもの、失敗したものと感じられれば、その無意味感はひとをうちのめしてしまい、現在の生をも無意味に感じさせてしまう。その痛烈な嘆きはヴェルレーヌが獄舎の窓からむこうにみえる平和な空の色と街の屋根を眺めて歌った詩ににじみ出ている。

　どうしたのか、おお　そこで
　　たえず涙をこぼしているお前よ
　言え、そこにいるお前よ
　　自分の青春をお前はどうしたのか

しかしこの過去に対する無意味感が、かえって一つのばねとなって、なんとかして今後の自己の生を意味あるものにしようという烈しい意欲をひきおこし、それが時にはひとをおどろかすような突然の生活変化をもたらすことがある。フランス一七世紀悲劇作家ラシーヌが人気の絶頂にあったとき、しかも三七歳という壮年に突然劇作の筆を折り、敬虔かつ平凡な生活に引退してしまったのはそのいい例である。その解釈はいろいろにいわれているが[14]一つの価値の転換が行われたことは明らかである。ラシーヌが採用した新しい価値基準から判断すれば彼の過去の輝かしい文学的業績のかずかずも、みな彼のいう「一五年間の迷いと悲惨」の一部として数えられてしまったわけである。

使命感

もし生きがい感というものが以上のようなものであるとすれば、どういうひとが一ばん生きがいを感じる人種であろうか。自己の生存目標をはっきりと自覚し、自分の生きている必要を確信し、その目標にむかって全力をそそいで歩いているひと——いいかえれば使命感に生きるひとではないであろうか。

このような使命感の持主は、世のなかのあちこちに、むしろ人目《ひとめ》につかないところに多くひそんでいる。肩書や地位のゆえに大きく浮かびあがるひとよりも、そういう無名のひとびとの存在こそ世のなかのもろもろの事業や活動に生きた内容を与え、ひとを支える力となっていると思われる。たとえば小、中学校の先生、僻地の看護婦、特殊教育に献身するひとなど。しかし、つきつめていうと、人間はみな多かれ少なかれ漠然とした使命感に支えられて生きているのだといえる。それは自分が生きていることに対する責任感であり、人生においてほかならぬ自分が果たすべき役割があるのだという自覚である。したがって特殊な現象としてではなく、人間の生存の基本的な要素として、この使命感というものを少しくわしく眺めてみたい。

ひとはどういうふうに、あることを自分の使命と感じるようになるのであろうか。性格や生活史のなかからうまれた必然性のようなものから、いわばひとりでに目がある方向へ吸いつけられてしまうこともあろうし、意識的によく考えて選択することもあろう。そこにはまた外側から働く「偶然」との出会いも考えられよう。仏教的な「縁」ということばを使ってみてもよい。

だれもがやるような、何気ない仕事、たとえば看護婦とか先生というような仕事に初めからとくべつ使命感を感じて、いきおいこんで出発するひともある。なんとなくやっているうちに、単なる義務以上のものを感じるようになって、その仕事をすぐれたもの、独特なものに発展させるひともある。また他人があまりやらないこと、気がつかない仕事に目をつけてとびこんで行くひともある。かわったことに目をつけるひとは多くの場合、自分自身のなかにもかわったところがひそんでおり、それだけ独創性や勇気があるひとともいえる。しかしまた平凡なことでは満足できない功名心のようなもののまざっていることもあるかも知れない。エネルギーがありあまって闘志満々のひとは、その力量にふさわしい困難な対象に惹かれることであろう。ナイチンゲール、ジャンヌ・ダーク、シュヴァイツァ、宮沢賢治など、ひとすじに使命感に生きたひとびとは、古今東西、よく知られている。このひとたちの使命感は、生活史や社会的背景から言って一見、必然性がみとめられないため、少なくとも同時代の身近かなひとびとには多少ともとっぴにみえたろう。このようなきわだった例を検討してみることによって、もっと平凡な使命感の構造をも明らかにすることができるのではないかと思われるので、次にシュヴァイツァとミルトンの場合をしらべてみたい。

シュヴァイツァの場合　使命感というものは多くの場合、はじめは漠然としたもので、それが具体的な形をとるまでには年月を要することが少なくない。ナイチンゲールは六歳の時からそれに悩んで来たが、彼女がはっきりと自己の進むべき道をみいだしたのは二五歳の時、実際に道がひらけたのは三四歳の時であった。シュヴァイツァの場合も同様で、彼がはじめて使命感にめざめたのは故郷ギュンスバッハにいた二一歳の時であったが、幼い時から大学時代にいたるまで自分の境遇がきわめて幸福なのにくらべて、周囲にあまりにも多くのひとが苦しみ悩んでいるのをみて「不可解に思われた」という。次はその二一歳の時のことば[15]である。

「ある晴れた夏の朝……眼がさめたとき、私はこの幸福をあたりまえなこととして受けとってはいけない、そのおかえしとして何か与えなくてはいけない、という考えが浮かんだ。外で鳥が鳴いている間、私はこのことをただちに静かに考えてみて、起床するまでに次のことを自分に対して約束した。即ち自分は三十歳までは学問と芸術のために生きてよいことにするが、それ以後は人類への直接奉仕に身をささげようと。……今や問題の解答が発見せられた。外面的な幸福に加えて今や私は内面的な幸福をも持つようになった。

この将来に計画された仕事の性質がどんなものであるかはまだ私に明らかではなかった。それは事のなりゆきが導いてくれるに任せた。」（傍点は筆者）

これでみれば、この使命感は、彼の内面的な幸福のためにどうしても必要な、本質的要素であったことがわかる。その証拠にはその後、学問や音楽の分野で社会的成功や名声をかち得たにもかかわらず、二八歳の頃から具体的に何をしたらよいかをさぐり始めている。孤児や捨児の世話、免囚保護事業など、いろいろ試みているが、結局彼がしたかったのは、このような「団体との協力によってはじめて最善な仕事がなされうる」ものではなく、「絶対に個人的な、独立的な活動」を「一人の個人として、まったく自由な立場で」やりたかったのだという。この模索のあげく、いわば偶然にコンゴ医療伝道へのよびかけに接したわけである。

「『主のよびかけに対して「主よ、私がまいります」と単純に答えられる男女を教会は必要としている。』これが（コンゴ伝道に関する説明書の）結語であった。これをよみおえたとき、私は静かに私の仕事をはじめた。私の模索はおわったのであった。」

今でこそ全世界から尊敬されているシュヴァイツァであるが、当時とすればこの方向転換は気が狂ったのではないかと思われるだけのことは充分あった。何よりも他人が惜しんだのは、彼の学問的・音楽的才能を無駄にしてしまうのではないか、という点であった。アフリカの医療伝道をすることと学問や芸術に貢献することと、いずれが尊いかという問題には、それ自体としては答はない。ただシュヴァイツァの価値基準からいえば、使命と感じられることを遂行することが、他のすべてに優先すべきなのであった。なぜとくにこの仕事でなければならなかったか、と考えてみると、彼の気質や人生観からもいろいろ説明はつけられそうである。また彼自身も白人の黒人に対する道徳的責任ということを持ち出している。しかし説明というものは、いつも事実をあとから追いかけるだけのものである。恐らくシュヴァイツァ自身も、その時はただこのよびかけがまっすぐ自分の心にむかってとびこんでくるのを感じ、全存在でこれをうけとめたのであろう。それはまさにかつての「自分との約束」をみたすものであったのだ。もしその約束を守らなかったならば、たとえ世にもてはやされても、自己にあわせる顔がなくなり、自分の生存の意味を見うしなったであろう。

社会的にどんなに立派にやっているひとでも、自己に対してあわせる顔のないひとは次第に自己と対面することを避けるようになる。心の日記もつけられなくなる。ひとりで静かにしていることも耐えられなくなる。たとえ心の深いところでうめき声がしても、それに耳をかすのは苦しいから、生活をますます忙しくして、これをきかぬふりをするようになる。サルトル[16]はこれを mauvaise foi と呼んでこまかく分析したが、この自己に対するごまかしこそ生きがい感を何よりも損うものである。そういうひとの表情はたるんでいて、一見してそれとわかる。これがまたかなり多くの神経症をひきおこす原因となっていると思われる。酒癖の強いものも、このようなところから生じやすい。

もしシュヴァイツァがアフリカ行のために始めた医学修業を達成せず、業半ばで病に倒れたとしたら、すべては無意味であったろうか。一見そうみえても、彼の存在のしかたそのものからいえば、事の本質は少しもちがわなかったはずである。使命感に生きるひとにとっては、自己に忠実な方向に歩いているかどうかが問題なのであって、その目標さえ正しいと信ずる方向に置かれているならば、使命を果たしえなくても、使命の途上のどこで死んでも本望であろう。これに反し、使命にもとっていたひとは、安らかに死ぬことさえ許されない。

ところであのコンゴ伝道への募集要項には「主のよびかけ」ということばがあった。シュヴァイツァは敬虔なキリスト教徒であったから、これをまさに神から自分へのよびかけとしてうけとめた。使命感を持つひとには必ずあることを課せられているという意識がある。当然そこでは課するものが前提とされるわけである。シュヴァイツァの場合には以前から自分への約束があり、その約束の具体的内容を課する者が神と感じられたのであった。[17] この「課せられ意識」について更にミルトンの場合を検討してみよう。

ミルトンの場合　若い頃抱いた詩への使命感が、ひどくまわりくねった変遷を経て実現された例として次にミルトンの跡を辿ってみる。ミルトンは幸福な環境に育ち、大学を卒業してから六年間も静かなホートンの田舎にたてこもって読書と思索にふけり、珠玉のような一連の小詩篇「リシダス」、「イル・ペンセローソ」や「アレグロ」を書いたが、この時代の初期に記した十四行詩《ソネット》[18]にはすでに明らかな召命意識があらわれている。

満二十三歳になりて

さかしくも青春をうばい去る時は、翼にのせて
げに速かにも盗みさりしかな、わが第二十三年を、
急ぎ行くわが月日、いとも疾く飛びに飛べども、
わが青春暮れんとするに、尚いまだ蕾なく花も咲かず。
わが面影は、われまさに壮年に近づけりてふ
事実《まこと》をおもいまぎらすにもあらんか。
若うして幸多き人びとに授かれる
衷《うち》なる円熟の現るること何ぞ少きや。
しかもその多少はとまれ、早晩はとまれ、
時と天意とがわれをみちびく

かの一つなる命運《さだめ》に——高くも低くも——
常にいささかもたがわず適うにいたらむ。
すべてかなえり、もしいつもわが大いなる監視者《おさ》の
見そなわす所にあるごとく、そを用うべき美徳われにあらば。

ここで監視者《おさ》と訳されているのはtaskmasterということばで、直訳すれば「課題を与える者」の意味を持っている。つまりミルトンはここで何かはまだはっきりしないが、「天」または「大いなる監督者」から或る使命を課せられていると感じているのがうかがえる。この「課せられ意識」において「課する者」はだれかというと、いろいろな場合がある。自分自身、現実の他人、または集団であることもあるし、なかには故人の遺志を感じるひともある。さらにもっと根源的に人生そのものから、または神や天と名づけるものから、あるいは漠然とした超絶的な力や意志によって使命を課せられていると意識されることも少なくない。たとえその意味するところが何か抽象的な理想や思想であろうとも、人間の意識はこれを具象的、擬人的に体験するかたむきがある。そのもっともつきつめた形が精神病理学でいう「させられ体験」であり、「実体性意識」なのであろう。

さてミルトンは、こんなにもはっきりとしていた使命感にどのような内容を与えていたのであろうか。はじめのうちは聖職につく考えもあったらしいが、ホートン時代の終り頃に書かれたと

推定される父宛のラテン語の手紙には堂々と詩への献身志望がのべてある。このなかで彼は詩人という天職の高貴な意義をアリストテレスにまでさかのぼって説き明かし、この仕事に従事するためには、どんなに他人から非難されようともかまわないと述べ、その仮想敵にむかって次のような烈しいことばを投げつけている[19]。

「いまわしきやからよ、君らは私を損いうる力はない。私は君らの管轄の下にはない。わずらいなき心で、私は君らの邪悪なる打撃をはるか高く超えたところを歩むであろう。」

こういう大見得を切ってはいるものの、実際にはべつにまだ外部からなんの迫害をうけているわけでもなかったから、伝記作者ハンフォードのいうように[19]、これらのことばはむしろ彼自身の心のなかにあった懐疑や葛藤を反映しているものと思われる。しかもこの頃すでに上記の詩も書いていたのであるから、自己の詩才について充分の自覚と自信を持っていたのであろう。

ところがふしぎなことに、その後のミルトンはこの使命感に対して忠実に歩んでいるとはみえない。六年のホートン生活の後に外遊に出た彼は、旅先で自国の政治的紛争の知らせをきく。彼は愛国心に燃えてただちに故郷へまいもどり、クロムウェルの側について政治活動に没頭する。政府の「ラテン語秘書官」として、一一年間に書いた散文のなかには『アレオパジティカ』のような、言論の自由擁護の古典的名文もあるが、一方には、自分の軽率な結婚の責任から逃れたいために書いたのだ、といわれたのも無理もないような、激越な離婚の自由弁護論もある。ことに革命派がチャールズ一世を死刑に処したことに対する王党側からの攻撃にこたえてミルトンがクロムウェル政府のために書いた文章は、その毒々しい憎悪と攻撃性でひとをおどろかす。ちょうどパスカルの『田舎人への手紙《レ・プロヴァンシアール》』に似た調子である。ミルトンほどの学識と詩才が、どうしてこのような目的に使われなくてはならなかったのであろうか。

しかし当時のミルトンにとっては、現実の要請に応じることが第一と思われたのであろう。自由と真理への燃えるような理想を、政治を通して現実の世界に具現しうるものと信じ、そのために努力することに生きがいを感じていたのであろう。とはいえ、彼のような人間の現実との対決は、結局惨たんたるものであった。家庭はうまく行かず、健康は損われ、失明におびやかされる。政敵には公私共に弱点をあばき立てられ、政情もクロムウェルの死、王政復古とうつり行き、ミルトンにとってはまったくの幻滅と失意の時代がおとずれる。

ミルトンは危く絶望に陥りかけるが、この時彼を再び立ち直らせたのが昔の使命感であった。当時の文章のなかで彼はいう。「私の胸のなかにいますあの天的な警告者《モニター》」の「光」は「私が弱ければ弱いほどあざやかに輝き、私が盲になればなるほど、私の視力は明らかになるであろう。」ハンフォードのいうとおり、「神の予言者としての特別な使命感が戻って来て彼を覚醒せしめ、絶望の予感を投げすてさせ、大きな苦悩を最終的な献身へと転化せしめたのである。」

しかし詩への使命といっても、めくらの身でどうして果たせようか。その苦悩にみちた問いが、あの有名な失明についての十四行詩《ソネット》である。その最後の句「ただ立ちて待つ者もまたつかまえまつるなり」は決して消極的な姿勢ではない。待つというのは未来へむかっている姿勢である。向きさえ、あるべき方向にむかっていればよい。ミルトンのすべての大作は失明にもかかわらず――否、むしろ失明のゆえに、――次々にうみ出されて行った。孤独と苦渋にみちた現実の生活のなかからうまれたものではあったが、そこには、あふれ出る大河のようなおもむきがみられる。まったく失明したミルトンが引退して『失楽園』にとりかかったのは、あの召命意識のソネットを書いたときから三〇年、英国に帰ってから二〇年、彼が五二歳のときであった。この長い年月の間、彼の詩への使命感は地下水のように、折《おり》にふれての手すさびとしかみえない英語やラテン語の小詩にその片りんを示すだけで潜在し、ふつうならば万事窮すと思われるような状況に至って、はじめて力強く地上へほとばしり出たのであった。失明と政情の変化と、内外両面から彼の行動性がおさえられ、せばめられてしまったのは、彼の使命達成のためにはよいことだったのであろう。もともと活動性のゆたかであったひとが何かのことで行動の自由をうばわれると、外界において散乱されるはずであったエネルギーが全部内面生活にそそぎこまれ、いわゆる「客観的思考」に費されるはずであった精神の力までも「主観的思考」へ追いやられ、そこに深くゆたかな精神的形象の世界をつくりあげさせることがある。ミルトンはそのいい例であろう。しかも現実の泥沼にのたうちまわったような年月も、この晩年の諸大作のなかでみごとに生かされていると思える。途中で目標の混乱があったようにはみえても、結局ミルトンの一生も使命感につらぬかれていると言うべきであろう。

以上の例でみられるように、使命感のもっとも顕著な働きは人間の生きかたに強力な統合作用を持つ点である。ミルトンやシュヴァイツァのような強烈な個性の持主の場合には、使命感の内容は集団のなかでの共同の仕事よりも、ひとりでやることにむかうことが多い。その使命感は自分だけにあたえられた任務の自覚として、本人を一つの別の世界に置く。その深い孤独感はサン＝テグジュペリの『夜間飛行』の主人公リヴィエールの姿にみごとに描かれている。

しかし使命感のもたらすものは必ずしも人間の社会にとって建設的なものばかりではない。前にもみて来たように、生きがい感には、自尊心の昂揚からくる思いあがりがしのびこみやすいのであった。またある使命感が精神医学でいう「過価観念」となって視野をせまくし、反省機能をにぶらせることもあるから、使命感の内容によっては反社会的なもの、病的なものをもうみ出しうる。社会心理学者キャントリルはヒットラーやファーザー・ディヴァインなど、いわゆる教祖的人物を社会学的文脈の中でとらえて興味ふかく分析したが[20]、これらの人物の使命感そのものの分析をもっとくわしく行うことができたならば、人間性について、なお一層教えられるところが多かったろう。精神病者の妄想にはしばしば奇妙な使命感がみられるが、これも人間に本質的にそなわっている心のはたらきを、極端に純粋な形であらわしていると考えられるので、もっと深く研究する必要がある。彼らの場合には、病のために自然の生きがい感が損われ、そのかわりに自己の存在理由を確信しようとする心が、かわった使命感の形をとってあらわれることが多いのではないかと思われる。

3 生きがいを求める心

生きがいを求める心はどんなものからできているのであろうか。どういう内在的な力がひとを生きがいの探求へと追いやるのであろうか。いわば生きがいの欲求論とでもいうべきものをこの章で考えてみたい。

そもそも人間の欲求論ほど学者のあいだで異論の多い題目はない。生物学的な欲求については一致がえられやすいのだが、社会的、心理的なことになると、たくさんの欲求が数えたてられて、人間はただそれらの集まった束《たば》のようなことになってしまう。たとえば、アメリカのマレー(1)は、支配、服従、自律性への欲求など、二〇もならべていわゆる欲求調査書《ニード・インヴェントリー》をつくりあげた。そのなかには被害、非難、不名誉などを回避しようとする欲求などもふくまれているが、そうした消極的な欲求は自己防衛のためのものであって、積極的に生きがいを求める心の態勢とは、縁がうすいのではなかろうか。もちろん、被害や非難にさらされていては、生きがいはもちにくい。生きがいを求めるという心は、そういう被害や非難のない状態を前提条件にするか、あるいはたとえ被害や非難があっても、それをおぎなってあまりあるようなものを求める心であろう。従ってここでは生きがいを求める心というものを、あくまでも積極的なものとして考えて行きたいと思う。

さて精神的な要素からまったく切りはなされた単なる生物学的欲求の満足が生きがい感をうむことがあるのであろうか。南方で敗戦に会い、密林に逃げこんで、草や木の実や魚などで辛うじて食いつないで来たという二人の元日本兵の手記をよんでみても、その長い年月の間、彼らの生存を支えて来たものはただ生物学的な「生きる意志」だけでなく、やはり二人の間の共同意識や過去の記憶、未来への希望などであったことがうかがわれる。肌身はなさず大切につけていた護符や心に抱いていた信心も、食糧や物理的な身の安全に劣らず大切な要素であったという。生きるために必要な心のはりーーこれも一種の生きがい感と言えるがーーをうみ出す点では、これら無形のもののほうが一そう大きかったかも知れない。結局食欲の満足というものは、ただそれだけではあくまでも生理的なもので、身体と精神に低い次元の安定をもたらすだけではないであろうか。その所産としての活力《エネルギー》は、それだけでは生存の目標ではありえず、何のための活力か、ということがそこで痛切な問題となる。モリエールの『成上がり者』のジュルダン氏の言うとおり、ひとは食べるために生きているのではなく、生きるために食べているからである。なるほど美味しいものを食べると生きがいを感じるという食通のひとはある。しかしこの場合にはすでにポーラン(2)のいう意味での欲求の「精神化」が行われているのである。つまりこういうときには食欲は審美的、社会的なさまざまの欲求や感情や観念などと結びついて、精神の領域の大きな部分を占めるようになっているとかんがえられるのである。人格的な愛から切りはなされた単なる性の欲求の満足についても同じことがいえる。

このように考えてくると、生きがいへの欲求の領域はむしろ生物学的欲求の領域のおわるところから始まると思えてくる。明らかにこれは、精神的存在としての、人間の欲求なのであろう。サリヴァン[3]によれば、人間の基本的な欲求は、生物学的な満足と社会学的な安定であるという。しかし、もし生きがいへの欲求が単なる社会的適応と安定を指向するものならば、ある集団の枠のなかでそこの習俗や道徳にかなった生活様式をいとなみ、対人関係もうまく行けば、それだけで生きがい感がうまれるはずである。ところが事実は必ずしもそうでなく、生きがいを求めてわざわざ社会的な安定をやぶるひとさえある。たとえば周囲の反対をおしきって青雲の志に生きる青年、社会的地位をなげうって貧しい伝道者の生活にはいる信仰のひと、愛する妻子をのこし、遠い異郷へ生命を賭けての冒険に出かけるひとなど。

してみると、生きがいへの欲求というのは単なる社会的存在としての人間の欲求ではなく、個性的な自我の欲求なのであろう。オルポートのいう「プロプリウム的欲求[4]」である。いうまでもなく、この領域にも生物学的な欲求や社会的な欲求が侵入し、錯綜してくるが、それらをみたすにも人間は自我の本質的な欲求となるべく両立しうるやりかたでみたそうとする。

人間として一層ゆたかに、いきいきと生きようとするこの種の欲求をマスロー[5]は「成長動機」と呼んで「欠如動機」から区別した。後者の場合には欲求不満による緊張を解除しようとする欲求がはたらくが、「成長動機」の場合にはむしろわざわざ一層の困難や努力を、すなわち一層の緊張を求める欲求がみられるという。

マスローのことば尻《じり》をつかまえるようではあるが、彼のいう「成長動機」の場合にも、果たしてそこに欲求不満がないといえるであろうか、否、大いにあるといわねばならない。ほかならぬ「実存的欲求不満」（フランクル）[6]である。

心理学者のなかでこの「生きがいへの欲求」について一ばん集中的に思いをひそめたのはアメリカのキャントリル[7]かもしれない。彼によれば人間はあらゆる経験に際して直観的に価値判断を行うようにできている。それを彼は経験の「価値属性」value attribute とよんでいるが、彼の考えでは、人間の最も普遍的で本質的な欲求は「経験の価値属性の増大」を求める傾向であるという。そしてこの欲求がみたされたときには、それは経験の「高揚」として感じられるはずであるが、その感じの判断は本人のみによって行われる。ゆえに

「あなたの行為が他のだれかにとって、いかに「成功」であるようにみえようとも、もしあなた自身が経験の「高揚」を感じなければ、それはあなたにとって成功ではないだろう。それゆえに時折われわれからみると成功したようにみえる人が自殺をし、世間が「偉大」であると考えている芸術家なり作曲家なり政治家なりが、人生はむなしい、といってわれわれを驚かせるのである。」

これはまさに私たちのいう「生きがい」の問題であり、キャントリルのいう「経験の高揚」と

は私たちの「生きがい感」にほかならないと思われる。

『アウトサイダー』という本を書いて一躍有名になった英国の若い作家ウィルスンは『宗教と反逆者』[8]という続篇のなかで、人間の一ばんの願いは「生命の一層大きな強烈さ」greater intensity of life へのあこがれであるといっているが、これもキャントリルのいうところと似ている。結局、どこの国のひとも生きがいを求める心にはかわりはないのであろう。

この欲求はしかし、決して単純な構成を持っていない。ちょっと考えてみただけでも、その中には生存充実感を求める心や変化と発展を求める心、未来性、反響、自由、自己実現、意味と価値などを求める心が考えられる。次にこれらを一々考察してみるが、いうまでもなくこのほかにもあろうし、またこれらひとつひとつの欲求の強さや組みあわせにも、個人差がきわめて大きいにちがいない。

生存充実感への欲求　「生きがい感」のもっとも基本的な要素の一つを私たちはすでに生存充実感と名づけ、これについてかなりのべたから、ここではただ二、三、おぎなう程度にとどめておこう。充実といっても、その内容は恐れや不安や恨みなど、生の流れをとどこおらせるものであっては生きがい感はうまれないであろう。生命を前進させるもの、つまり、よろこび、勇気、希望などのようなもので自分の生体験がみたされているという感じを人間はすべて求めていると考えられる。その欲求の強さには個人差があり、生に対してもともとどん欲にできているひとと、つつましやかに、またはのんきにできているひとともある。森田のいう「生の欲望」[9]も、その中核的なものはこの生存充実感への欲求であると思われるが、彼がいうように、この欲求が強ければ強いほどそれをつねに満足させておくことはむつかしくなり、その欲求不満の処理がうまくできないと神経症をも生み出しやすい。しかしまた、たえず飢えかわくように「生存充実感」を求めずにいられないひとは、精神的に苦労が多いかわりに、その求めかた次第によっては、人間存在の深みをさぐることにもなり、いっそうゆたかな生きがい感を体得することもできる。

生命の流れを助けるものといえば、感情の面ではなんといっても前にのべたよろこびであろう。そのよろこびも常にきわだった形をとるとはかぎらず、平凡な日常のなかでの、しずかな、しかし新鮮なよろこびもある。その源泉はいろいろありうるが、なかでも仕事や労働というものがどんなに大きな役割を持っているか知れない。それはすでに多くのひとがくりかえしのべて来たところなので、ここでくわしくいうまでもないであろう。ふつうの健康の持主が、朝おきて、その日、自分のなすべき仕事は何かわからない、というような状況にあるとすれば、それだけでも生存の空虚さに圧倒されるにちがいない。社会生活の上での失業はもちろんのこと、精神生活の上での失業はこの点でなお一層大きな不幸である。

活動性にとんだひとは、平生のつとめのほかにもいろいろと仕事をつくり出し、他人との関係もたくさん結び、毎日いそがしくとびまわることにすがすがしい生存の充実を感じる。それはスポーツにも似た健康なエネルギーの駆使である。そういうひとは、たえずとびまわっていることが、平常の「生存感」になっているから、ちょっとでも活動をやめると自己の生を空虚に感じてしまう。それでますます一瞬の隙もないように、活動へと自らを駆りたてることになる。

これに反して、こまやかな感受性をもったひとは、しずかなくらしのささやかな事柄のなかに生存充実感を求め、感度の高い受信機のように、ふつうのひとには見のがされてしまうようなところからこれをつかまえてくる。次はある学校の生物の教師の随想[10]の一節である。

「中学校の玄関前で六月いっぱい白い匂いの高い、大きな花を咲かせ続けて来たタイサンボクも七月に入ったいま花を終ろうとしている。七月初めの夕闇の中、黒々と立つタイサンボクの木の下で、インドハマユウの白い花の群れがほのかに光っている。

四国の殿様であった松平家の屋敷跡である今の中学校の土地は荒らされて、近所の人達が庭に薪をとりに入ったりしていた、そういう時に松平さんの庭から、インドハマユウを掘り上げて、自宅の庭に植えて何年間か楽しんでいた人があったらしい。余程この花を美しいと思った人なのだろう。

いまの中学校の校舎が建てられて何年かたったころのある朝、私は小使さんから、休日にインドハマユウを返しに来た人のことをきいた。「ここが学校になったのでこれを返しに来ました。」とその人は一言ことわりをいって、いまの場所に自分で植えて帰ったそうである。

なるほど、いまある場所に、いまよりもっと小さい株が無雑作に植えてあった。花も咲いていなかったので、私には何の植物であるかさえ分らなかった。その株は年々大きくなり、株数もふえて、毎夏白く輝くような花を咲かせる。その花が咲く度に私は戦争中と戦後にかけて、この花を自宅の庭で守って下さった人のことを想像してみる。

そしてまた荒れていた庭が校庭として整えられて来た時に、何年も可愛がっていたその植物をそっと返しに来たその心持ちを思ってみる。どんなにか花を愛する人なのだろう。いまも学校の前を通りかかって「あの花が咲いたな」と思ってみておられるのではなかろうか。

その後何年かのちに、この花の写真をうつさせて下さいとことわって写真をとって行った通りすがりの青年があった。「いつもここを通りながらこの花をみていたので」ということで、その写真がのちに届けられた。それには花の奥の露の玉まで美しくとらえられていた。私はこの二人とも顔も名も知らない。けれども何か親しい気持をもって想像している。」

ここでは花の美しさに魅せられる心、それをいつくしむ心、それだけをつながりとして、見ず知らずのひとびとが互いに親しみと感謝の思いを交わしている。あらあらしく、どぎつい現代にもなおこういうひとたちも存在するのか、とこの文章を読む者もこれを書いたひととともに、急に自分の世界の可能性がそれだけ増えたかのように、ひろびろとした感じをいだく。これはやはり快いおどろきをまじえたよろこびの念であり、「生存充実感」でもある。

プルーストが作品のなかでくりかえし示しているように、私たちの現在をいわゆる「現実」以上にゆたかに充実させるものは記憶と想像力なのであるから、この場合もこの教師にとって、前記のひとびとが「見ず知らず」にとどまっていることがかえって彼らのゆかしさを増し、彼らにまつわるわずかな記憶と多くの想像が、この花を見るときのよろこびを、なおさらゆたかにしているのであろう。ベアトリーチェはダンテに少女の頃に一度、乙女の頃に一度、あわせて二度だけ、それも道の上で会ったにすぎず、ダンテと一度もことばを交わしたこともなく、二四歳で逝いた。それだからこそ、なおさら彼女のイメージはダンテの一生に大きな「生きるはりあい」を与えることになったのではなかろうか。

変化への欲求　生存充実感への欲求が変化への欲求と密接なつながりのあることは前章でのべたとおりである。オルポート[11]のいう「新奇なる経験への欲求」も同じことを意味しているのであろう。幼児がおもちゃでも時計でも、なかに何がはいっているかをしらべようとして、容赦なくこわしてしまう姿を思い浮かべれば、これが人間にそなわっている基本的な欲求の一つであることがわかる。これが人間を内外への冒険と探究にかりたてる原動力であろう。

一般に、あるひとの生活が変化にとぼしくなると、この欲求は強く意識にのぼってくる。育児に追われている若い母親は、幼い生命の示す日々の変化と成長のめざましさに目をみはり、心をうばわれ、それを自分自身の生命の発展として体験して行くから、この上なく大きな生存充実感を味わっている。子供の病気やその他の心配ごとも、それがどうやら乗りこえられさえすれば、この充実感をなおさら大きくするのに役立つ。けれども子供が大きくなってだんだん手をはなれて行き、ひとり立ちしてしまうと、あとにのこされた母親の生活は単調なものとなり、それが変化への強い欲求をうみだす。ちょうど更年期の生理的動揺とかさなって、時には精神的危機をつくりだすこともあるのはよく観察されることである。

すでに自己の生命の終りに近づいた老人にとって、草花を育てることや、孫の相手をすることが大きなたのしみになるのは、ただの暇つぶしという意味よりもむしろ若い生命のなかにみられる変化と成長が、そのまま自分のものとして感じられるからなのであろう。愛生園のひとびとの生活に、子供を育てるという要素が完全に欠如していることは大きな悲劇である。彼らの多くが草木や鳥や犬猫など生きものを育てることにおどろくばかり熱心なのも当然である。

生活に変化がなくなると人間は退屈する。それは精神が健康である証拠なのであって、心が病むと退屈は感じられなくなることが多い。たとえば脳の手術をして前頭葉の一部を傷つけられたひとは自発性をうしない、毎日なんの目的もなく茫然と暮していても平気になる。終戦後、一時この手術がはやったので、今でも大きな精神病院をたずねると病棟一杯に、この手術をうけたひとがごろごろしているところがある。脳の手術をしなくても、分裂病の慢性になったひとも同じような姿を示す。

とすれば、この「退屈性」こそ、人間の健康のしるしであり、進歩の源泉であるといえるが、その反面、これがまた破壊性の原動力ともなりうることを忘れてはならない。次はカミュの小説『転落』の一節である。

「愚かな女に廿年を与えた男がいた。彼はその女のために、自分の友情、仕事、生活上の体面まですべて犠牲にしてやったのだが、ある晩、自分は決して彼女を愛したことはなかったということに気づいた。彼は退屈していたのだ、それだけのことさ。大ていのひとと同じように退屈していたのだ。それでいろいろと厄介なこと、劇的なことを含む生活を自分のために思いきりこしらえたってわけさ。何かがおこらなくてはならない、——これが人間のおっぱじめる大ていのことの説明さ。何かがおこらなくてはならない、愛なき奴れい状態でさえも、戦争でさえも、死でさえも。」

カミュのいう通り「退屈な平和」は犯罪や戦争の危険をもはらんでいる。これは戦後二〇年の今日の日本で、直視しなくてはならない事実である。

生活を陳腐なものにする一つの強大な力はいわゆる習俗である。生活のしかた、ことばの使いかた、発想のしかたまでマスコミの力で画一化されつつある現代の文明社会では、皆が習俗に埋没し、流されて行くおそれが多分にある。かりに平和がつづき、オートメイションが発達し、休日がふえるならば、よほどの工夫をしないかぎり、「退屈病」が人類のなかにはびこるのではなかろうか。

しかし、ここでちょっとみかたをきりかえてみよう。変化や発展というものは、たえず旅行や探険に出たり、新しい流行を追ったりしなくてはえられないものであろうか。決してそうではない。ほんとうは、おどろきの材料は私たちの身近にみちみちている。少し心をしずめ、心の眼をくもらせている習俗や実利的配慮のちりを払いさえすれば、私たちをとりまく自然界も人間界も、たちまちその相貌を変え、めずらしいものをたくさんみせてくれる。自分や他人の心のなかにあるものもつきぬおもしろさのある風景を示してくれる。わざわざ外面的に変化の多い生活を求めなくとも、じっと眺める眼、こまかく感じとる心さえあれば、一生同じところで静かに暮していても、全然退屈しないでいられる。エミリー・ブロンテは一生ひとりで変化に乏しい生涯を送ったが、あの烈しい情熱と波瀾に富む『嵐ケ丘』を創り上げる心の世界をもっていた。むしろ精神の世界が豊かで、そこでの活動が烈しいひとほど、外界での生活に大きな変化を求める欲求が乏しいとさえいえるかも知れない。

愛生園の患者の大きな悩みの一つは退屈ということであったが、少ししらべてみると、それはむしろ軽症で身動きの自由なひとのなかに多く、失明してしまったひとびとのほうがかえって精神的に潑剌と生きている場合が少なくないという結果が出た。たとえば肢体不自由である上に、視力まで完全にうしなってベッドに釘づけでいながら、なお窓外の風物のたたずまいや周囲の人びとの動きに耳をすまし、自己の内面にむかって心の眼をこらし、そこからくみとるものを歌や俳句の形で表現し、そこにいきいきとした生きがいを感じているひとはかなりいる。ベッドの上に端座し、光を失った眼をつぶり、顔をややなため上むきにして、じっと考えながら、ポツリポツリと療友に詩を口授するひとの姿。そこからは、精神の不屈な発展の力が清冽な泉のようにほとばしり出ているではないか。肉体的機能が制限されたひとは、かえってエネルギーと注意が許されたせまい「生存の窓口」に集中して、密度の高い精神的な産物をつくり出しうるのであろう。

未来性への欲求　変化と発展への欲求は、当然未来性への欲求をはらんでいる。これからの生が新しい発展をもたらすであろうと期待するからこそ、生きがいは感じられる。前途は未知のほうがよく、道は先までひらけていると感じられなくてはならない。どんなに広い、りっぱな道でも先は袋小路と知れば、とたんに足はすくんでしまう。

未来がひろびろとひらけ、前途に希望の光があかるくかがやいているとき、その光に目を吸いつけられて歩くひとは、過去にどのようなことがあったにしても、現在がどんなに苦しいものであっても、「すべてはこれからだ」という期待と意気ごみで心にはりをもって生きて行くことができる。現在の幸福と未来の希望と、どちらが人間の生きがいにとって大切かといえば、いうまでもなく希望のほうであろう。それゆえに高給でも将来性のない仕事ならば、えらばないほうがよいのである。将来性という観点からみれば、功なり名とげたというような状態は、かならずしもうらやむべきものではない。若いひとのほうが生きがい感を持ちやすい理由の一つは、彼らが過去という重い荷に制約されることなく、すべてを未来にかけて、わき目もふらずに何ものかを創り出そうと力のかぎりをかたむけうるからである。

この未来というものに、ひとはどのような内容を与えているのであろうか。近い未来における身近かな生活目標を持つことは、ほとんどだれもがやることで、それがなければ、愛生園のひとびとの一部にみられたような、深刻な生きがい喪失をうむ。しかし人間には同時に、もっと遠い、大きな未来を夢みたい欲求がある。はっきりした終末観をもつ信仰の持主には、この確固たる未来展望がおどろくべき強さをもたらし、現在のあらゆる苦難に耐える力を与える。多くの殉教者たちがそのよい例である。そこまで行かなくても、多くのひとは子孫とか民族国家とか文化社会、人類の進歩や発展に夢を託し、それらの大きな流れのなかに、その一部としての自己の未来性を感じ、それを支えに生きて行く。人類絶滅の危険にさらされている現代では、そうした未来性への欲求がどれほどまでに、はばまれていることであろうか。そこに現代における生きがいの問題の大きな困難の一つがある。

反響への欲求　第二章でのべたように、生きがいということばには、はりあいという意味がふくまれていた。はりあいを求める心は反響への欲求の一部と考えてもよかろう。したがって第一章でのべたような、美しいものとのめぐりあいなどもこのなかにふくまれるであろうが、ここでは、主として対人的な反響を考えてみたい。

リントンは[12]、他人からの、主として情緒的な反応を人間の基本的な欲求の一つとしている。それがどんなに根づよいものであるかは子供の成長を考えてみればわかる。子供は最初からひとびとのなかにうまれてきて、その人格はひとびととの相互関係のなかでかたちづくられる。まず他人の存在というものがあって、自我は最初それと渾然一体になっているが、次第に他人との交渉という経験を通して少しずつ自我の輪郭がはっきりと意識されて行く。それゆえに、ひとの心のはたらきかけはもともと対話態にできているのである。

他人との共同世界のなかで生きていること。これが人間の根本的なありかたなのだと多くの哲学者や思想家が考えた。その共同世界というものについてテイヤール・ド・シャルダン[13]は独創的な考えかたをしている。彼によれば、この共同世界は思想という「基質」であって、人間たちはその「基質」のなかに浸って生存し、分業と協力を通して互いに影響し合い、支え合い、人類という大きな有機体を作っているのだという。ゆえに自己の生存に対する反響を求めるということは、人間の最も内在的な欲求と考えられるのである。

たったひとり自然のなかで長年月暮さなければならないひとは、ロビンソン・クルーソーのはなしのように、鳥やけものたちを友としてこれと語りあうようになる。このような場合、このけものたちは、もはや単なる動物ではない。心の友として、いわば人格化されているのである。フランスの古い物語にこういうのがある。山奥でいつもたったひとりで牛番をしていた男がある時都会へ出て来て、オペラに招かれた。うまれて初めて見る華麗な舞台にすっかり感激したこの牛番は思わず次のように叫んだという。「ああ、ここにぼくの牛たちがいたらよかったのになあ」と。

他人からの反響ということも、他人に自分の存在をうけ入れてもらう性質のものでなくては生きがい感はうまれにくいであろう。そういう意味ではいわゆる「社会的所属への欲求」「承認への欲求」とよばれているものも、このそぼくな「反響への欲求」から出ているものといえる。

時には他人を憎むことや、うらむことや、他人に復讐することに生きがいを見いだしているように見えるひとがある。昔の仇うちのような習俗的な色彩のつよいものはさておき、現在私たちのまわりで時折みかける、そうした心の姿はどう考えたらいいのであろうか。よく眺めてみると、そういうひとの心の底にもやはり、他人とのあたたかい心の交流を求める気持が烈しく渦を巻いていることが多い。ただその欲求が不当にもみたされないと感じるからこそ、あらあらしい憎悪で反応しているのにすぎないようにみえる。ゆえにこれもまた反響への欲求の一変形とみられるのである。その他、支配欲や権勢欲の強いひとでは、大ぜいのひとが自分の命令ひとつで動くのをみて、そういうかたちで自分の存在への反響をたしかめ、壮快な生きがいを感じるのであろう。

愛に生きるひとは、相手に感謝されようとされまいと、相手の生のために自分が必要とされていることを感じるときに、生きているはりあいを強く感じる。これまた反響への欲求の大きな満足であろう。そういう意味では、親は子に感謝しなければならないわけである。ひとは自分が世話になったひとよりも世話をしてやったひとのほうをこころよく思うものだ、という意味のことをリボーはいっているが[14]、これで説明がつく。

愛生園のひとびとの生活をみても、独身者よりも夫婦者のほうが、たとえ互いの看病をする生活にすぎなくても、はるかに生きがいを感じているようにみえる。これは、日々のくらしのなかで密接に反響しあえる相手があるからであろう。ところがらいに女子はかかりにくいため、どこのらい園にも女子の数が少ない。これも男子患者にとって大きな不幸の一つである。

自由への欲求　人間に自由があるかどうか、という問題は哲学的には大へんむつかしいことになる。しかし具体的に人間を眺めてみれば、人間に根づよい自由への欲求のあることはまぎれもない事実である。また制約はたくさんあるにせよ、人間には自由、とくに選択の自由が与えられていることをみとめなければならない。そうでなければ生きがいの問題もわからなくなる。人間のありかたは、生物学的、心理学的、社会学的条件によって完全に左右されてしまうのだ、というフロイトやその流れをくむ学者たちの決定論では、生きがいの問題には歯が立たない。

アメリカの社会学者ラピエール[15]によると、この決定論的思考は精神分析のおどろくべき普及とともに、アメリカの社会のあらゆる領域に浸透し、それがアメリカ人の家庭、学校、社会における生活態度を無気力なものにしてしまっているという。パイオニア時代にアメリカ人を力強く支えていた自発性、自律性、独創性、冒険性は今や消えうせ、絶望と否定の倫理が支配し、そこで指向されるものは単に適応と安定のみであるから、これはアメリカの将来にとって大きな危険をはらんでいる、とラピエールは主張する。このことをとくにアメリカ女性の生きがいの問題に焦点をあてて論じたのが、さいきん米国で話題をよんだフリーダンの著書[16]である。フロムがいくつもの著書でしきりに自由を論じているのも、ティリッヒの名著『生存への勇気[17]』がアメリカ人に大きな感銘を与えたのも、右のようなふんい気を背景にして考えてみれば、それへの反動としてよくうなずけてくる。

さて自由とは何か、とひらき直ればむつかしいことになるが、自由な感じといえば、わかりやすい。山の頂きに立って、大空を仰ぎ胸をはり、思いきり大気を吸いこむ。下界の一切の束縛をはなれて、のびのびと呼吸ができる。高い木の上にとまっている小鳥のように、自分からどこへでも飛んで行けるような、その主体性、自律性の感情。

この自由な感じこそ生きがいを感じるために、どうしてもなくてはならない空気のようなものであろう。それがどんなに必要なものであるかは、これも「欠如態」になってみないとわからない。であるから共産主義にせよ、軍国主義にせよ、全体主義的統制のもとに日常生活をきびしく規制されている国の青年ほど、自由へのあこがれを強く意識しうるし、牢獄につながれているひとや、小さな島にとじこめられているひとほど、自由というものの実体をまざまざと感じるのである。島に隔離されていることの心理的意味は大きい[18]。

しかしひとの自由をしばるものは、こういう外側のものばかりではない。人間の心のなかにある執着、衝動、感情などが、外側のものよりも、なお一層つよく深刻にひとをしばりつける。奴隷のエピクテートスが精神的に自由人でありえたのは、何よりも彼が自己に対する自由を持っていたからである。また対人関係も、愛情や恩や義理などの力でひとを精神的な奴隷にする。その他、時間や運命などまで考えに入れたら、人間が自由を発揮する余地はどこにあるかと問いたくもなる。たしかに、自由を得るためには、さまざまの制約に積極的に抵抗を試みなくてはならない。それが大へんだから「自由から逃走[19]」することにもなる。これこれの事情だから、これこれの人間だから、だから自分は不本意な生活もしかたがない、とぐちっぽくあきらめて暮すひとは多い。その顔には生きがい感はみられない。

自由から尻ごみする心の根底にあるものは、あの、安定への欲求、というものであろう。これはまさに自由への欲求と反対の極にあるようなものである。そしてこれも自由への欲求におとらず、あるいはむしろそれ以上に根づよい、基本的な欲求であろう。というのは、精神身体医学的にいっても心身のあらゆるからくりは、一応この安定、すなわちバランスを保とうとする方向に働くようにできている。安定への欲求を主として社会的・文化的なものと考えるならば、人間が社会的存在として、何よりもまず集団の一員として安心して暮せるように努めるものであることは明らかである。その証拠には野猿たちの生活の観察記(20)を読んでみればよい。彼らの社会には確固たる秩序があって、実力競争によりボスはボスとしての特権と責任を持ち、弱者は弱者としての分を守る。オルテガのいうように(21)、動物の生活は、まったく他律性——スペイン語の alteración——だとしても、その「他」は必ずしもいわゆる「動物的な」欲求のなすところだけでなく、力の秩序によってさだめられた社会的な律法《おきて》に服そうとする力もあって、そのためには下位の欲求、たとえば食欲や性欲のようなものでもある程度まで抑制されるのである。社会的安定を失い、仲間外れにされることはそれらの欲求の不満以上に危険なこと、すなわち生存そのものを危くすることだからであろう。

生物の系統発生的な進化の序列のなかで、あとから発生したものほどもろい、という一つの法則がある。おそらく主体的な自由への欲求というものは、系統発生的には安定への欲求より後になって現われて来たものであろう。安定への欲求は主として「旧い皮質」である間脳のほうに関係があり、自由と自発性への欲求は大脳皮質の中でも一ばん新しい前頭葉に関係があると考えられる。人類の歴史のなかでも、個性や主体性や自由の観念が力づよく打ち出されたのはルネサンス以後、それもルソーあたりからであり、日本ではやっと明治になってからのことである。してみれば、自由への欲求というものがまだまだひよわいのも道理で、いざとなると安定ということがひとの心に支配的な比重を占めがちなわけもうなずけてくる。自由には危険と冒険と、そして何よりも大へんなことには責任が伴う。であるから、鎖を外そうとして出しかけた手もついまたひっこめてしまうことになる。正直にいって、人間には、えらばないで済むほうがありがたいと思われることが少なくない。つまり人間には自由への欲求もあると同時に不自由への欲求もあると思われる。

しかしほんとうにえらばないで済むのかというと、少なくとも人間の場合は、厳密な意味では、すまないのである。人生の岐路に立ったとき、自分で進路をきめないで他人や成行にまかせるならば、すでにそういう方針をえらんだことになる。オルテガのいう通り、ひとはいわば自由を強いられているともいえる。

たとえ宿命的と形容されるような苦境にあっても、いっさいを放り出してしまおうか。放り出そうと思えば放り出すこともできるのだ。放り出して自殺やその他の逃げ道をえらぶこともできるのだ。そういう可能性を真剣に考えた上でその「宿命的」な状況をうけ入れることに決めたのならば、それはすでに単なる宿命でもなく、あきらめでもない。一つの選択なのである。そこにはもうぐちの余地はない。そしてぐちこそ生きがい感の最大の敵である。

自由といい、選択とはいうが、もちろん、それを手に入れるためには多くの知恵と弾力性を必要とする。ただがむしゃらにこれを追求してみても、自他ともに傷つくばかりであろう。粘菌という原始的な生物ですら、外部の状況が自己の成長に不利であるときには、スクレロチームという姿をとって、自己のまわりに固いからをつくり、そのなかでいわば冬ごもりして、最小限度の生命を維持し、周囲の状況がよくなると再びからを破って増殖しはじめる。人間もまた外的条件に恵まれないときにはなるべく抵抗を少なくして、エネルギーの消耗をふせぎ、なんとかその時期をやりすごすほうが全体からみて得策のことがある。鳴りをひそめ、小さくなって時期の到来をうかがうその姿は、一見消極的にみえても内に強じんな自由への意志を秘めている。環境への無言の抵抗と自己に対する押えの力と、これによってやがて自由を獲得しようというのである。

未来においてより大きな自由を手に入れるために、現在の小さな自由を放棄し、覚悟の上で自らを不自由の中に拘束しておくというならば、そのような計画性と選択性には、やはり自由と主体性がひそんでいるといわなければならない。

またひとは他人への愛ゆえに自らの自由を捨てて、ひとに仕えることもある。ほかの道をとることもできるのにこの道をえらぶとしたならば、これもやはり自由に不自由をえらぶといえる。

とはいうものの、人間に完全な自由などありえないことはいうまでもない。たとえもしありえたとしても、自由に伴う責任の重さは人間をおしつぶしてしまうにちがいない。人間に自由への欲求があるということと、これとはまた別問題である。

自己実現への欲求　生きがい感のなかに自我感情がひそんでいるのを私たちはみて来た。そのわけの一つは、生きがいを求める心に、自己の内部にひそんでいる可能性を発揮して自己というものを伸ばしたいという欲求が大きな部分を占めているからであろう。

自己実現ということばを精神医学の分野で使い出したのはゴールドシュタイン[22]であると思われるが、実存哲学の影響もあって、この点につき論じているひとは少なくない。ビンスワンガーはハイデッガーにしたがって、これを自己の生存可能性への「投企」と表現しているし、フランクルは主として「意味への意志」との関連において考察している。アメリカでもフロムやオルポートはくりかえしこれについてのべており、数年前に来朝したロジャーズは、自己を自発的に実現させるように患者を導くことが、精神療法の指導原理であると語った。

「自己実現」と単なる「わがまま」の区別は、生きがい感と結びつけて考えてみれば明らかである。「わがまま」というのは、自我の周辺部にある、末梢的な欲求に固執することで、これがみたされても真の生きがい感はうまれない。これに反し、「自己実現」の場合には、実現されるべき自我とは、いわゆる「小我」ではなく、中心的、本質的な自我を意味する。この点についてはさいきんの岡潔・小林秀雄の対談[23]にのべてあることが参考になる。

本質的な自己を実現して行くには多くの努力と根気が必要とされる。その結果、この目標が少しでも達せられるならば、そこにはすべてを圧倒するようなよろこびが湧きあがるであろう。前にあげたあのルナールの日記がそのいい例である。

「業績への欲求」とか「自尊心を維持する欲求」などを人間の基本的欲求のうちに数えあげる学者もあるが、これも根本的には似たことになる。いずれの場合にも、他人の眼に対して業績をあげることや自尊心を保つことが第一の問題ではなく、何よりも自己に対して、自己を正しく実現しているかどうか、に関係した欲求であると思われる。もしこの意味で自己にもとっているならば、外面的、対人的にどんなに立派にみえようとも、心の底にはやましさの意識がひそんでいて、心の眼は——そしてしばしば肉体の眼までも、自己をも人生をも正視することができなくなり、横眼《よこめ》づかいや上眼《うわめ》づかいをするようになる。いきいきと、堂々と歩いて行くためには、どうしてもひとは自己に忠実に「そのあるところのものになる」必要がある。ミルトンが新約聖書のなかのタレントのたとえ話にもとづいて、「隠しては死罰を受くべきかの一千銀《タレント》」と歌ったのは、神から刑罰をうけるというよりも、自己実現を怠ったひとが陥らなければならない、深刻な生きがい喪失の状態を意味するのではなかろうか。

「自己実現」ということはいわゆる「投企」という概念と矛盾しない。小さな自己ばかりみつめてそれに固執していては、ろくな生きかたもできない人間が、大きな目的に身を投じ、「我を忘れて」これに打ちこむことによって、知らない間に自分の内にある能力を最大限に発揮しうることは少なくない。むしろ大部分の人間はいつでも何か自分よりも大きなものに身をささげたくて、そのささげどころを探し求めているのだともいえる。

自己実現への意欲が強いひとでも、もし人格がうまく統一されておらず、全く異質的な自我の欲求が二つまたはそれ以上、そのひとの自我の中心部に共在するようなときにはどうなるのであろう。ひとによっては自己に対して相当暴力的な選択を行い、いくつかの芽をかりこんで、ただ一つだけをのこしておく。うまく行けばその切りすてられたものは完全にうしなわれはしないで、のこされた芽の成長になんらかの意味で寄与し、かえって大きな実を結ばせることになる。レオナルド・ダ・ヴィンチやゲーテのような多才の巨人ならともかく、ふつうのひとでは、どの芽ものばしておけば単なる藪《やぶ》になるにすぎないであろうから、これはたしかに生きかたの知恵といえる。

しかしまたひとによっては生きかたを無理に統一しようとしないで、生活のなかに二つまたはそれ以上の自己を併立させて行く方針をとることもある。たとえば森鷗外や木下杢太郎のように医学と文学の二本立てで生きたひともある。認識の人と審美の人と、そのどちらの自己をも発揮しなければ生きがいが完全に感じられなかったのであろう。あるいはむしろ、どちらかというと「本職」でないもののほうが単に「したくてする生きた挙動」(24)であるだけに、よけい生きがいを感じたのであったかも知れない。あるいは二つの異なった活動が互いに生きがい感を強め合っていたのかも知れない。

自己実現の欲求が、二つの、同じ程度に強い、異なった方向に分裂していた例をフランスの現代女流哲学者シモーヌ・ヴェイユ[25]の短い生涯にみることができる。アランなどから高く評価された著作をいくつものこした彼女は、一九四三年に三四歳の若さで亡くなったが、哲学の学位を得て教授の地位についた後に、その地位を捨てて一女工として働いた。カミュによれば、その根本動機は愛への狂気 folie de charité と真理への狂気 folie de vérité との一致にあったという。

この自己実現欲求の分裂は、人格のいろいろな面や層で生じうるし、そのくみあわせもさまざまでありうる。時にはそのために完全な二重人格のように、まったくちがった人間が同一人のなかに共存している、といった様相を呈することもある。分裂があまりにも甚だしい場合には人格の一部は無意識の方へおしやられ、自分にも意識されないことがある。つまり一方の自己は自己所属感をうしなって他者と感じられ、それが異物のように人格の一部を占めて自己ののこりの部分に対して指導や命令を下し、これを支配するに至ることがある。いわゆるデーモンはこれであろう。

生きがい感の面からいうと、ひどく分裂し、矛盾した要素を持つ人格は、そのなかの一つの要素だけを満足させていると他の要素がつよい欲求不満に陥り、生きがいが感じられなくなるから、それに烈しく反撥して今度はもう一方の欲求を満足させる。するとまた片方が欲求不満に陥る、といった具合にたえず一方から他方へと投げやられ、その生は苦悩にみちた力動性を帯びることになる。しかし苦悩があるからこそそれにおしやられ、またそれから逃れようとして、この力動性はどこまでもつづき、それが才能の発揮と自己実現を大いに助ける場合がある。これはクレッチマー[26]やランゲ＝アイヒバウム[27]の天才研究によってもうらがきされるところである。

意味と価値への欲求

「〇〇ちゃんも私もみんな戦争のために……一生めちゃめちゃに壊されてしまった。けれどこの尊い多くの犠牲者によって平和が築かれて行くのだったら、この上なくうれしくてならないのだけれど……」

右は二〇年前、動員女学生として広島で被爆し、顔面裂傷、左眼失明した一女性の手記[28]である。「めちゃめちゃに壊されてしまった」自分たちの生すらそれが平和への礎になるならば、その代価としての意味がある。ぜひ意味あらしめたい！　というのは多くの被爆者たちに共通な願いである。

人間はみな自分の生きていることに意味や価値を感じたい欲求があるのだ。

人間のこうした欲求はどこから出て来たのであろう。おそらくそれは、知覚のようなそぼくな生体験そのもののなかにすでに意味や価値の判断が未分化な形でふくまれている、という事実と無関係ではあるまい。ホワイトヘッドのいうように[29]、人間の知覚というものは必ず「解釈」を伴っており、またその解釈には過去や未来まで内在していると考えられるからである。

今世紀の初めまでは、意味や価値の問題は哲学者や思想家たちに独占されていた観があったが、この頃は精神医学や心理学の分野でも、この問題を等閑に付しては現実に生きている人間の心の問題を何一つ正しく理解できないことが次第にわかって来て、人間のこの面へ眼をむけるひとがふえて来たのはよろこばしい。率先してこの方向をとったのはなんといってもヤスパース、ビンスワンガー、フランクルなどヨーロッパの現象学派や実存分析派のひとびとであろうが、この頃はアメリカでも、先にあげたキャントリルやフロム、オルポートのような心理学者がこの面を重要視して来たほか、臨床心理学の分野でもこれが新しい研究動向となって来たという。たとえばアブトは『臨床心理学の進歩』のなかで次のようにいっている。(30)

「臨床心理学において価値の問題が重要性を持つのは、それが目標とその実現という動機づけの領域に関係するからだけでなく、選択的状況の際にそれがひとの選択を支配するからである。ゆえに全人格を問題にする臨床心理学としては、価値の全領域を等閑視できないということをみとめつつある。

あるひとの持つ価値体系というものは、そのひとの持つ欲求の状態に関係するだけでなく、それが知覚野を構成するのに役立ち、またこれに対する反応を形成するのに役立つということが、実験的に示された。ゆえに臨床心理学は、それらが知覚において重要な役割を演ずることをみとめるようになり、将来この研究分野では多くの努力が価値とその役割についての研究のために払われるであろうと思われる。」

以上に述べられている意味づけ、価値づけという心のはたらきは、知覚のみならず、感情、思考、学習、記憶その他、人間のあらゆる生体験のなかにふくまれているのではないかと思われる。いいかえれば、ひとは自分でもそうと意識しないで、たえず自己の生の意味をあらゆる体験のなかで自問自答し、たしかめているのではなかろうか。そしてその問いに対して求める答は、どんなものでもよいから自己の生を正当化するもの、「生肯定的」なものでなくては生きがいは感じられないのであろう。

この肯定の答が簡単にえられるひとは生きて行くことがらくであり、たのしみにちがいない。単純そぼくに神を信じ、神からつねにその答を与えられているひと、他人が肯定し、うけあってくれれば、それで安心して自分も自分の生を肯定できるひとなど。ところがひとによっては性格の出来が複雑で、劣等感を抱きやすく、他者からの肯定もうけ入れられず、自分で自分の生の意味をみとめることもできず、一生をこの意味への探求に苦闘してくらすひともある。思想家ベルジャーエフは自伝的な文章[31]のなかで次のようにのべている。

「かつて少年時代と青年時代との境目で、たとえ私が生の意味をつかむことができなくても、意味の探求はそれだけですでに一生涯を意味あらしめるものだ、という思想が私をゆり動かした。そしてまさにこの意味の探求にこそ私の生涯をささげようと欲した。これこそ私の生全般に転換を与えた真の内的変革であった。」

4　生きがいの対象

ひとに生きがいを感じさせるもの、つまり生きがいの源泉または対象を、簡単に「生きがい」とよぶことにしたら、その生きがいというものには、一般的に言って、どんな特徴があるのであろうか。これはひとによって答がさまざまであろう。あるひとは「刹那ともいうべききわめて短い時間に、この世に生きているよろこびを感じ[1]」させるもの、と考えているし、あるひとは「いつでも反省してみれば、そこにどっしりと横たわっていて、つきざるよろこびが湧いてくるというようなもの、……これあるが故にどのような逆境にも悲惨にも肯定的感情を失わず、人間に生れてきた甲斐ありと沁々と涙をこぼしてよろこべる、というようなもの[2]」と規定する。結局、生きがいというものに対する考えかたそのものに千差万別の個性があらわれているのであろうから、私どもの立場としては、なるべく広く範囲をとって、人間の生きがいとなりうるものの大部分にみとめられる共通な特徴を次にとり出してみたい。

生きがいの特徴

第一の明白な点は、生きがいというものがひとに「生きがい感」をあたえるものだということである。

数年前の朝日ジャーナルに「ここに生きる」という連載物が出ていたことがある。ほとんど世に知られることもなく、日本のあちこちの片すみで、何かひとつの独特な活動に打ちこんでいるひとびとがそこに扱われていた。たとえば山小舎経営、水の研究、ゲーテ関係の文献収集、しんこ細工、豆本づくり、港の巡回診療、肥後狼づくり、脳性小児麻痺の人びとが集まって行う雑誌編集、忍術医としての活動等々、じつにさまざまなことが次々と登場している。これらの活動が、それを行うひとに、いきいきとした「生存充実感」をあたえていることは、そこに載っている写真のなかの顔つきをみるだけでうたがえなかった。

つまりこれらはみな、このひとたちそれぞれにとっての生きがいであるにちがいない。しかし生きがいとは、べつにここに出ているような、めずらしい、かわったかたちのものとはかぎらないであろう。草木を育てること、俳句や和歌をつくること、あみもの、陶器づくり、他人のためにつくすことなど、目立たぬものもみな立派な生きがいとなりうる。要はただそれがそのひとにとって「生きるよろこび」「生きるはりあい」の源泉になることであって、その観点からいえば、もろもろの生きがいは軽重の比較を超えたものといえる。

第二の特徴は、生きがいというものが、生活をいとなんで行く上の実利実益とは必ずしも関係がないということである。上の例をみても、むしろそういう意味ではマイナスとなるものさえある。つまりこれは「無償の」活動で人間が単に生物として生きて行くためにぜひ必要ということではない。また社会生活の上でも欠かせない、というようなものでもない。いわば一種の無駄、またはぜいたくともいえる一面がある。この角度からみれば、ホイジンガ(3)のいう「あそび」の性格をおびているといえよう。

第三に、生きがい活動は「やりたいからやる」という自発性を持っている。たとえ海外医療伝道というような召命意識にもとづく献身的活動であろうと、単に「させられる」ものではなく、召命をよろこんでうけ入れる、という自発性がふくまれている。ウォーコップ(4)のいう「生きた挙動」である。

第四に、生きがいというものは、まったく個性的なものである。借りものやひとまねでは生きがいたりえない。それぞれのひとの内奥にあるほんとうの自分にぴったりしたもの、その自分そのままの表現であるものでなくてはならない。たとえそれが母性愛というような、極めて普遍的な形のものであろうとも、それぞれの母親の子供とのかかわりあいかたには、独特な個性を発揮する余地はいくらでもある。子どもが成長し、母親との関係が単なる血縁関係を超えて人格と人格との関係に発展して行く場合には、とくにそうであろう。もしそうでなく、ただ本能や義務感や習俗だけにおしやられて機械的に行う母性活動ならば、どれほど他人の眼によい母と見えようとも、真の生きがいではありえないと思われる。その結果、子供に恩をきせる態度やぐちが出てくるおそれもある。

第五に、生きがいはそれを持つひとの心にひとつの価値体系をつくる性質を持っている。いくつかの生きがいであれば、そのうち何を一ばん大切に考えるか、次には何を、というふうにある序列ができるであろう。それは平生、自分にも気づかれないでいて、何か事がおこったときに自他にはっきりすることが少なくない。この点については本書のあちこちでふれるので、ここでは指摘するだけにとどめておく。

第六に、生きがいはひとがそのなかでのびのびと生きていけるような、そのひと独自の心の世界をつくる。ユクスキュルが、すべての生物にはその生物独特の世界があるといったが、人間の心の世界についても同じようなことがいえる。リンドバーグ夫人が用いている比喩(5)を借りるならば、貝がらが自分の体からの分泌物でさまざまの形、色、図柄の貝をこしらえるように、人間もそれぞれ自分のまわりに、自分がそのなかでのびのびと住めるような、身に合った心の世界をつくりだすのである。そのなかで、何が価値があるか、何が優先すべきか、ということがはっきりしているとき、そこには統一があり、秩序があり、調和がある。これがそこに住むひとに安定をあたえる。例の「安定への欲求」も、経済的、社会的次元を超えて、何よりもまずこの心の世界のおちつきがあってこそはじめて根本的にみたされるものと思われる。

右の最後の点をもう少し具体的に考えてみよう。

ここに社会的な名誉というものを一ばん大切に考えて生きる男性がいるとする。このひとの心の世界は主として自分の職業分野における社会的地位や名声の価値基準による階級制度《ハイアラーキー》から成り、自分がそのなかでなるべく上位にのぼることができるよう、その目的のために知恵と精力を集中するし、妻にもその生活目標への全面的協力を期待する。ひとやものごとも、すべてその目的のためにどれだけ役立つかという観点からみて意味あると思われるものだけが、他のもののなかからくっきりときわだって目にうつりやすい。従ってこういうひとは社会的に有力者とみなされる存在に対してとくに敏感で、そういうひとびとに対しては手ぬかりなく礼をつくしておく。しかしそれ以外のひと、とくに社会的に無力なひとびとは、彼にとって影のように現実性がうすい。出世街道をまっしぐらに進む上で、邪魔と感じられるものは他人であろうと自分自身の心のなかのものであろうと、容赦なくおしのけ、いさぎよくおさえて行く。

わが子への母性愛に生きる女性の場合はどうであろう。彼女の心の世界の中心にはその子どもがおり、その世界のひろがりはその子の生活圏に大体一致し、その外にある世界は存在はしても影が一だんとうすい。彼女はわが子を大切に育てるという目的に没入しているから、その目的を助けるひとやものほど価値が大きく感じられ、それを妨げると感じられるものは、身内の者であろうとよその子どもであろうと、価値のないもの、排斥すべきものとしてうけとめる。彼女の眼には、社会的に活躍しようとする同性など、あわれむべき迷いの姿にしか見えず、できるだけ世間に出ないで子供とともに暮すことを最大の幸福と感じ、みごとに子どもを育てあげた母親をこそもっとも尊敬すべき先輩として仰ぐ。もし道で大ぜいの子どもが遊んでいるのに行きあえば、彼女の眼はまっさきにそのなかからわが子の姿をえらび出し、その姿のみがきわだって大きくみえるであろう。他の子どもたちは単にわが子の姿を浮かびあがらせる背景にすぎず、対照群《コントロール》としての意味しか持ちえない。

今かりにこの男性とこの女性が夫婦であった場合を想像してみよう。もちろん共同の家庭を営んでいるからには、ふたりに共通の世界はどっしりとそこにある。しかしそれにもかかわらず、ちょうどふたつの円の一部の弧だけが重なり合っているような具合に、その共通な部分の外にはまったくべつべつの心の世界がひろがっている。それに平生気もつかずに互いに交渉し合っていて、用さえ足りれば理解し合えたつもりになっている。ひとつには、ことばというものが、いわば符牒のような役目を果たしていて、同じことばさえあやつっていれば、ひとによってその意味する内容とちがっていても、ひととおり通じ合ったような錯覚をおこすからでもあろう。

もし何かのことで二人の間のくいちがいが、あからさまになったとしよう。するとこんなに長い間一緒に暮して来たのに、相手は自分をこんなにも理解してくれていなかったのか、と夫または妻が愕然と気がつき、自分はひとりまったくべつな世界にいたのだ、と痛烈な孤独感を意識する。しかしオルテガのいうとおり、人間の生はそもそも「根本的な孤独」なのであって、愛はこの「二つの孤独を一つに融合しようという試み(6)」なのであるから、愛はまず互いの心の世界を知ること、理解することへの努力から出発すべきものなのであろう。もし初めから相手の住む世界を完全に知ることができたならば——そのようなことは絶対に不可能なことであろうし、未知のところ、神秘的なところを蔵していてこそ魅力というものも生じるのだが——、そのひとから期待しうることは何か、ということもわかるはずで、たとえばその人が愛情とか誠意とかいうようなことばを使う場合でも、それがどんな意味で使われているか、その内容と限界がはっきりとわかるはずである。そのひとが住んでいる世界での精一杯のことをしてくれれば、それがそのひとなりのぎりぎりの愛情であり誠意なのであって、それ以上を期待するのはまったく当を得ないことがわかるはずである。

ところがひとは自分の心の世界を超えるものについては、自分の世界での概念を使って説明や理解をこころみることしかできないので、そこからたくさんの心のくいちがいがおこる。こういう観点からも、コルジブスキイ(7)の提唱するように、意味論《セマンティックス》がもっと精神医学でも問題にされるべきではないかと思われる。

以上のようなわけで、ふつうひとはほとんど自分でも気づかずに自分の心の世界のなかで自由に手足をのばして生きている。また自分がいま住んでいる世界がきゅうくつになれば、それをもっと住み心地のよいところにするために、意識的無意識的に、いろいろなものを求めてもがいたりする。そのとき他人や自分にむかっていろいろな理くつをつけるかも知れないが、ほんとうのところは自分が住むのにもっともふさわしい世界、つまりそのなかで一ばんのびのびできる心の世界を作ろうと努力しているだけのことなのかも知れない。

生きがいと情熱

ところで生きがいというものをうまく分類してみることができるであろうか。この点で参考になるのはリボーの『情熱の系譜』(8)という文章である。いうまでもなく、生きがいのなかには情熱といえるほど烈しくないものもたくさんあるが、少なくとも情熱とか執念といえるほどのものは、それを抱くひとの生きがいの主要部分をなしている場合が多いと思われるので、ここでリボーの分類をちょっとのぞいてみたい。

リボーによれば、情熱《パシオン》とは人間に内在する志向性《タンダンス》に由来するから、志向別に次の四群にわかれる。

一　個体保存への志向性に由来するもの。しかし単なる生物学的欲求は情熱たりえず、そこに多くの精神的要素、とくに「創造的想像力」が結びついてはじめて情熱になりうるので、これに属しうる情熱はせいぜい食通とか飲酒道楽ぐらいしかない。

二　種族保存への志向性に由来するもの。恋愛は最も強烈な生物学的欲求に根ざしており、しかも最も多くの精神的要素が結びつきうるものであるから、昔から数知れぬひとびとの情熱を形成して来た。夫婦愛はその性質上、情熱の形をとりにくいものであるが、しかしとくべつな場合、たとえば何かの事情で二人の共存がおびやかされているときなどには、かえって強烈に意識され、情熱の形に近づきうる。

三　個人の自我の拡張と権力への意志に由来するもの。これは次の三つにわけられる。

1　共感《サンパシー》によって表現されるもの。たとえば友情、家族的感情、母性愛など利他的感情に由来するもので、本来おだやかな性質のものだから情熱になりにくい。

2　征服の形をとるもの。スポーツ。狩猟。冒険。かけごと。支配、名誉、名声への野心。所有欲。りんしょく。

3　破壊的な形をとるもの。憎悪、怒り、復讐、しっと。

四　審美的、科学的、宗教的、政治的、道徳的欲求に由来するもの。これは前の三つにくらべてはるかに普遍性が少なく、その強さも弱いとリボーはいっている。なおこのほかに特別な項目として「小さな情熱」をあげ、さまざまの興味ある収集熱を考察している。

以上がリボーによる情熱の分類である。さまざまの生きがいのなかで何かひとつにとびぬけて大きな重みをかける場合、それは多少とも情熱のかたちをとる。そういうひとはいわゆる情熱家なのであろうが、永い年月を通じて自分の生きかたを支配するような情熱の持主は、決して単に感情の烈しい衝動的なひとではない。単に感情や衝動の烈しいひとは、少しの内外の刺激に対しても一々過度に反応し、それをすぐ行動の上に現わしてしまいやすい。したがってその生活は一貫した情熱に貫かれるといった生きかたよりも、その場その場での感情や衝動の波に動かされてしまうため、波瀾万丈といった形をとりやすい。たとえばバイロンとか、ポーとかの生きかたを考えてみればよくわかる。ある執念を長い年月の間持ちつづけるというようなひとは、大きな感動性を持っていると同時に、その性格構造のなかに強い抑制的な要素をも持ち合わせているはずである。それは理性的な抑制力であることもあろうし、内気や臆病のこともあろうし、またうまれつき固執的傾向が強く、それが一つの状態から他の状態へと簡単にぬけ出られないようにブレーキをかける作用を持つこともあろう。このような抑制的要素は感情や衝動をすぐさま行為の形で外へ発散することを妨げる。そのためこういうひとは、その場その場の刺激によって生きかたまで変えるということにはならない。そのときどきの感情や衝動は心のなかでもとからの執念とむすびついてこれを養い、かえってその深さ、広がり、持続性、及び力を増すことになる。

さらに外部の事情から抑制が加えられた場合には、この事態はなお一層助長されうる。環境が許さぬために志をえられぬ場合、行動性の強いひとは正面から外部の障害物と戦うが、内気なひとはそれがしにくいから、内部の感情や衝動は外へ表現されぬまま、その志は心のなかでますます大きな場所を占め、いっそう力を増し、いわゆる固定観念、「過価観念」の性格をおびてくる。一つの執念に生きる学者や芸術家のなかには、一見、さざなみひとつ立たない海のような、まったくものしずかな情熱家がありうるのである。

しかし、人間の生活というものは、もともといろいろな面、いろいろな要素のバランスからできているので、ひとつの生きがいにすべてをかけてしまうというような「悉無律」的な生きかたはそのバランスをくずし、生活を破壊してしまうおそれが多分にある。バルザックの『絶対の探求』はそのようなタイプの学者をみごとに描き出している。リボーのいうとおり「すべての情熱は、例外なく、死へと導きうるのである。[8]」

つまりひとがあることを生きがいと思うその度合がなみはずれて強いと、それは自他の生命よりも大切なことになってくるし、そのためにはすべてを犠牲にしても仕方がないといった心の姿勢になってくる。小さな自己をもっと大きなもの、自己を超えたものにささげつくしたいというのが、生きがいへの欲求のもっともつきつめた形の一つであるから、上のような危険は、ひとつのことに打ちこむひとの生存を、いつでもおびやかしている。立派な使命感に生きる社会福祉事業家や伝道者などで、公人としては世人の尊敬を一身にあつめながら、私的な生活では周囲のひとびとをいろいろな意味でしいたげているワンマンであった、というような例は案外多い。

生きがいのさまざま

ところで一般にひとはたった一つのことに生きがいを限ってはいないようである。仕事、家庭近隣のひとたちとの交流など、さまざまのことに生きるよろこびを感じている。

情熱とはいえない、おだやかな形のものをもふくめて、ひとの持ちうる生きがいを整理してみるのには、どうしたらよいであろうか。リボーの分類と多少重複はするが、前にあげた「生きがいを求める心」を構成する七つの欲求にしたがって次に生きがいのさまざまを分けてみた。とはいえ、これらは互いに錯綜し、移行し合っているし、一つの生きがいによっていくつもの欲求が満足されることが多いのはいうまでもない。ことに「子どもを育てること」は一挙に、一、二、三、四、七など多くの欲求をみたすと思われるので、一々しるさないことにする。

一　生存充実感への欲求をみたすもの。

審美的観照（自然、芸術その他）、あそび、スポーツ、趣味的活動、日常生活のささやかなよろこび。このなかには、生きがいと本人すら意識しないほどのものもあろう。生きがいの調査をしてみると必ず「何ということなしに毎日をすごしていること」「のんびり暮すこと」などを生きがいとして記すひとがある。こういう答が高橋徹らの国民一般を対象とする調査(9)では男女とも一〇％弱みられた。著者の主婦に対する調査(10)では、生きがいは「とくになし」と答えた主婦が六％あったが、そのなかには「生きていることのうれしさ、楽しさをいつも感じているので、とくに記せない」とか「毎日生活していくことが楽しい。生きていることは自身が生きがいである」などと答えたひとがあった。キェルケゴールは日記のなかで「女とは生きるよろこび joie de vivre なのだ」といっているが、どちらかというと女性のほうが、平凡な毎日の生活のなかにささやかな生きがい感をみいだすのが得手のようである。このような場合には、かえってとりたてて生きがいと意識されない傾向がある。

二　変化と成長への欲求をみたすもの。

学問、旅行、登山、冒険など。これらは同時に経験拡張欲、征服欲、闘争欲の満足をも伴うが、これらは自我の拡張をめざすから広い意味で成長への欲求といえよう。また所有物をふやすことや種々のものの収集なども、成長欲をみたす生きがいとなる。

三　未来性への欲求をみたすもの。

種々な生活目標、夢、野心。その内容も卑近なものから社会的、政治的、宗教的理想や実践運動の計画までいくらでもありうる。場合によっては現世を超えた終末論的な未来を期待することが生きがいとなる。

四　反響への欲求をみたすもの。これは三つの方向のちがった生きがいで満足されるであろう。

1　共感や友情や愛の交流。

2　優越または支配によって他人から尊敬や名誉や服従をうけること。

3　服従と奉仕によって他から必要とされること。

五　自由への欲求をみたすもの。これは一で述べたものがみなその「無償性」のゆえにここにはいる。そのほか、ひとの住む心の世界をそのせまさ、卑小さからひろくときはなつように作用するものごとや人物。偉人、偉大な教師、教祖などはもちろん、あらゆる分野でのスター的存在もこれにはいる。

六　自己実現への欲求をみたすもの。ここに最も個性的な生きがいがくる。特殊な才能をもって文化の各方面に独特な貢献をするひとびとはもちろんのこと、もっとささやかな文芸活動や織物や料理などでも、すべてそのひとでなければできないという独自性を帯びれば、それが自己実現の生きがいとなる。これは結局、創造のよろこびということに還元されるのであろう。何かそれまでになかった新しいものをつくり出すことは、とりもなおさず自分の生きているしるしであり、自分の生命の意味をたしかめることでもあるから、次の第七の生きがいにも通じる。創り出すものは何も絵や歌のような形のあるものでなくともよい。自己に与えられた生命をどのように用いて生きて行くかというその生きかたそのもの(11)が、何よりも独自な創造でありうる。これはだれの手にも届く生きがいである。

七　意味への欲求をみたすもの。

第六と密接につながっている。自分の存在意義の感じられるようなあらゆる仕事や使命はこれに属する。報恩、忠節、孝行などもここに入れてよいかも知れない。また教祖的役割を持ったひとへの帰依、哲学的信念、宗教的信仰はもっとも広く深く意味への欲求をみたす生きがいでありうる。

なお、リボーのあげている破壊的な情熱――憎しみ、怒り、復讐、しっと、なども生きがい、あるいは少なくとも「生きるはりあい」たりうるであろう。しかし、これらのなかの相当の部分は二次的に生じたものではなかろうか。つまり建設的な生きがいへの欲求が阻まれたために、その反応として出てきたものと考えられる。そういう場合には、その阻まれた欲求のうらがえしの形として考察すべきであろう。

一次的に破壊的な生きがいを持つひとがあるかどうか、これは異論のあるところであろう。素質を重んじるか環境を重んじるか、それによって考えがわかれるにちがいない。精神医学の立場から冷静にみると、ある種の精神病質人格や脳疾患を持つひとには、破壊そのものに生きがいを見いだすようにみえる者が、ほんの少数ながらあることは否定できないように思われる。この場合にはやはりこういう形で自己の生きている意義をたしかめようとするわけなのであろう。こういうひとびとにもなお別の形で生きがいを発見させることができるかどうか。私たちにとって最大の課題であり、難題の一つである。

5　生きがいをうばい去るもの

生存の根底にあるもの

生きがいというものは、人間がいきいきと生きていくために、空気と同じようになくてはならないものである。しかし、私たちの生きがいは損われやすく、うばい去られやすい。人間の生存の根底そのものに、生きがいをおびやかすものが、まつわりついているためであろう。

諸行無常の鐘の声……私たち日本人のききなれたことばには、この事実に対する静かな認識とあきらめがあらわれている。生、病、老、死。仏陀太子を求道へと追いやった人生の四苦は、現代もなお人間生存の厳然たる事実である。

人間が、どうしても逃れえない力の重圧のもとにあえぐような、ぎりぎりの状況をヤスパース(1)は限界状況と呼んだ。これをもたらすものとしてハイデッガーは死と責、ヤスパースは死、苦、争、責、ガブリエル・マルセルは死と背信、サルトルは死と他人をあげた。いずれにせよ、生きがいがうばい去られるような状況は、一応限界状況とよんでいいであろう。

明るい日常生活のなかで平穏に暮しているとき、ひとは人生のこのような面にほんとうには気がついていない。死ということとひとつとってみても、パスカルにいわせれば人間はだれでも死刑囚と同じ身分にあるのだが、意識的にせよ無意識的にせよ、こういうものから眼をそむけ、いろいろなことで気をまぎらせている。周囲のひとが死病にかかったり、死んだりしても、よほど身近かなひとでもないかぎり、軽くやりすごしてしまう。そうでなければ、人間の精神は一々ゆさぶられて耐えられないからでもあろう。葬式のあとまたは通夜の席上、ひとびとが思いのほか愉快そうに飲み食いし、歓談する光景はそうめずらしいものではない。あれも精神の平衡をとり戻そうとする自然現象であろう。そのなかで、故人の存在にすべてを賭けていた者は、心の一ばん深いところに死の傷手《いたで》を負い、ひとりひそかにうめきつづける。

ひとはそれぞれの生涯のなかで、ちがった時期に、ちがった形で、人生の行手《ゆくて》にたちふさがるこの壁のようなものにつきあたり、その威力を思い知る。その時には必ず生きがいということが問題になるであろう。このような悲しみと苦しみにみちた人生もなお生きるのに値するかと。自分はこれから何を生きがいにして生きていったらよいのかと。

時代がどのように変り、政治形態や社会のしくみがどのように改変されようとも、人生のこの面はとりのぞくことができないのではなかろうか。学問や社会政策の進歩によって、病や老や死の脅威がどれほど遠ざけられたとしても、要するにそれは相対的のことでしかありえない。精神安定剤や麻酔剤で苦悩に対する感受性を低下させたり、精神賦活剤で元気をつけたりしても、結局はその場しのぎにすぎない。

昨今は文化人類学の進歩により、人間の精神構造や意識形態、両性の役割とそれに伴う意識などが文化の相違によってかなりちがうことが明らかにされてきた。各文化、各社会によって一般に採用されている価値基準がちがうのであるから、それだけでも心の世界の様子がちがってくることはよくうなずける。

しかし人間のもっとも根本的な姿を知ろうとする者にとって大切なのは、そのような相対的な差を知ることではなく、それをとり去ったあとに残る人間共通の性質——もしそういうものがあるならば——を掘り下げることではなかろうか。少なくとも限界状況下にある人間は、もはや文化や教養や社会的役割などの衣をまとった存在ではなく、何もかももぎとられた素裸《すはだか》の「ひと」にすぎない。死を前にしては外国人も日本人もなく、皇族も平民もなく、共産主義者も資本主義者もないのである。どんな問題にせよ、人間のことを考えて行く上に、人間のこの面をみきわめることが必要と思われるので、これからそのような状況におかれたひとびとの心の世界とその変貌をながめて行きたいと思う。それはいわば逆光線で人生を眺めるようなことかも知れない。しかし病理学の発達によって生理学が進歩したように、「欠如態」をしらべることによって「正常な」生の構造を明らかにされるところが少なくないと思う。

運命というもの

運命というものは、必ずしも人間にとって悪いものばかりをもたらすわけではないのだが、人間の身勝手な性質として、いいことはとにかくあたりまえなこととしてうけとりがちである。たとえば、私たちが悪い病気にもならず、毎日を親しい者のなかで平和に暮せるということ、それひとつをとってみてもまったくふしぎな「まわりあわせ」で、ただ好運というよりほかはない。らい病にかかっているひとたちをみても、なぜ私たちでなく、彼らが病まねばならないか、という問いが出てくる。伝染といってみても、たしかにらいは伝染性の病ながら、極めて弱い伝染力しか持たないし、らい患者のなかには、衛生思想の高い家庭の出のひともあって、どこからあの病気をうつされたのか、まったく思いあたらないひとも少なくないのである。したがってこの問いにはほんとうは答はない。私たちがらいを病んでいたとしても、べつにふしぎはない。彼らが私たちに代って病んでいるのだ、といってもいいすぎではないのである。ゆえにほんとうは自分の好運について平生ふかく思いをひそめていいはずであるのに、私たちはよほどとくべつなことがおこらないかぎりこうしたことは考えず、ただ悪運のみを深刻にうけとめるものらしい。どこの国のことばでも、運命というのは、悪い連想を伴っていることが多いのはそのためなのであろう。たとえばギリシャ人の想像では、三人の老いた女神モイライたちが人間ひとりひとりの寿命の糸をつむいでおり、そのなかの一人アトロポスがふと気まぐれに大きな鋏でプツリと糸を断ち切ってしまえば、前途有為の青年もその場で息がたえてしまう。その青年の母親が、「たとえ半人前の姿ででもいいから息子に生きながらえていてほしい。死んでしまうことは、そのことだけはどうぞかんべんして下さい」と手を合わせて天をおがむような心で、永年血のにじむような看病をつづけていたとしても、ここで、彼女は一ばん大切な宝をもぎとられてしまう。恐れつづけていた最悪の事態がついに現実となってやってくれば、それをもたらしたものを恐ろしいもの、苛酷なものとうけとるのは当然であろう。

客観的にみればそれ自体善とも悪とも言えない「運命的」な現象も、このように人間の心との関係という地点からみるときには、種々な様相をおびてくる。したがって運命とは、単に外側から人間の上にふりかかって来るものだけを意味するのではない。同じ打撃でもその受けとめかたがちがい、その影響のしかたがちがう。ことに人間が持ってうまれた性格は、これまた内的な運命というべきものであるから、すべて人生において岐路をつくるような出来事は、外的な運命と内的な運命との出会いというべきものである。それゆえに人生においてだれひとり同じ運命に会うひとはないことになる。また、人間の意志を超えた力があるひとの生活史に作用するとき、それがどのような意味を持つかということは、そのひとがそのことにどのような意味を持たせるかということでもある。つまりこれは、そのひとの独特の創造であるともいえる。

難病にかかること

生きがいをうばい去るような状況の第一として、難病にかかった場合をみてみよう。次はらい病を宣告された時の心境を筆者の実施した文章完成テストへの回答から拾ってみたものである。

「晴天のへきれきというか、驚天動地とあらわすか、言葉なし、只絶望一途に死のみ見つめていた。」

「前途が真暗な世界に閉ざされた。」

「眼前が真暗になって行くような恐怖と絶望を感じました。」

「暗夜に追いやられる思いだった。」

「世の中が真暗になり、すべての人生設計が破壊されてしまった。」

「暗い暗いところに沈んで行く。」

「深い谷底につき落とされた感じ。」

「穴に落ちこんだ気持であった。」

幼少の頃に罹病した者、家族のなかにすでに本病にかかっている者がいた場合を除いては、ほとんどすべてのひとがこのようなショックを経験している。このショックは次のように死の想念に結びついていることも少なくない。発病当初の自殺企図もかなりある。

「死の宣告をうけたような絶望感。」

「〇〇〇大学診察室は死刑の宣告場。」

「人生のどん底におちたようで幾度も死を決心した。」

「言葉に言いつくせぬショックで自殺と死が頭の中に渦巻いた。」

「生きがいを失ったから死ぬことを考えました。」

「わが人生の終末だと思った。」

「この世がいやで何とかして死にたかった。」

「死を決意したが、母の悲しみを思い、できなかった。」


この病気は明白な伝染病であるのに、いまだに天刑病というあやまった観念が民間にゆきわたっており、それが反映して他のどの病気の場合よりも深刻な恥辱感と人間疎外感を伴っている。その破局的な様相は、死刑囚の場合やナチスの強制収容所に入れられた場合(2)に近いものがある。


「人類の外にはみ出した種族のような感情。」

「人間としての自尊心を深く傷つけられた。」

「社会から隔離され、白眼視されるのをおそれた。」

「厭世的になり、孤独になった。」

「今までの自分が一変して、何もかも自分から遠くなってしまった。」

「大ぜいの健康な親族の中で、なぜ私にだけ発病したのかと思った。」

「祖先や近親の者に対してすまないと思った。」

この最後のものにみられるような「家」に対する責任感や罪障感を持つひとは多い。そして近親者に迷惑をかけることをおそれてひそかに家を出、直接に、または他所《よそ》を経てから療養所に行き、世にはすでに亡き者として、または行方不明の者として偽名の下に暮す者もめずらしくない。発病直後の心に運命に対する呪いや自暴自棄の思いがみられるのも自然であろう。

「世界をのろった。」

「島流しを直感し、人間の最後を思い、どうにでもなれと思った。」

以上がいわば急性ショックの状態といえよう。結核(3)、がん、原爆症その他の治りにくい病気の宣告に際しても、ニュアンスや強弱の差こそあれ、大体似た心の状態がみられるようである。

愛する者に死なれること

日はゆき、もはや名ごりを留めず
ぬれ空、星のかげも見えない、
ぬけがらのごとくわたしは帰る。
無心の子らが寝息もいずこか、
音なき家は私にさながら

大きな新しきうつろの墳墓！
宇宙の底より湧くと覚しき
　暗黒がわたしの霊を呑んで
　平安は跡もなく消え失せた。
泣こうか、否、祈ろうか、否、
　起とうか、否、坐ろうか、否、
　一切の否定、否定の否定。
旋風にめぐる木の葉のように
　心は宙にから舞い、身もまた
　いつしかぐるぐると歩き廻る。

…………………………

言《ことば》に絶えたる日は始まる。
　見せつけらるるおのが弱さよ、
　見失いたる神のさびしさ。
山崩れに生埋めとなりし
坑夫たちのごとく、昼も夜も
光や隙よとわたしはもがいた。

右はキリスト教伝道者であった故藤井武がその夫人の逝去に際して歌った長篇の詩「羔《こひつじ》の婚姻[4]」の冒頭の句である。次に将来を共にするはずであった青年に死なれた娘の手記から引いてみよう。

「ガラガラガラ。突然おそろしい音を立てて大地は足もとからくずれ落ち、重い空がその中にめりこんだ。私は思わず両手で顔を覆い、道のまん中にへたへたとしゃがみこんだ。底知れぬ闇の中に無限に転落して行く。彼は逝き、それとともに私も今まで生きて来たこの生命を失った。もう決して、決して、人生は私にとって再びもとのとおりにはかえらないであろう。ああ、これから私はどういう風に、何のために生きて行ったらよいのであろうか。」

山崩れに生埋めといい、すべてのものが音を立てて崩壊して行くといい、前のらいの場合となんと似ているではないか。しかしここでは、とくに愛の共同世界が崩れ去ってしまったのである。その途端、闇はのこされた者の心の世界に侵入し、これをまっくろに塗りつぶしてしまう。

しかしやき場で骨を拾うとき、骨壺をかかえて帰るとき、墓の前にたたずむとき、愛する者の存在がただそこにあるものだけになってしまったとはどうしても思えない。のこされた者の心は故人の姿を求めて、理性とは無関係にあてどもなく、宇宙のはてばてまで探しまわる。今にも姿がつかまえられそうな、声がききとれそうな、そのぎりぎりのところまで行って空《むな》しく戻ってくるくやしさ。そのかなしみはひとの心をさまざまな迷路に追いやって来た。文学作品をみてもポーの「からす」という詩には、暗黒の壁のような絶望。テニスンの「イン・メモリアム」には静かなあきらめと悲しみ。ダンテ・ガブリエル・ロゼッティの「祝福された乙女」には切なく美しい天国の幻想。ダンテの『神曲』には、『新生』のいたいたしさとはまた次元の異なった壮大な死者の世界がきずきあげられている。わが国の文学にもこうした例は少なくない。死者の世界と生者の世界との間の境界がまさに突破されかけているような印象を残すものとして、宮沢賢治が妹の死を歌った一連の詩、とくに「宗谷挽歌」があげられる。

人生への夢がこわれること

女流作家パール・バックの少女時代の夢は、「自分の家が子供たちで一杯になる」ことであったという。この婦人はのちに、あとにも先にもたった一人の娘を生んだが、その娘は「決して成人しなかった子供」、すなわち精薄児であった。これを知った時の心境を、パール・バックはその悲しみの書(5)のなかで次のように記している。

「私はその時の私の感情を筆にすることはできません。……ただその時、私の身体の中で、絶望的に血が流れ出すような感じがしたと申し上げるよりほかはありません。……取り除くことのできない悲しみとともに生活するには一体どうしたらよいか、を悟る過程の第一段階は、みじめな、しかも支離滅裂なものにすぎません。……一切のものに喜びはなくなってしまいます。すべての人と人との関係は意味のないものとなり、あらゆるものが意味を失ってしまうのです。風景とか、花とか、音楽とか、私が前に喜びを見出したものも、すべて空虚なものになってしまいます。……

そのころ、私はやはり自分のすべき仕事はいたしました。……自分が住む社会で果たさなくてはならない義務は怠りませんでした。

しかし、それらのことは何一つとして意味を持っていませんでした。ただ私の手が独りでに働いていたにすぎなかったのです。」

人生への夢はいろいろありうる。なかでもこのパール・バックの場合のように愛の対象に関係した夢が破れることは、もっとも大きな生きがい喪失の原因となりうる。これは女性に限られたことではない。たとえばカーライルの、多分に自伝的と言われる『サーター・リサータス』には失恋によるショックが次のように描かれている。

「運命の際限もない破壊の音がひびき始めるや否や、闇の厚いとばりが彼の魂をたちまち覆ってしまった。こなごなに砕けた宇宙の廃墟のなかを深淵にむかって彼はおちて、おちていった。……魔法のような、眼には見えないが不透過性の壁が私をすべて生けるものから分けへだてていた。……街の雑踏や集会のなかで、私は孤独に歩んだ。恰もジャングルのなかの虎のごとく……。私にとって宇宙は生命も、目的も、意志も、敵意さえも全然欠いたものであった。それは一つの巨大な、死んだ、計測することのできない蒸気機関で、冷然たる無関心のうちにごろごろと前進し、私の四肢をばらばらに轢いてしまうものだった。……」

このあとにつづく描写はまさにみごとな分裂病性反応の病像である。このような具象性に富んだ症状記述が単なる想像力でうみ出されたとは考えられない。それはハリデー(6)が指摘した通りである。この「永遠の否定」の世界から、どのようにして「永遠の肯定」の世界へとカーライルが飛躍したかは、彼の伝記のもっとも興味のある点である。

この夢のこわれる経験は、仕事や事業に関していくらもおこりうる。あることにすべてを賭けるほど思いつめる者にとっては、その挫折は生きがいをうばい去るのに充分であろう。また、ある思想なり、信仰なりに自分のすべてを託し、それにしたがって生きて来たひとが、その信条を捨てるほかない事態に立ち去ったときも、もしそれに代るものがない場合には、まったく生きていく方角を見うしなってしまう。

「今までの考えかたはみなまちがっていたのだろうか。その上に築いた人生設計は結局砂上のろう閣にすぎなかったのだろうか。これからどうやって、どういう方針で生きて行ったらよいのだろうか。」

この若いひとの手記には思想なくしては生きることのできない人間の、深刻な一つの危機があらわれている。

「この頃私はさびしいばかりです。特に自分の心の傷については悲観的です。どんな理由があったにしろ思うたびに悲しい。……親友にすら誰にも言えないかなしみは、泥ンこの中から這い出して来て、しみついた匂いをひそかに洗い流そうとするように空しい。……やはり自分がそのことをしたということは、かなしいのです。何度苦しい夢をみたことか知れません。自分の腕を切ったのでしょうか。眺めては泣いている夢を見ました。皆に指さされる夢、いえ、夢でなく、実際にその思いを、感ずるのです。何かにつけて思いがそこに行くと、もう一歩も動けない弱さを痛切に味わっているような有様です。……前歴ということは打消せないのですね、どうしても。」

過去において自分の犯した罪の行為をひそかに悩むひとの心境である。周囲のひとは誰もその事を知らず、もはや告白の必要もない状況にありながら、自分対自分の間では心はうずきつづける。対人的なことは何年も前に清算されていても、自分の前に自分の立つ瀬がないということに悩みつづけているのである。したがってこれは精神分析でいうような無意識内に抑圧された罪障感ではない。

しかし、何かはっきりした罪ある行為の形をとらなくとも、そういう行為を犯す可能性はすべてのひとの心に潜在しているのではないであろうか。他人に対する憎悪、敵意、しっとはもとより、さまざまの欲望は犯罪行為の萌芽といえる。状況によっては私たちも罪の行為を犯さないと誰が断言できようか。

とはいえ、人間のにぶい良心にとって、はっきりとした形で罪を犯したという自覚ほどこたえるものはない。「自分がそのようなことをしたということ」、つまり自分はそのようなことをなしうる人間であるということ、それをすなおに、なんの自己弁解もなくうけ入れることができたとき、はじめてブーバー(7)の言う「自己照明」が生じるのであろう。

戦後日本の社会には、従軍中に自己の犯した悪行のため、ひと知れず罪障感に悩んでいる者が決して少なくない。その償いのために戦後社会奉仕的な仕事へと方向転換したひともある。愛生園の患者のなかにも、おそらくこの罪障感が原因で神経症になっていると思われる元軍人を発見した。このひとは夜ねむっていると、いまだに過去の自分の犯した数々の恐ろしい行為が夢にあらわれ、うなされて汗びっしょりかいて眼がさめるという。この場合、責任は個人よりは戦争という社会悪にあるのだから悩む必要はないといってみることもできる。戦争という事態では、みんながふつうの道徳律から外れたことをするのだから、と自己弁護することもできる。

しかし社会的関連がどうであれ、自己にあい対して生きる人間には、ブーバー(7)の言う「実存的罪悪」が問題になる。これが原因で生じた神経症の例を彼はあげているが、精神医学にとって、これをどう扱うべきかは重要な課題である。

死と直面すること

「私がガンにかかっているということがわかったとき実におどろきました。いきなりドカンと頭をなぐられたような感じでした。ガンになったひとの話はきいてはいましたけれど、よりにもよってこの自分がなるとは！　すべてのものが急に自分から遠のいてしまいました。夫も子どもも、世の中もすべて幕をへだてたむこうの世界のことのようになり、自分は幕のこちらで、たったひとり、間もなく死んでこの世から去って行く、という現実とむかいあっているのでした。

私にはいろいろ人生への夢がありました。その大部分はまだ実行できないでいたことでした。死というものがやって来たら、どんなに中途はんぱな人生でも、そのはんぱなままで去って行かなくてはならないのだ、ということに、今さらのように愕然としました。」

右はガンを宣告されたある主婦の手記である。死に直面したときの心境は、そのひとの性格、年齢、境遇、生活史等によってもずいぶんちがうであろう。次はもっと深刻な場合の一つである。(8)

「「私は死刑囚である……。」

何とも形容しがたき感情のほとばしりが、理性を踏み破って窓へ集中される。……過去を過去として、あっさり葬り去ることのできない、あまりにも奥深い懊悩を、私はこの窓にむかって幾度投げつけたことだろう。おどろき、怒り、絶望、孤独……そしてつぎにくるものは土《ど》壇場《たんば》の心の崩壊と喪失の姿なくしては、私にはいったい何が残されていたろうか……。」

死への恐怖や別離の悲しさにもましてこのひとびとの心をさいなむものは、過去のとりかえしのつかなさであろう。生きる時間がこんなにも限られていなければまだなんとか考えようもありそうなのに、死はすぐそこに迫っていて、その壁の前でひとり過去と自己とにあい対さなくてはならないのである。死と直面したひとの心に必ずといっていいほどよくみられるものは、すべてのものへの「遠のき」の現象である。世界が幕一枚へだてたむこうにみえるというとき、そのひとはすでにみんなの住む世界からはじき出されて、べつの世界から世をみている。その眼のくだす判断も、すでにべつの価値基準で行われはじめている。「死の相のもとに」人生をみるとき、どれほど多くのものがその重要性をうしなうことであろうか。どんなことが新しい意味をおびてくるのであろうか。

いずれにせよ、自分の一生が生きがいあるものであったかどうかという問いは、そのとき、多くのひとの心にひらめくであろう。多くの生きがいが死の接近によってうばわれるとしても、残されたわずかな生きる時間のなかで新しい生きかたを採用し、過去の生に新しい意味を賦与することさえありうる。

6　生きがい喪失者の心の世界

前章に述べたもののほかにもまだ多くの生きがい喪失状況があろう。その状況如何によって差はあろうが、一般に生きがいをうしなったひとの心の世界はどんな風になるか、その共通点といえるものをひき出してみたい。

破局感と足場の喪失

精神的な打撃が急激に来たときには、破局感の来ることはすでにみた通りである。これがあまりひどいと気絶したり、呆然と無感覚無感動の状態になる。これは一種の防禦反射と考えられる。この破局感は今まで安住していた心の世界が突然、「音を立てて」「ガラガラと」くずれ去り、「こなごなに」こわれてしまうところからくる。地盤が急に足もとからなだれ落ち、「底知れぬ闇の中に無限に転落して行く」のである。

ヤスパース(1)やクーレンカンプ(2)が「足場」とか「立場」などと表現するものが、決して単なる抽象概念ではないことは、生きがい喪失者たちの表現がおどろくほど一致していることをみればわかる。しかも多くは小学校しか出ていない日本のらい患者のいうことと、英国の文豪カーライルのいうことが、ふしぎなほど似ているのであるから、いわゆる足場の喪失ということは単なる表現や文化の問題ではなく、人間性そのものに根ざす体験の問題であることが明らかであろう。人間というものがみななんらかの足場を持って生きているということは、これをうしなってみてはじめて愕然と意識されるのである。

これとともに、ほとんどすべてのひとが口を揃えていうのは、目の前がまっくらになった、ということである。同じ物理的な光に照らされていても、心の世界のこわされたひとは、おそろしい、異様な闇につつまれてしまう。メルロー＝ポンティ[3]はいう。「闇とは自分の前にある対象物ではない。それは自分を包み、あらゆる感官を通して自分のなかに侵入し、もろもろの想い出をちっ息させ、自分の個人的な素性《イダンティテ》をほとんど消し去ってしまう。」またミンコウスキイ[4]のことばを借りれば、「闇は構造もなく、表面積もなく、私との間に距離もない純粋な深淵」なのである。この闇のなかでひとは方角もわからず、どこまで堕ちて行っても確固たる地盤に達することもなく、ただ宙にただよっているほかはない。いったい自分はどうなるのか、どうしたらいいのか、それを知る手がかりになるものは何一つなく、なにかわからぬものに四方八方からおびやかされている。

「私はたえず悩みおそれ、ふるえ、おどおどし、何であるか自分にもわからないものを案じていた。」

トイフェルスドロック、すなわちカーライルのいうように、世界はもはや安住できるところではない。至るところに危険なものが自分をうかがっているような気がする。こういうところからいわゆる敏感関係妄想が発生し、一歩外へ出れば敵地、というような意識も出てくる。

このような危機的状況におかれた人間は、虚無の世界からの脅威におののく単なる一個の生物にすぎない。あらゆるエネルギーは自己を防衛することだけに集中して用いられる。したがって自由はうしなわれ、個性はちっ息し、もはや人格とはいえない存在になる。急激な生きがい喪失の状態に陥ったひとが、みなおどろくほど似た姿を示すのはそのためであろう。このパニックの状態がひどければ、そこからいわゆる世界没落感、幻覚、妄想などが発生しうる。愛生園の患者でも、らいの宣告をうけ、療養所に収容されることになって、長い道中を自動車にゆられている間に、突然憑依状態になり、以後二年間分裂病様症状を示したひとがあった。

価値体系の崩壊

心の世界がこわれ、足場がうしなわれるということは、とりもなおさず、その世界を支える柱となっていた価値体系もくずれ去るということである。つまり、今まで生存目標としていたものがうしなわれるとき、ひとはもはや何のために生きて行くのか、何を大切に考えるべきか、その判断の基準もわからなくなる。

この価値体系の崩壊というものは、感情や欲求や知覚など、生体験のあらゆる面に影響を及ぼすと思われる。ひとは知覚においてすら価値判断と意味づけを行うと前にのべたが、価値体系の崩壊はこの能力、さらにくわしくはホワイトヘッドのいう[5]「象徴的関連づけ」の能力までも損うにちがいない。そのために知覚自体も変化し、ものの形も意味もあいまいとなり、すべては異様な、なじめない相貌を呈してくる。いわゆる「離人体験」や疎外感もこのようなところから理解される。

「何がいいことか、何が悪いことか、それすら全然わからなくなりました。」

こういうことばは生きがい喪失者からよくきくところである。価値体系というものが心の世界に一定の秩序と統合を与えていることは、このような実存的危機において、この上もなくはっきりとあらわれてくる。骨組と支柱をうしなった心の世界は、ばらばらとなり、支離滅裂となり混とんとなるほかないのである。

疎外と孤独

「魔法のような、眼には見えないが、不透明性の壁が私をすべて生けるものから分けへだてていた。……私のまわりの男や女は、たとえ私と話していても、単なる映像《イメージ》にすぎなかった。」

ここでカーライルがいっているように、生きがいをうしなったひとは、みな一様に孤独になる。つまりこういうひとは人生の明るい大通りからはね出され、それまでそこにはまり込んで暮していた平和な世界は急に自分から遠のいてしまい、皆のにぎやかな、忙しそうな生活は自分と何の関係もなくなり、自分はまったく仲間外れとなる。もはや社会にも家庭にも、自分のはいりこみうる隙間もない。第一、皆のよろこびや悲しみが自分には少しもピンと来なくなってしまった。もはや何一つ心に訴えるものがなくなってしまった。

このような世界の「遠のき」と、一般社会及び家庭からの疎外感はらいの発病時の体験としても多く記されていた。しかしこのひとたちもやがて療養所にはいれば同病者同志の社会をそこに見いだして、第二の社会への所属感をうるに至る。孤独と疎外感がもっと執拗につづくのは、むしろ大学病院に外来治療に通っているひとたちの間にみられた（ただし、これは昭和三二年の調査による）。大ぜいの一般人の間に病をかくして暮しているほうが孤独感が深刻なのは、現在の日本の社会では当然であろう。これが対人関係をぎこちないものにし、ひとからたえず注目されているような気持をひきおこしやすい。

自分の所属している集団からの疎外感は、やがて人生全体からはみ出しているという感じをも生む。だれからも、何からも、必要とされていないと感じる者の精神状態はサルトルの『嘔吐』にみごとに描かれている。

無意味感と絶望

愛生園で行なった文章完成テストのなかで「ここで私は大部分の時間を」という冒頭の句を設定し、そのあとになんでも思い浮かぶままのことばを記して文章を完結するように要求したところ、「はじめに」の項でのべたような答がおどろくほどたくさんみられた。たとえば左のようなものである。

「ぼんやり空費している。」

「無意味に過している。」

「食べて眠るだけ。」

右のような無意味感を表明したひとは、別の項目にほとんどみな前途に何の目標も希望も持たないと記していた。らいに限らず、すべて生きがいをうしなったひとの心の世界では、未来は行きづまりとなり、時間は歩みを停止している。生きていても、自分の内外に何も生成発展するものがない。

「それに何よりももう僕にとって未来というものが考えられないということ、完き暗黒の世界をしかそこに見ることが出来ないということが、遮二無二僕を絶望に追いつめます。」

右を書いた青年はべつにらいを病んでいるわけではない。家庭環境も恵まれ、すぐれた素質を持ちながら、大学半ばで生きる目標を見うしなったひとである。このような状況から「実存的うつ病[6]」とか「価値喪失うつ病[7]」といわれているものがおこりうる。

次は愛生園の重病棟に身を横たえていたインテリ青年が筆者に低い声で語ったことである。

「私は元気なときは、社会主義革命の理想に燃え、同志たちと一所懸命そのために運動することに生きがいを感じていました。そうすることによって日本全体もよくなり、社会保障制度も完備し、私たち病気の者も幸福になると信じ、そのために励むことによろこびを感じていました。ところがこうして病気が悪くなってみると、その運動にも全然参加できず、友だちもだんだん訪ねて来てくれなくなり、体の苦しみは増すいっぽうで、自分はひとの世話にばかりならなくてはならない。自分の心の悩みとこうして毎日対面していると、やっぱりそれが自分にとって一ばん大きな問題であることがわかり、社会主義運動によって人間の社会的な境遇がよくなったとしても、人間の心の深い悩みは解決されないであろう、ということがわかりました。

この頃は病気が進んだせいか、疲れ切ってしまって、ものをつきつめて考える気力さえなく、自分の生きている意味も何もわからなくなりました。でもきっともっと大きな、自分の心を超えた立場からみれば、このような自分の存在にも何か意味があるのだろう、と信じることにしてどうやら生きています。」

自己の生存の意味を「信ずることにして」、絶望とすれすれのところで、かろうじてふみこたえているひとの姿がここにある。

否定意識

「一切の否定」と藤井武が歌ったように、否定意識はすべての生きがい喪失者にほとんど例外なくみられる。伊東壮[8]によると、原爆被害者たちの精神状況の特徴もそこにあるという。

「たとえ私の頭が（戦争）という言葉を忘れ去る時があっても、私の皮膚は（その日）を、その日からのどす黒い、ぼろぼろの道程を――そしていつ果てるとも知れぬ狂気と死への対決を――記憶し、反芻し、反芻し、予知しつづける。」

広島の平和公園を訪れ、資料館にある、正視するにたえない数々のものを見、原爆ドームの廃墟の前にたたずむ者は、右の一原爆症患者のことばが決して誇張でないことを知るであろう。あれはすべての人間的なもの、文明とか文化とかよばれるものの否定でなくて何であろうか。この患者のことばには個人を超えた、人類的な響きがある。

しかし伊東によると、原爆被害者たちは一般にすべてを否定しながら、なお自己否定に到達していないという。その理由は、彼らが一種の特権意識を持っていて、それが自己肯定を可能ならしめているという。このことは、らい患者にもよく見られることである。

否定意識というものは、しかし、自己にまでむけられたとき初めてもっと徹底的で深刻なものとなる。すべて外なるものを否定しても、自己だけを最後のよりどころにできるならば、人はまだそこを足場として、外のものと戦うこともできる。あるいはまた自己にとじこもり、あの「自閉」という姿勢をとることもできる。

原爆症患者は特定の国家の破壊的な力に対して怒る。らい患者はらいに対する世間の偏見やそのためにおこってくる種々の差別待遇に対して憤り、これと戦おうとする。しかしそのような破壊的意志や偏見の根は、人類一般の心にあるものであり、したがって自分たちの内部にもひそんでいるものではないか。もし自分たちが権力や健康を持っている者の立場に立っていたとしたら、自分たちもまたそのような破壊や偏見にくみしはしなかったろうか。

このようなところにまで、もし思い至るならば、戦うべき相手は必ずしも外にあるばかりでなく、内にも厳然と存在することがわかる。次は、そこまでつきつめて考えた、広島のひとの詩[9]の一節である。

続いているたしかに続いている
終っていないたしかに終っていない
それは　あまりにも忘れたこと
ひとりひとりの過まちをおかしていたこと
平和は手をつなぐというかんたんなこと

本当の戦いは　自分自身に向かって進めていくものだとだれも知ろうとしない。

さいきん出版された「広島詩集」には、このような深い内省を示す作品がいくつか載っていて、この二〇年の間に「否定意識」がさらに深められていることがうかがえる。

肉体との関係

——あなたはレプラです
といわれたその一瞬
硝酸をあびせられたように思った
私の二十五年の歴史の
全リズムが
果てしもない奈落に
……………
ああ　いやだ！
私一人レプラなんて　とても耐えられない
みんなレプラになれ　みんな

私はどうすればいいのだ
もう私の皮膚の下では
底没導坑を穿っているのだ
明日にでも
あの戦慄的なバラのような結節が
火山のように爆発するのだ

ああそれでも私は
この肉体のなかに
自分をゆだねて
深淵のなかで呼吸しなければならないのか。

右は一青年が歌ったレプラの「宣告の記」[10]である。レプラや原爆症やがんなどの宣告をうけたひとにおいては、肉体との関係は、このように、もっともあざやかに分離し、対立する。
しかしこれは何も病気の場合に限ったことではない。すべて生きがいをうしなったひとの意識において、心と体とはばらばらになる傾向がある。どのような原因からにせよ、自己の生きる意味をうしなったひとは、生きて行きたくないひとである。それにも拘らず生きて行かなければならないのは、肉体が精神の状況とは無関係に生きて行くからである。たとえばらいにかかったひとは、自己の肉体に対して強い嫌悪の念を抱いているのがよく観察される。足の指が欠損して、うまく草履のはけない人が少なくない。そんなとき「肉体に侮辱されているような気がします」と彼らはいう。しかもなおらいという病気そのものはひとを死に至らしめることはほとんどないので、この肉体の生きている限り、かれらは生きて行かなくてはならない。また愛する者に死なれたひとは、もう生きて行きたくないと思うような悲歎のどん底にあっても、なお自分の肉体が食物を欲することを悲しむ。このように、生きがいをうしなったひとはいわば肉体にひきずられて生きて行く存在である。「生ける屍」とはこのことをいうのであろう。

しかし、いかに精神が肉体をうらめしく思うことがあっても、生きがい喪失という危機をのりこえさせてくれるものは、この場合、肉体の生命力そのものかも知れないのである。そのことはまた後によく考えてみよう。

自己との関係

生きがいをうしなったひとは、自己との関係もそれまでとは変ってくる。ふつう家庭や社会の中で「りっぱに」生きているとき、大ていのひとは自分の値打とか、自分の存在の必要性とかについて、なんとはなしに自信を持って暮している。フロムのいうように[11]、そういうひとの行動の大部分は、他人から期待されている役割を果たすだけのものであり、その社会的役割がそのひとの自我のほとんど全部を占めていることが多い。

しかし、たとえばもしこういうひとたちがひとたびらいにかかって、ひそかに名前を変え、行方《ゆくえ》をくらまして療養所にはいったとしたらどういうことになるであろうか。所内の社会では、もはや上層部にどっしりとかまえていることもできないであろう。なぜならここの社会にはべつの価値基準があり、病気の進行程度や肢体不自由度のかるいひとほど価値がみとめられる。そのほかに問題になるのはせいぜい人格特徴ぐらいで、社会での前歴などは無視される。というよりは自ら秘めていることが多いから問題になりえない。このようななかにはいってみて、入園者は以前の生活で支えとなっていたものをみなはぎとられ、裸の自己に対面することになる。

これは少し極端な例かも知れない。しかし、何かのことで生きがいをみうしなうような状況にあるひとは、大ていの場合、孤独のなかで「自己そのもの」と相対することを余儀なくされると思われる。しかもその自己とは、生存目標をうしない、統一原理をうしなった存在であったから、これほど無力でみじめなものはない。ただ、おどおどして不安にみち、いたずらに過去をかえりみて悔いや怨恨《うらみ》の思いにうもれている。こういう状況では、心に奥深くひそんでいた破壊的なもの、原始的なものも、ほしいままに浮かびあがって来て、ひとを自暴自棄に追いやる。

このようにありのままの自己をみせつけられると、ひとはいつかは「罪」とか「業《ごう》」ということにぶつかる。自分とはこんなにみにくい弱いものであったか、という思いに自尊心はこなごなとなる。たとえひとの眼はごまかせても、自分は自分の前に立つ瀬がない。それに自分が自分を忘れているときでも、自分のありのままの姿は宇宙の前にさらされているではないか。或るひとは歌った——

こよいも宇宙は私をみつめている
数かぎりない眼をひからせて
私の骨の骨、髄の髄まで
たえまなく、容赦なく——

自己に対するこの深刻な嫌悪の泥沼から、どうやってひとは這いあがるのであろうか。自己へのにくしみのあまり自殺してしまうひともある。酒や麻薬や享楽に耽溺するひともある。どうせこんなものさ、となれあいの形で、すべてを浅くごまかして暮して行くひともある。発見した自己をそっとかくし、再び仮面をつけて生きて行くひともある。きびしく自己をみきわめ、あるがままの自己をなんの自己弁解もなく、うけ入れるほかなくなるひともある。いずれにしても、ここでひとが自己に対してどのような態度をとるかにより、その後の生きかたに大きなひらきが生ずることであろう。

「私はたえず、漠然と悩み恐れ、ふるえ、おどおどし、何であるか自分にもわからないものを案じていた。」

トイフェルスドロックのことばは、不安というものの姿をよくあらわしている。不安とは「何であるか自分にもわからないもの」を案じているところにその特徴がある。[12]生きがい喪失状態には必ず不安が伴う。そのなかには生理的におこるもの、社会的状況からおこるものも混ざっているにちがいないが、それらすべての不安といりまじり、つながりあいながら、それよりさらに深いところから来ている不安、いわゆる「実存的不安」または「世界観的不安[13]」がほとんどすべての場合にみとめられる。ティリッヒ[14]によれば、実存的不安には三種類ある。第一は死の不安、第二は無意味さの不安、第三には罪の不安である。

いずれにしても、これらの「実存的」不安は、人間のおかれている状況如何にかかわらず、生存そのものに属している。人間が自己のおかれている条件を考えれば、抱くのが当然の不安なのであるが、平生は生活の忙しさや、もっと浅いよろこびや悩みによって覆いかくされている。それが生きがいをうしなうような限界状況において、あらわにされるのである。

このような根源的な不安は、ほかの人間がいいかげんな気持で操作すべきものではない。ごまかさずにこれを経過することによって大きな精神的飛躍がもたらされることもあるのだから、たとえ精神科医でも、慎重に、敬意をもってこれに近づかなくてはならない。むしろ人間はたったひとりでこの不安に直面し、対決しなければならないのである。

苦しみ

生きがい喪失には必ず苦しみが伴う。苦しみは肉体的なものと精神的なものとに分けられるが、この区別は必ずしも明瞭でない。両者は同一現象の二面であるという説[15]もある。肉体的な苦痛はしばしば不安や焦燥を伴うし、精神的苦悩が身体の至るところに障害や苦痛をおこすことはよく知られている。しかしまた、身体的苦痛がおこったために、かえって精神的な苦痛が軽減されたり、消失したりすることもある。したがって両者の関係は必ずしも簡単ではない。愛生園の患者にもそういう例が折々みられる。

三〇歳になる一患者は生存目標がないために永年なやんでおり、おそらくそのために生じたと思われる心臓発作に苦しんでいたが、ある時、膀胱炎と腎盂炎にかかって高熱を出し、二ヵ月ちかく病室で療養した。この間、肉体的苦痛はあっても、「精神的にはかえってらくです」と自らいい、心臓発作も一回もおこらなかった。ところが身体の病気が全快すると、病気以前と同じ精神状態に戻り、心臓発作もまたおこるようになった。

これはどういうわけであろうか。療養中は医師や看護婦から注意や世話がうけられる。それが孤独な心にやすらぎを生んだ点もあろう。しかし、もっと根本的には、身体病の治療という、はっきりした生活目標ができ、それにむかって日々歩むことができたから、それで心の統一とおちつきがうまれたのではなかろうか。現に彼は毎日の熱の工合や折々の尿検査の結果に積極的な興味を示し、快癒への道程にいきいきと充実感を味わっていたようである。永年結核をわずらっているひとにも、このような姿はしばしばみられる。一たん病気が治ってしまうと、社会復帰の困難も手伝って、あたらしい生存目標をみいだすことがむつかしく、療養中よりもかえって悩むひとがある。何のための快癒か、ということが問題になってくるわけである。

肉体的苦痛よりもはるかに深刻なのは精神的苦悩である。それは前者が末梢性、感覚性であるに反し、後者は自我の中心部がまきこまれるからであろう。したがって生きがい喪失状態には必ずともなう。

精神的苦悩のうち、経済的なものや対人関係に関するものは、一般のひとの日常の悩みの大きな部分を占めている。これらは時代の変遷と社会機構の変革によってかなり軽減しうるものであろうが、いわゆる「世界苦」に類するものは、いつまでも絶えることがないであろう。例えば、死とか病とか罪などに関する苦しみである。この種の苦悩こそ生きがい喪失者の心の世界を占めるものであることは、すでにいろいろな例でみて来た。また、とくべつ何か外側に原因がなくても、ひとによっては、うまれつき心に自嘲的、虚無的なものがあって、いわば自然発生的に生きがい喪失に陥るひともある。ジェイムズのいう「二回うまれ」のひとであり、「ニヒルの悩み」[16]につきまとわれているひとである。

精神的苦悩は他人に打明けることによって軽くなる。なぜであろうか。きいてくれる相手の理解や愛情にふれて、慰めや励ましをうけるということもあろう。しかし何よりも苦しみの感情を概念化し、ことばの形にして表出するということが、苦悩と自己との間に距離をつくるからではなかろうか。「いうにいわれぬ」苦しみをいいあらわそうとするとき、ひとは非常な努力によって無理にも苦しみを自分からひきはなし、これを対象として眺めようとしている。その時、自分ひとりでなく、だれかほかのひとも一緒にそれを眺めてくれれば、それだけでその悩みの客体化の度合は大きくなる。悩みというものは少しでも実体がはっきりするほど、その圧倒的なところが減ってくるものらしい。したがって、いいかげんな同情のことばよりも、ただ黙って悩みをきいてくれるひとが必要なのである。

そういうきき手がだれもいないとき、または苦しみを秘めておかなくてはならないとき、苦悩は表出の道をとざされて心のなかで渦をまき、沸騰する。胸がはりさけんばかり、ということばはそれをあるがままにあらわしている。

これはまさに危険な状況で、なんとしてもこの精神内の圧を減らさないと苦悩は内訌《ないこう》し、精神的破局——すなわち自殺とか精神病理学的反応とかを来たすおそれがある。どうしても苦悩を打明けるひとがいないときには、文章に書くというのも安全弁の役に立つ。文学作品にもこのような契機からうまれたものが少なくない。たとえばキェルケゴールの『あれかこれか』はレギーネとの婚約破棄に伴う苦悩の産物であるし、ミュッセの数々の美しい夜の詩はジョルジュ・サンドとの失恋のにがい経験がうんだ傑作である。

苦悩をまぎらしたり、そこから逃げたりする方法はたくさんある。酒、麻薬、かけごとその他。仕事に異常に没頭することもその一つであろう。しかしただ逃げただけでは、苦悩と正面から対決したわけではないから、何も解決されたことにはならない。従って古い生きがいはこわされたままで、新しい生きがいはみいだされていない。もし新しい出発点を発見しようとするならば、やはり苦しみは徹底的に苦しむほかないものと思われる。

悲しみ

次に生きがい喪失の悲しみについて考えてみよう。

リボーは精神的な苦しみ douleur morale という一つの概念のなかに悲しみをもふくめてしまったが、苦しみというものを精神的なものだけに限ってみても、やはり悲しみとは区別されるべきではないかと思われる。苦しみにおいては何かしら動いているものがある。これに反し、悲しみの世界では、もはやひとは抵抗することもやめ、あがきからも身を引いている。もがくことをやめた瞬間に、悲しみは潮のように流れ出て心のなかのあらゆるものにしみわたり、外界にみえるものまですべてを哀愁の色に染めてしまう。そこにはもだえやあせりの態勢にはみられない統一と諦観のしずかな美しさがある。

苦しみは精神の一部しか占めないことが多いが、悲しみは一層生命の基盤にちかいところに根をおき、したがってその影響は肉体と精神全体にひろがって行く。ゆえに深い悲しみにおそわれたひとは、何をすることも考えることもできなくなってしまう。苦しみはまだ生命へのあがきといえるが、悲しみは生命の流れそのものがとどこおり始めたことを意味する。スピノザがくりかえし悲しみは悪である、といっているのもこの角度からみればうなずける。

ゆえにつきつめていうならば、悲しみは死と虚無とを志向するものといえる。うつ病における「実存的空虚」（ゲープザッテル）の感情は死の予感であり虚無の「予体験」であるという説(17)もある。いずれにしても、深い悲しみに打ちのめされた者の心の眼には、すべてが「死の相のもとに」見える。時間は停止し、未来は真暗な洞窟のようにみえ、どこまで行っても決して明るいところへ出られそうにもみえない。咲く花も、とびかう蝶も、みな空しいではないか。子どもたちの笑い声も、恋人たちのささやきあいも、なんとそらぞらしく響くことであろう。営々として家庭を築いてみても、心血を注いで仕事をしてみても、死はすぐ背後に迫って来ているのではないか。自分の心すらなんとたよりないものであったろう。かつては希望や野心に燃え、愛情にもあふれているように思えたのに、もはや荒れ果てた砂漠のように夢も匂もない。人生はすべて虚妄《こもう》にすぎず、自分もまた生きているかいないものだ。どんな努力もみな無駄としか思われない。

このような「否定的態度」「価値の喪失の感情」[18]が長くつづけば、必然的に自殺へとむかうことは、うつ病者が必ずといってよいくらいに死を思い、自殺を企てることをみてもわかる。長い年月をかけてなんらかの方法と経路によってこの世界からぬけ出られたとしても、ひとたび生きがいをうしなうほどの悲しみを経たひとの心には、消えがたい刻印がきざみつけられている。それはふだんは意識にのぼらないかもしれないが、他人の悲しみや苦しみにもすぐ共鳴して鳴り出す弦のような作用を持つのではなかろうか。さらにこれは現世や自己に対する一種のニヒリズムをかもし出し、それがそのひとの価値判断にも知らぬ間に影響を及ぼしていると思われる。そのニヒリズムは、ともすれば現世の事物や人間との結びつきをゆるくするから、そこに愛の心のうみ出すあたたかさが不足すると、冷たいシニシズムや皮肉な態度や厭人的な心の姿勢がうまれるであろう。しかしもしそこにあたたかさがあれば、ここから他人への思いやりがうまれうるのではなかろうか。

こういう深い悲しみを体験したひととそうでないひととでは、大きな差のあることをパール・バックは前にあげた本のなかで語っている。

「私が、世の中の人々を、避けることのできない悲しみを知っている人たちと、全く知らない人たちとの二種類に分けることを知ったのは、この頃のことでした。というのは、悲しみには和らげることのできる悲しみと、和らげることのできない悲しみという根本的に異った二つの種類があるからです。……和らげることのできる悲しみというものは、生活によって助けられ、いやすことのできる悲しみのことですが、和らげることのできない悲しみは、生活をも変化させ、悲しみ自身が生活になってしまうような悲しみなのです。」

パール・バックのように、精薄という宿命を負った子の不幸を一生目のあたりにみていなくてはならないひとや、らいのような病気と一生ともに暮さなければならないひとは、まさにこの「生きた悲しみ」のひとといえよう。

しかしもし、ブラウニングがいったように、深い悲しみが生の流れに投ぜられた石だとしても、流れは常にその石にせかれてしまいはしない。たとえその石を動かすことができなくとも、これをのりこえてやまないのが生命の力であろう。こうしてひとは性《しょう》こりもなく悲しみのなかからまた立ちあがり、新しい生きかたをみいだし、そこに新しいよろこびすら発見する。しかしたとえ発見しえたとしても、ひとたび深い悲しみを経て来たひとのよろこびは、いわば悲しみのうらがえしされたものである。その肯定は深刻な否定の上に立っている。自己をふくめて人間の存在のはかなさ、もろさを身にしみて知っているからこそ、そのなかでなおも伸びてやまない生命力の発現をいとおしむ心である。そのいとおしみの深さは、経て来た悲しみの深さに比例しているといえる。

苦悩の意味

生きがいをうばわれたひとの心の世界は、今までみて来たように、耐えがたい苦しみにみちみちたものであった。一生のなかで、いつかはこのようなところを通らなければならないとしたら、その苦悩はその生涯にとってどんな意味を持つのであろうか。

肉体的な苦痛にせよ、精神的な苦悩にせよ、苦しみは快楽にくらべて長く感じられるという。烈しい苦しみにさいなまれているひとには、時間は長い拷問のようにみえ、一刻も早く苦しみがおわってくれることを願う。苦しみについて古典的な著書をかいたイオティコ[19]らは、苦しみのほうが快楽よりも意識のなかに深く、長く刻印を残すから、記憶にもそれだけたやすくよびさまされやすいし、また快楽よりもはるかにまざまざと思い出されるとのべている。ダンテの『神曲』で、天国の至福な状態の描写よりも、地獄の苛責のほうがはるかに迫力をもって描かれているのも偶然ではなかろう。人間には、苦しかったことはなるべく忘れようとする心の動きがあることもたしかであるが、たとえ苦しみが忘れ去られても、おそらく意識の下になまなましく存在しつづけるにちがいない。これは催眠術による実験でもうらがきされる。

苦悩がひとの心の上に及ぼす作用として一般にみとめられるのは、それが反省的思考をうながすという事実である。苦しんでいるとき、精神的エネルギーの多くは行動によって外部に発散されずに、精神の内部に逆流する傾向がある。そこにさまざまの感情や願望や思考の渦がうまれ、ひとはそれに眼をむけさせられ、そこで自己に対面する。人間が真にものを考えるようになるのも、自己にめざめるのも、苦悩を通してはじめて真剣に行われる。実存哲学のことばを借りれば、ただ「即自」に生きるのでなく、自己にむかいあって「対自」に生きる人間特有の生存様式がここにはじめて確立される。これこそ苦悩の最大の意味といえよう。この意味で「人間の意識をつくるものは苦悩である」というゲーテのことばは正しい。苦しむことによってひとは初めて人間らしくなるのである。

人間というものはよほど意味を求める欲求が強いらしく、苦悩しつつある時でさえ、そこに何ほどかの意味を感じたいらしい。いったい何のために毎日こんなに苦しんでいるのであろう、と彼はつぶやく。苦しむことで何事か得られるなら、何かの目的が果たされるなら、苦しみもまだ耐えやすいのだ。

苦しみにも意義を発見したい人間を納得させるために、昔からいろいろな意味づけがこころみられて来た。すべて前世の因縁であるという仏教的なみかたで、身の不運を達観し、静かなあきらめと忍従の境地に生きるひとは東洋の私たちの周囲に少なくない。学校にもろくに行かなかったようなひとでも、このような境地にいるひとの心の世界は淡い悲しみの色に染まりつつ、犯しがたい落着きと品位をそなえている。そのあきらめが来世での報いを求めてのものでなく、無償のものであるときには、なおさら静かな美しさをたたえている。

それからまた、次のようなキリスト教的なみかたもある。

然しよしそれが人の心に肉に
いと忍び難き苦しみであろうとも
それは神の御手からじきじきに来るもの。
彼のいと近くいますを感じさせるもの。

……………………

キリストも捨てられ給うた、
さればあなたもまた捨てられねばならぬ、
さもなくてまことに何の苦難ぞ。
苦《にが》き夜を夜もすがら、主来り給いて
酒槽を踏みたまう時、
あなたは御顔をも見ず御手にもふれず
ただ残酷に踏みくだく御足をのみ感ずるのだ。
見ゆるものによらず、ただ信仰によって
忍べ、忍べ、終りまで忠誠であれ。(20)

そして終りまで忍び果せたものが天国で幸福になれると教え、「こここの世に於てのみ、神のために苦しむことが、貴方に与えられているのだ」といって励ますのである。このようなうけとりかたを自分のものにして、烈しい心身の苦しみを耐え忍ぶだけでなく、積極的なよろこびと希望にあふれて世を去って行ったひとびともある。フランクルが「態度価値」と呼んで多くをのべているのも、このようなキリスト教的土壌の上に育ったものとして理解される。

マックス・シェラー(21)によれば、このような場合、「ひとは苦悩を正しい意味で愛するに至る。それは神という彫刻家が、ある人間の生という素材に対して、のみをふるい、本来は官能の昏迷の中にうしなわれていたその素材のなかから、理想の自我像をきざみあげるのである。」いいかえれば、苦しみは人格を向上させ、完成させるのに役立つという考えかたである。これは、シェラーも気づいているように、苦痛そのものをたのしむマゾヒズムの態度とすれすれなところがあるが、しかし神意達成と人格完成という目的意識がある点で本質的にちがう。修業のために難行苦行を必要とみとめる考えかたは東洋にもあって、さまざまの奇妙な現象を生んで来たが、これは自ら求めて或る目的のために苦行するというのであるから話はまたべつである。

いずれにしても自分に課せられた苦悩をたえしのぶことによって、そのなかから何ごとか自己の生にとってプラスになるものをつかみ得たならば、それはまったく独自な体験で、いわば自己の創造といえる。それは自己の心の世界をつくりかえ、価値体系を変革し、生存様式をまったく変えさせることさえある。ひとは自己の精神の最も大きなよりどころとなるものを、自ら苦悩のなかから創り出しうるのである。知識や教養など、外から加えられたものとちがって、この内面からうまれたものこそいつまでもそのひとのものであって、何ものにも奪われることはない。中世紀の、あのひなびた味のする聖フランシスの『小さき花』(22)にある通りである。

「苦しみと悲しみの十字架こそわれわれの誇りうるものである。なぜならば「これこそわれらのもの」であるから。」

7　新しい生きがいを求めて

生きがいをうしない、絶望と虚無の暗い谷底へおちこんでしまったひとの多くは自殺を考える。これはどこの国でも大体同じらしく、アメリカのクレインズ[1]は、「非常に悲しい事件に遭遇したとき、正常人の50%は自殺を考える」といっている。日本ではもっと高い数字が出るかも知れない。らいにかかったひとびとも幼少の頃に発病した者をのぞいては、大部分が少なくとも一度は自殺を思い、自殺企図を二回や三回くりかえしたという例はめずらしくない。

すでにのべたように、生きがいをうしなった人間が死にたいと思うとき、一ばん邪魔に感じるのは自己の肉体であった。しかし実際はこの肉体こそ本人の知らぬ間にはたらいて、彼を支えてくれるものなのである。さらにいうならば、その生命力の展開を可能ならしめている時間こそ恩人というべきであろう。自殺未遂者の大多数（80%）はあとで「死ななくてよかった」といい、大部分（75%）がその理由として「心がまえが変った」とのべた調べがある[2]。自殺行為により必ずしも生活環境が変ったり、願望が達せられたりしたのではないのである。

時間というものは人間の心の思い如何にかかわりなく、人間の内側のありかたを変えて行く。

たえがたい苦しみ、悲しみ、病、老、死をも時間がのりこえやすくしてくれる。からだの傷は時の経過だけで、自然にはんこん化し、組織が再生されて行く。これと同じような現象が精神の領域にも行われる。そこに関与する大きな要素はあのふしぎな忘却という作用である。この底なしの深淵《ふち》にはどれだけのものがすいこまれて行くことであろう。

すべて自分のものと感じられるものに執着するのが人間の性質であるから、過去のなやみがいまわしいものでないかぎり、これを忘れたくない、悲しみから癒されたくない、と願う心もある。しかし時の力は容赦なくはたらく。その癒しの過程が何よりもまず肉体にそなわっている生命力によるものであることに、パール・バックも気づいている[3]。

「私の持って生れた健康も、また私の魂の転換には多少の関係がありました。私は太陽が昇り、そして沈んで行くのも、四季がめぐって来て、また過ぎて行くのも、家の庭に花が咲き、通りを人が過ぎて行くのも、また町から笑い声が聞えてくるのも感じるようになりました。とにかく悲しみとの融和の道程がはじまったのでした。」

時の経過はまた外側の生活状況をも変え、新しい環境、新しい対人関係、新しい事態をもたらす。人間は否応なしにそれらの新しい刺激に対応しなければならなくなる。そのために、古い感情や欲求や夢は次第に意識の外に追いやられることになる。しかし、これは必ずしも存在しなくなることを意味しない。フロイトのいうように、自分にとって都合のわるいことは抑圧され、無意識の世界におしやられるということもたしかにある。しかし生きがいをうばわれたというような状況は、多くの場合、そう簡単に無意識のなかに封じこめられてしまいうるものではなく、単に意識の周辺におしやられ、そこで存在しつづけるのではなかろうか。それが意識の中心を占めるものの背景となって、これに影響をおよぼすものと思われる。それは虚無と暗黒の背景であるから、ちょうど暗視野装置の顕微鏡でものをみているように、対象の存在が浮かびあがってみえるのではないかと思われる。

自殺をふみとどまらせるもの

さて、自らの生命を断ちたいと願う心を抑えるものは何であろうか。それはうつ病のひどい状態にあるひとのように、その考えを実行に移すだけの勇気や元気がないという消極的な場合もあろうし、また肉親に与える悲しみを思って実行できないという場合も多い[4]。

ウィリアム・ジェイムズは「人生は生くるに値するか[5]」という文章のなかで、たとえ宗教や哲学を持っていないひとでも、自殺一歩手前というところで、次の三つのものによって踏みとどまることができるはずだといっている。第一は動物ですら持っている単純な好奇心で、人生にまったく生きる意欲を失った人間でも明日の新聞に何が載るだろうかとか、次の郵便で何が来るかを知るためだけでも（自殺を）あと二四時間のばすことができる。第二は憎しみや攻撃心であって、たとえ心のなかで愛や尊敬のような感情が死んでいても、自分をこんなひどい目にあわせるものに対して戦おうという感情に支えられることもできる。第三は名誉心で、自分というものの存在を可能ならしめるために、どれほどの犠牲が払われたか、たとえばどれほどたくさんの動物が自分を養うために屠殺されて来たかを考えれば、自分もまた自分の分を果たし、これくらいの悩みは耐え忍ぼうという気をおこすのがふつうである、といっている。

動物の屠殺の項はいかにも西洋人の意見らしくておもしろいが、この名誉心というのを自尊心ということにふりかえてみるなら私たちにもうなずける。日本の大学生たちに自殺についての意見を書かせてみると、自殺は卑怯であると記す者が多い。自尊心と生への責任感が自殺をふみとどまらせるのに役立っていることはたしかであろう。

第一の明日への好奇心は、前にのべた時間の問題につながる。絶望しているひとには、未来が存在しないのであったから、たとえ一日でも待つという心を持つことができれば、それはすでに前むきの姿勢ということができる。自分はいつまでもこのみじめなままの自分でしかなく、事態はいつまでもこの絶望的なものでしかないときめこんでいるのが自殺志望者の通有性なのであるから、このひとたちにとって時間の持つ可能性を信頼するということは一大事業といえる。「ただ立ちて待つ」（ミルトン）こと自身が絶望への屈服を拒否する第一歩なのである。

自殺をふみとどまらせる上に一ばん大きな原動力となるのは、なんといっても第二の攻撃心かも知れない。打たれれば打ちかえす、というのが人間にそなわっている原始的、本能的な反応のしかたであるから、運命の打撃をうけた人間がまず最初に発するうめき声は「なぜ自分だけがこんな目にあわなくてはならないのだろう」という、あのパール・バックのうらみにみちたことばである。このうらみと攻撃心が自分にむけられてしまえば自殺となり、どこにもこれを持って行きようのないとき、それはいつまでも心のなかでくすぶりつづけ、マックス・シェラーのいう「怨恨の人」[6]をつくり出す。それが自分よりも運のいい人たちにむかって発散され、しっとや憎悪やあの嫁いびりなどにみられる「シャーデンフロイデ」の形をとることも稀ではない。またそれが過度にきびしく他人をとりしまる道徳家をつくり出すこともある。犯罪のなかにもこのようなうらみの心からおこるものがかなりあることはよく知られている。

しかしこのうらみの念も、報復の念も、適当な方向とはけ口さえあたえられれば、一たび足場を失って倒れた人間を再びおきあがらせるバネの役目を果たしうる。長い絶望の期間の後にパール・バックを再びしゃんとさせたのは、この事を無駄に終らせてはならない、娘の不幸を社会的に意味あらしめようという烈しい意欲であった。羽仁五郎は愛児を一歳半でうしない、その深い悲しみを契機として次のような心境に至ったという。[7]

「世界に比なき日本の乳幼児の死亡率の高さに対して、すなわちその原因である日本帝国主義の残酷に対して、あくまでたたかうことを決意するようになった。」

伝道者藤井武が愛妻をうしなって悲嘆のどん底にあったときにも、彼を再び立ちあがらせたもののなかには、この復讐心ともいうべきものがみられる。次は当時彼があるひとにあてた手紙の一節である。[8]

「私はこのようなことをする人生に対して憤らずにはおれません。私は最も美しいものを生み出すことによって人生に復讐しないではいられません。」

こうして彼は妻の死後七年間、自らの死に至るまで、子どもたちをかかえた独身生活の不自由と淋しさに耐え、さらに高く深い信仰生活に飛躍し、長詩「羔の婚姻」をはじめ多くの文章によってみごとな形而上的世界を創りあげたのであった。

がんや結核などでもはや治る見込みのないことを自覚している人間の場合には、それでうちのめされ切ってしまわないだけの攻撃心の強いひとならば、その攻撃心が時間というものにむけられることもある。自分の余命はもうあと何年、何ヵ月しかない、という認識は一種の終末論的な意識と切迫感をうみ、それがすべての思考や行動の背景となる。許されたわずかな時間を最大限に生かし、そこに質的な永遠を打ちたてようとする烈しい意欲である。その際には肉体的な苦痛も精神的な苦悩もかえってこの役割を果たす。英国の作家キャサリン・マンスフィールドは肺病のため孤独な転地療養をつづけ、健康にあこがれ、夫とともに明るい家庭を築ける日を夢みつつ、ついにかなわなかったが、その苦悩ゆえにあの水晶のような短篇の数々をうみ出した。彼女の死の二年前の日記から引用してみよう。

「人間の苦しみには際限がない。「もうこれで海の底へとどいた――これ以上深みに落ちることはない。」と考えていると、また更に深みに落ちて行く。こうして永遠に続くのだ。……苦しみも克服できるものだという私の信条の記録を残さないで私は死にたくない。私はそれを確信しているのだから。……

生は一つの神秘だ。恐ろしい苦痛もやがて衰える。私は仕事に向かわねばならない。私は自分の苦悶を何ものかに投込まねばならぬ。それを変化せしめねばならぬ。「悲しみも喜びに変えらるべし。」」

運命への反抗から受容へ

生きがいをうしなったひとは心の世界のこわれたひと、足場をうしなって宙にただようひとであった。情緒の面からいえば深刻な不安や苦悩や悲しみにおびやかされており、知性の面から言えば価値体系がくずれてしまっているために、ものの価値判断がつけられなくなっている。末梢的な、習慣的な行動はりっぱにできても、個々の具体的な事柄を大きな文脈のなかでとらえることや、新しい事態に対処する方針をたてるというような能力がうしなわれている。それはゴールドシュタインが脳損傷患者について観察したところにきわめてよく似ている。(9)

ことに生きがい喪失者は社会から疎外されてしまっていることが多いから、社会で常識となっている価値基準がうけ入れられなくなっているひとも多く、単なる反撥心や攻撃心から自暴自棄的な反社会的行動を反射的に採用することもありがちである。愛生園にもそういうひとは時々あらわれる。しかし、このような形の生きかたが人間に真の生きがいを感じさせるものでないことはたしかであろう。それはそのどれもが人間の持っている成長力と可能性をのびのびと伸ばさせうるような心の世界をつくりえないからである。ミュッセはジョルジュ・サンドへの烈しい愛に破れてからは、悲しみと放蕩とアルコールにあけくれ、早熟ではなばなしかった彼の詩才もそれきり伸びなくなってしまった。

自暴自棄によって自殺、犯罪、嗜癖やデカダンスに陥るひとびとを眺めてみると、そこにいくつかの共通点がある。そのなかで一ばん目立つのは我慢のなさと時間に対する不信の念である。つまり、みな短気をおこしているのである。どうせ自分なんかもうだめだ、と自分をみかぎり、事態もよくなることなどありえない、と世界と時間の可能性に対しても完全にみきりをつけてしまっている。そして、耐えがたい苦悩をたち切るため、まぎらすため、「短絡反応」に出るわけである。生きがいをうしなったひとが、もし新しい生きがいをみいだしたいとねがうならば、その探求はまず一切をみかぎってしまいたいこの心、このはやる心を抑えることから始まらなければならない。すでにプラトンも『国家論』のなかで言っている。

「不幸な時にはできるだけしずかにしているのがいい。そして不満の感情はすべて抑えるほうがいい。というのは、こうした出来事のなかにどれだけの善いものと悪いものがふくまれているか、われわれには評価できないからである。また同時に、短気をおこしても何の助けにもならないからである。」（第六〇四節）

避けられない苦しみや悲しみを安易にごまかしてしまわず、耐えがたい生を何とか持ちこたえるためには、結局その当座はストア的な抑制と忍苦の力が要る。どのように時代が変っても、ストア哲学の持つ雄々しさ、いさぎよさは、この面でいつまでも必要とされるであろう。もちろん忍従だけでは真に生きがい感がうまれるものではない。しかし以上のような忍耐を通してのみ到達される精神の深みというものがある。これによってのみ用意される飛躍もある。その意味でストア学派の精神療法的意味と実践はライプブラントのいうように[10]、もっと研究されてよい。生きがいをうしなったひとが、もし忍耐を持つことができれば、長い時間の経つうちには、次第に運命のもたらしたものをすなおに受け入れることができるようになるであろう。避けることのできないものはうけ入れるほかはないという、いわばあたりまえのことを、理くつでなく、全存在でうけとめるようになるであろう。さらにそういう苦しみや悲しみとともにどうやって暮して行ったらいいか、というすべを身につけ、場合によれば、ニーチェのいう「運命への愛」amor fatiすら自然に心のなかに芽ばえてくることもあろう。それは長い、苦しい「荒野」での道程である。シュプランガーはいう[11]。

「現世的な諸価値の肯定が決然たる否定によって断ち切られる時期がある。そういう時期にはすべての生命的エネルギーは内面へとむけられ、破かいされた世界をよりみごとに、より美しく築きあげる。この難行苦行《アスケーゼ》の時期は荒野における試煉のごときものである。大きな力が蓄積され、やがて突然再び解放されて地上の世界に流れ出し、新しい意味でこれを所有するに至るのである。」

この「荒野」の時期が、ひとの一生のなかで、ここにいわれているような大きな建設的な意味を持ちうることは、多くのひとびとの伝記がうらがきしている。

次に苛酷な運命をうけ入れるようになるとは具体的にどういうことを意味するのか、それを次々にみて行きたい。

悲しみとの融和

まず悲しみと融和することである。しかし、避けられない悲しみをそのままうけ入れるということは、あたまでは一挙に考えられるにしても、実際に生きて行く上では、長い、精根のつきるような道程を踏まなくてはならない。それは前にも述べたように悲しみという感情が生の基盤そのものに座を持ち、びまん性で根づよく、執拗に生命力をおさえつけようとするからであろう。海辺の砂でこしらえた城が、築いても築いても、おしよせる波にくりかえしくずされてしまうように、あたまでこしらえた心のかまえはあとからあとから押しよせる悲しみの涙にさらわれて行く。そのなまなましい過程のあとを、パール・バックが作家らしいきめのこまかさで描いているので、どんな説明にもまさるえがたい記録として、前にあげた文のつづきをここにまた引用したい。

「とにかく、悲しみとの融和の道程がはじまったのでした。第一段階はあるがままのものをそのままうけ入れることでした。……おそらくこの問題は決して変ることのないものであり、決して私から離れ去るものではないし、また誰も私を助けてくれることはできない以上、私はこれを認める外はないと、はっきり自分に言い聞かせた瞬間があったのでしょう。しかし実際問題としては、一度にそこへたどりつくことはできませんでした。私は何回となく泥沼の中におちこみました。すくすく自然に育ってゆく近所の子供たちが、私の娘にできないことを話したり、したりするのを見るだけで、私は、打ちのめされたようになってしまうのでした。

しかし、私はその絶望のどん底から這い出ることを学びました。……「これが自分の生活なのだ、私はそれを生き抜かなくてはならないのだ」ということを自分に言い聞かせることをおぼえたのでありました。……

ある日、私は娘のためによい学校を探そうと決心しました。決心をするということは測り知れない安堵を意味します。決心には目標があります。泥沼の中に投げ込まれたその目標につらなる綱にしがみついて、私は日一日と絶望から這い出て来ることができました。そしてそれにつれて、目標はますますはっきり私にわかるようになりました。私が何をこれからするつもりなのかを知っても、またそれをどうして実行に移すかを考えても、私は逃げ出ることのできない悲しみを癒すことはできませんでした。しかし、そう知り、またそう考えることによって、私はそれとともに生きる力を与えられました。

そして私の魂を、反抗によって疲れさせることは止めました。私はそれまでのように、「なぜ」という疑問を次から次に持たなくなりました。しかしそうなった本当の秘密は、私が自分自身のことや悲しみのことを考えるのを止め、そして子供のことばかり考えるようになったからでした。……私が自分を中心にものごとを考えたり、したりしている限り、人生は私にとって耐えられないものでありました。そして私がその中心をほんの少しでも自分自身から外せることができるようになった時、悲しみはたとえ容易に耐えられるものではないにしても、耐えられる可能性のあるものだということを理解できるようになったのでありました。」

ここで注意をひかれることは、パール・バックが「中心をほんの少しでも自分自身から外せることができるようになった時」悲しみに耐えられる方向にむかったという点である。つまり自分のかなしみ、またはかなしむ自分に注意を集中している間は、かなしみからぬけ出られないということである。

こうしてパール・バックは次第にまた自然をみることや読書することや音楽をきくことにもたのしみを再発見するようになる。しかしいうまでもなく悲しみがなくなったわけではない。ただ悲しみが意識の視野の中心から次第に視野の外におしやられたのである。それを可能ならしめたのは、何よりもまず時の経過と肉体の生命力であろうが、彼女の精神の意識的行為としては、娘にいい学校をみつけてやろうという一つの生存目標を採用したことであった。これは一生涯を貫くほどの大きな目標ではないが、ここではまさにこうした具体的な、短期の目標が必要であったのだ。それにむかって当座の注意とエネルギーがむけられる、そういう目標を設定することによって悲しみへの集中をふせげたのであった。こうしてパール・バックはやっと悲しみの泥沼から這い出る。新しい目標は次第に拡張され、自分の子供の不幸を無意味におわらせまいという心にひろがって行く。その過程を再び彼女に語らせよう。

「逃れることのできない悲しみを耐え忍ぶということは、何か独りで悟らなくてはならないようなことであるからです。しかも、ただ耐え忍んでいるだけでは十分とはいえません。耐え忍ぶということは、生活の中に、苛酷きわまる、そして苦《にが》っぽい根っことなって、それにみのる毒々しい陰気な実《み》は、他の人々の生活までを破かいしてしまうことがあるからです。

忍従はただ始まりにすぎません。うけ入れる心を持ち、すべてうけ入れられた悲しみはみずから与えるところがあるのです。というのは悲しみにも一つの錬金術に似たものがあるからであります。悲しみも英智に変ることがあり、それはかりに快楽をもたらすことはないにしても、幸福をもたらすことができるからであります……

彼女が何年たっても子供から成長しない、知能がそれ以上に発育しないだろうということを知ったとき、私の胸をついて出た最初の叫びは、「どうして私はこんな目に遭わなくてはならないのだろう」という、避けることのできない悲しみを前にして、すべての人びとが昔から幾度となく口にして来たあの叫び声、そうです、あの同じ叫び声でした。この疑問に……なんの答も決して出てくるはずがないと最後に私が悟ったとき、私の心は意味のないものから意味をつくり出そうという決心になり、そして、それがたとえ自製の答であっても何かの答を出そうという心に変りました。……彼女が彼女なりに過去において生存し、そして現在もまた生存しているということの事実は、人類にとってなんらかのお役に立つものでなくてはならないと私は思ったのでした。」

こうして、生存の長期目標もはっきりしてくるに従って、パール・バックの心には統一とおちつきがとり戻されたのであった。いうまでもなく、彼女の悲しみは今もつづいている。娘を精薄児のための施設にあずけ、定期的にそこを訪ねるパール・バックのことを、筆者は三年前渡米の際、その施設できいた。四〇代になるその娘さんの姿もみた。しかもパール・バックは精薄研究のため多くの寄付をなし、自宅にはさまざまの国籍の孤児をあずかって世話している。

肉体との融和

長い進化の歴史のなかで人間の意識は次第に肉体から分離して来た。そのため、ひとりの人間のなかで精神が肉体を眺め、これに対して隷属、陶酔、受容、反抗、排斥、無視、蔑視などさまざまの態度をとりうるようになって来ている。この分離はいろいろな機会に意識にのぼりうるが、難病にかかったときほど強烈に意識されることはないであろう。

たとえばらいのひとならば、彼がこの病気にかかっているとわかったとたんに他人は彼のそばからあとずさりしたろうし、彼みずからも自分の肉体に対して恐怖と嫌悪を感じたにちがいない。それは彼らの手記をみても明らかである。しかしその肉体とこれからどうしても一緒にやって行かなくてはならない羽目に陥ったわけである。草履もうまくはけなくて自分を侮辱するように感じられる足をも、自分に属するものとしてみとめなくてはならない。自分のかつての容貌はおろか、喜怒哀楽の表情すらうまくあらわしえなくなった顔をも、自分のもの、自分の存在を表示するものとして容認しなくてはならない。

こういう課題の前に立たされたらいのひとは、長い間かかって次第に自己の肉体と融和して暮す心の姿勢と技術とを身につける。指がほとんどなくなった手で食事や洗たくやかきものまですするようになる。指先の神経の麻痺した盲人は舌で点字をよむようになる。しかし戦後発病したひとは、良薬プロミンのおかげで、病気がひどくならないですんでいるから、肉体に対する関係がかなりちがってきている。ことに若い、元気な園内の高校生たちは、一般に軽症でもあり、自分の病気をよく認識していながら、それに負けてしまわずに前途に希望を持ち勉強に励んでいる。これは精神が肉体をうけ入れ、肉体とうまく融和しながら、しかもこれをリードしている姿である。

さてこの受容と融和ということをもう少しくわしく眺めてみると、ひとによってそこにいろいろな色合のちがいがある。肉体をうけ入れたといっても、みにくくなり、不自由になった肉体は、肉体としての価値が下落している。その下落した価値がそのまま自己の存在全体の価値を下げているものとしてうけとられれば、どうしても劣等感の生じることはまぬがれない。事実らい患者の間ではこの価値観はなかなかぬきがたいものらしい。これは病気の軽重ということにたくさんの社会的、経済的利害がむすびついているからでもあろう。そして彼らは「壮健さん」、つまり、ふつうの健康人に対しては、ただ彼らが健康であるということだけで別人種のように思い、絶対に頭があがらないと思っている。あるいはまた、この劣等感がうらがえしになって、反対に威丈高になるひともでてくる。ある患者は書いている。(12)

「毎日の言葉の中にも、壮健さんやから、壮健さんやもんな、ということばをよくきく。壮健さんとは偉いものなり強いものなり、そして何をしても病者では考えられないようなことができるものなり、そしてまた、壮健さんは美しく頭の働きもいいというように、壮健さんとは何につけても病者より一段上にあると見えるらしい。……病者は壮健の人の前にはどうすることも出来ない奴隷みたいなものになり下っているように思える。」

右のような価値基準は残念なことに健康人のほうにも採用されていることが少なくないので、この両者があいまって病者と健康人との間に目にみえぬ壁をつくり、同じ人間としての共同意識のうまれるのをさまたげがちである。その壁は、ときにはサルトルの小説のなかで死刑囚と医師とをへだてている『壁』ほどにもどぎつく存在を示す。

しかし、人間の存在の価値というものは、人格にあり、精神にある、ともしひとがはっきりと考えるならば、自己の肉体の状況がどうあろうと、これにかかわりなく自己の精神の独立の価値をみとめていいはずである。病者が自己の存在に正しい誇りをもち、自尊心を維持し、積極的な生きがいを感じようとするならば、この道しかないであろう。このことは、しかし、あたまで、思想として、考えるのは簡単だが、生存感自体にまでしみこませるのは容易でないらしく、そこに至るまでには、さまざまの迷路にまよいこむ。たとえば、精神の独立を強調するあまりに肉体の無視や蔑視に陥り、治療を怠ったり、病気に悪いとわかっていながら不節制をやったりするひともある。また時には自分の肉体がひどく弱っているのをすなおにみとめようとせず、無理な強がりの姿勢をとるのに苦労するひともある。稀には精神だけで生きているつもりになって、極端な禁欲的方向をとり、医薬のみならず、食事まで拒むひともある。うしなわれた眉を植毛してもらう手術や整形外科術をうけて、少しでも外観を普通にみせようと苦心するひともあるが、これも人間として当然であろう。また自己の肉体の状態を客観的に評価しえず、たえず小さな故障にとらわれ、いわゆる心気症の形で肉体に隷属しているひともある。肉体に対してつかずはなれずの適切な態度をとることは、人間にとってなんという難題であろうか。肉体からくる制約をすなおにうけ入れ、苦しいときは苦しみ、治療を要するときには治療をし、肉体の持つ自然治癒力を信じ、医学の力をもみとめ、しかもこれにとらわれないこと。肉体とはなれた存在価値というものを適切な形で意識すること。——これがどんなにむつかしいことであるかということを、これらのひとびとの姿はまざまざとあらわしている。

「壮健さん」に対しても、目に見えぬ壁をのりこえ、卑屈さやそのうらがえしの攻撃的態度でなく、同じ人間、対等の人間としての品位と友情をもって対することのできる患者はなんといっても少ない。しかしそういう少数のひとたちこそ「肉体を持った存在」としての人間のもっとも本質的な問題と対決し、肉体を正しくうけ入れる道を学ぶと同時に、精神の自由をもかちえたひとびとである。

過去との対決

生きがいをうしなって悲嘆のどん底にいるひとにとって、未来はまったく閉ざされてみえるのであった。フレッスもいうように(13)、ただそれだけで「過去の優勢」が生じがちである。即ち、未来に何も期待できないと感じるひとは、すべては過去によって決定されると思いこみ、ただ過去のみを見つめ、過去の思い出に没入する。

悲しみにくれているひとが過去をみるとき、何をそこにみるのであろうか。ダンテのいうとおり、ありし日の幸福を思い出すことはそれだけ現在の不幸な感じをつよめるだけであろう。また現在の不幸につながると思われる原因を過去にみいだせば、「あのことさえなかったならば自分はこうならなかったのに！」というぐちが出るだけで、これもまた現在の「不幸感」を増すばかりであろう。

ことに愛する者をうしなったばかりのひとにおいては、そのひとの思い出にむすびつくすべてのひとやものが悲しみの感情をよびおこすので、思い出に生きることはそのまま悲しみに生きることを意味する。身近かなひとをうしなったときの悲しみのなかには、しばしば悔恨の念もまざっている、という研究[14]がフランスの精神医学関係の雑誌に載っている。思うようにつくしてあげられなかったというなげきや、自分の愛や注意の不足が亡きひとの死の直接または間接の原因であるという罪悪感がしばしばみられるという。生きているひとならば、これからの生活でうめあわせることもできようが、死んでしまわれると、もはやとりかえしがつかない。あの時こうすればよかった、というなげきは際限もなく脳裡に浮かんで来て、悲しみの味を耐えがたくにがいものにする。

これが何か厄介な病気にみまわれたひとの場合であると、その病気にかかった原因の詮索へと注意が集中されやすい。この時もまた、何がいけなかったのか、ということで心は果てしもなくさわぎ立つ。今さらことのおこりがすっかり究明できたところでどうなるものでもないことはわかっていても、責任の所在がわかるだけでも、心のやりばができて打撃が少しは軽くなりそうに錯覚する。そして自分がわるいとなれば自分を責め、他人がわるければ他人を、運命がわるければ運命を責めることになり、ローゼンツワイグ[15]の言う「無罰的」な境地、つまり何をも責めない心境に達するのはなかなかむつかしい。

じっさいに罪を犯したひとになると、罪障感の問題はもっと深刻になる。はじめのうちは、周囲からの非難や疎外に反抗して、むしろ自分の心がすなおに罪の意識にくずおれるのに自分で抵抗し、他人に対しても自分に対しても無理に傲然たる態度をとるひともある。しかし外側の事態が落着き、他人も次第に忘れる頃になると、孤独のなかで自己の過去と対面し、過去の罪をたえず心の眼の前にみて苦しむようになる。ことに自己正当化への欲求もなみはずれて大きく、罪障感や劣等感もそれに劣らず大きいひと、いわゆる勝気なひとにおいては、心はその葛藤のためにひきさかれて、いつまでも苛まれる傾向がある。自分を許したいけれども、どうしても自分では許せないという苦悩である。このような心にどうしても必要なのは、自分とは無関係な、権威ある他者からのゆるしの声である。その声は師を通して響いてくることもあろう。または教典から響いてくることもあろう。時にはどこからともなくしずかに響いてくる場合もある。いずれにしても、それはただ文字や思想としてではなく、生体験として感じとられる声でなくてはならない。罪深いままでよいのだ、ありのままでよいのだ、そのままでお前の罪はゆるされているのだ、と。もしそういう声が世界のどこからか響いてくれれば、罪のひとは、はっとおどろいて歓喜の涙にかきくれ、とりつくろいの心もすてて、あるがままの身を投げ出し、そのゆるしをすなおに受け入れるであろう。それは自分自身と融和すること、自分をうけ入れることを可能ならしめるであろう。そして支離滅裂な自己、破壊的なもの、矛盾したものにみちた自己の正体をよくみつめ、その認識のなかにたえず存続しつつ（ブーバー[16]）たえず出直すことを可能ならしめるであろう。その際、過去の罪ふかい自分はなくなりはしないけれども、もはやその過去のありかたに拘束されることはなく、過去によってもたらされた現在の自己を素材として、今までよりももっと建設的な生きかたを創り出す自由を感じるであろう。そういう生きかたは、過去の罪や失敗に対するどんな償いの行為にもまして過去を生かす報恩の道となるであろう。

これは具体的に罪という名のつくほどの行為を犯さなかったひとの場合でも根本的には同じことである。つきつめていえば、自由を与えられている人間は、たえず罪を犯す危険にさらされているわけで、そのためにたえずきびしい反省が必要となり、たえず謙虚に出直すことが要請されているのだといえる。

死との融和

次に死との融和ということを考えてみよう。その原因が何であれ、死がせまって来ていることを、すなおにうけ入れるようになった場合には、心の世界はどんなふうになるのであろうか。

死の自覚による初めのショックがおさまったあとで、ひとの心は自然と過去を点検しはじめ、今死んでよいか、死ねるか、と自ら問うであろう。自分をとりまくひとびととの関係も次々と検討し、彼らに対してなすべきことをして来たかどうかも考えるであろう。自己の使命を果たしていないと思えば、せめて残る生存期間の間だけでも、その方向へとむかって死にたいと思うであろう。その時から後の生は、まったく意識的な死への準備としての生きかたとなる。ひとが充分理性的で精神の世界をもっているならば、必ずしも宗教的信仰がなくても、落着いてこのような心の態度がとれることは、いくつかの例が示している。たとえばイタリーの主婦マリーナ・セレーニ(17)やアメリカの新聞記者ワーテンベイカー(18)の、がんを宣告されてからの生きかたがそれである。後者の最後の場面に同感しえない者も、死を前にしてこの新聞記者夫妻の愛情が一糸みだれぬみごとなチーム・ワークを示し、着々と死への歩みをすすめて行ったことに驚嘆の念を禁じえなかったであろう。生の危機感がかえって二人の生活の密度と緊張を高め、意味感を強めたといえる。

要するに死というものに対して恐怖や嫌悪の感情がむすびつけられているのは、ひとが無意識のうちにウォーコップ(19)の言う「死—回避的挙動」に熱中して生きているからで、このような防衛的態勢を一切やめ、死というものを正面から自分の生のなかにとり入れてしまえば、死は案外人間の生の友にさえなってくれるものらしい。

まず死を前にしたひとがすぐ気がつくことは、自分が丸はだかで、なんの支えもなく、死の前に立っている、ということである。現在の何を墓のむこうへ持って行けるというのであろうか。一切の現世的なものへの執着がむなしいということにひとは気づく。地位や金や名誉などはもちろんのこと、他人への愛着なども、それに固執してももはやどうにもならない。たとえば幼い子をのこして行かなければならない母親の場合でも、幼いままその子を他人の手にわたして行かなければならないのである。であるからひとは死が無理に断ち切るであろうもろもろの絆《きずな》を、あらかじめみずから心のなかで断ち切ることを学ぶ。それができれば、その瞬間に身もかるがるとする。そしてひとびととの残るわずかの共存期間は、その覚悟ゆえにいっそうその内容のゆたかさを増す。

自己の生命に対する防衛的配慮が一切必要でなくなったときこそひとはもっとも自由になる。もはやあらゆる虚飾は不要となり、現世で生きて行くための功利的な配慮もいらなくなる。自分のほんとうにしたいこと、ほんとうにしなければならないと思うことだけすればいい。そのときにこそひとはなんの気がねもなく、その「生きた挙動」へむかう。そのなかからはおどろくほど純粋なよろこびが湧きあがりうる。

このような状態にあるひとの時間意識はたしかにふつうとちがっているようである。それはフレッスのいう「無時間」への飛躍、あるいは逃避といえるかも知れない。つまり死の面前で暮している[20]ひとにとっては、一種の終末論的時間意識が生じ、時間の持つ密度が飛躍的に大きくなり、一刻一刻の重みが平生とは比較にならないほど増す。尤もこの期間があまり長くて切迫感を欠くときには、トマス・マンの『魔の山』の世界のような、一種の真空状態からくる空虚さもうまれうる。従って終末論的意識というものには切迫感が不可欠な条件なのかもしれない。キリスト教の再臨信仰の心理的な意味はこの辺にあるのであろう。

もうひとつ、死の面前で生きるひとびとに特徴的なことは、彼らの眼にもののみえかたが変ってくるという点である。それは何よりも、自然の風物の色や形があざやかになり、その輝きが増す、という世界相貌の変化としてあらわれる。それは唐木順三のいうように「去私の世界では物の方からよびかけてくる」[21]ためであろうか。次は唐木の引用した一言芳談抄にある「死聖《しにひじり》」敬仏房のことばである。

「世界出世至極ただ死の一事也。しなばしねとだに存ずれば一切に大事はなきなり。この身をあいし、命をおしむより、一切のさわりはおこることとなり。あやまりてしなんはよろこびなりと存ずればなに事もやすくおぼゆる也」（敬仏房）

死というものに対するあきらめをあらわすいわゆる無常感は、仏教的世界に浸透しているが、右にみられる態度はそれとはちがって、むしろ積極的な死の讃歌ともいえる。ここではもはや生命を護ろうとか防衛しようとかいう態度もなく、残る生命を能うかぎりゆたかにしようというかまえもなく、また生命のある面にだけ生きようというような選択もない。生命への執着は一切うしなわれ、死へのあこがれのみがある。このようなひとが現世に生きている姿はまさに亡霊といえよう。その精神構造は充分研究に値する。

価値体系の変革

以上のべてきたような精神状況は当然価値体系の変革を要求する。変革しなくては、毎日生きて行く上に、事ごとに途方にくれるほかない。

愛生園のひとびとを悩ませる劣等感は実に多いが、そのなかでも男性においてとくに目立つのは、自分たちは穀つぶしである、というひけ目である。たしかに自ら額に汗して生活の糧をえることが人間としての本筋であろう。そのきびしい苦労をしたことのないひとはどこか感覚がのんびりできていて、他人の苦労を思いやることができない傾向がある。また経済的独立のないときには独立や自律の精神を持ちにくいこともたしかであろう。従って健康の許すかぎり、療養者たちにもまた生産と自立の可能性をひらく必要があることはいうまでもない。

しかし生活のために働いていなければ人間としての値打がないということならば、世のなかには、ほかにも同列のひとがたくさんいるはずであるが、彼らはみな価値がないことになるのであろうか。

こういうものの考えかたの根底には、人間の価値は経済力によってきまる、という価値判断がある。病気のため、その他の事情のため、働くことができなくなったひとは、自分も今まで無意識のうちに採用していたかも知れない上のような価値基準に対して再検討と変革を加えなくては、劣等感を克服することはできないであろう。

劣等感は、難病にかかってしまったひとびとにおいては、身体の領域において、とくに強くあらわれる。肉体が突然自己から分離して、みじめな、価値の下落したものとして眼の前にあるとき、ひとはほんとうにその肉体と自分とを同一視し、その下落した価値をそのまま自己全体の価値としてうけ入れてやって行けるであろうか。

パール・バックの場合にはりっぱな母として生きることが、幼い頃抱いていた夢であり、人生の最高の生きかたに思われていたのであろう。ところが、たったひとりの娘がふつうに育たないことがわかったとき、他人は「好奇の眼」で彼女を眺め、暗黙の中に非難した。パール・バックがそれにどんなに苦しめられたかは、彼女のひかえ目な筆づかいを通してもうかがわれる。これは病弱な子を持った母、欠陥のある子の母、子供を「死なせた」母に対してよくあびせかけられる冷たい非難の声なのだ。

こうした世間の性急で皮相な価値判断を完全にそのままうけ入れるならば、こういうひとたちはまったく立つ瀬がなくなるわけである。たとえ表面ではあたりさわりなくやっていても、心のなかでしゃんと顔をあげて生きるためには、何か自分なりの新しい価値体系をつくり出す必要にせまられる。

そこで彼らは、それまでそこで埋没して生きて来た社会や集団との間に距離をおき、そこで行われている価値基準をあらためて検討してみることになる。すると、多くの場合、それはずいぶんいいかげんなものだったことを発見するであろう。習俗によってきめられている価値基準にせよ、ある集団の有力者たちの意見によって左右されている価値判断にせよ、単に大ぜいのひとがうけ入れているから、ということだけで正しいとされていることが多いのではないであろうか。同じ事柄でも、時代がちがったり集団がちがったりすれば、もうちがった基準で判断されているではないか。

こういうことで、社会からはじきだされ、疎外されたひとの眼はするどくその社会でのものの判断のしかたを批判しはじめる。それは破壊的な過程ではあるが、古い価値基準から解放されるため、それをのりこえるためには、ぜひ通らなければならない過程である。

それでは具体的にどういう価値体系が新しく採用されるか、ということは次にのべる生存目標の如何によってきまってくるわけであるが、いずれの場合にせよ、価値判断のしかたをほんのちょっとずらすだけでも、ものはおどろくほどちがってみえてくる。健康なひと、外観の美しいひとが必ずしも人間として価値のある存在とはかぎらない。「教養」や「成功」や社会的地位が人間の価値をきめるものでもない。立派な夫や子を持つ主婦が必ずしも人間として値打の高い者とはきまっていない。——このようなネガティヴな判断だけでももしひとがほんとうに自分のものとすることができれば、少なくとも自分の劣等感に苦しむこと、他人の批評のために苦しめられることだけはなくなる。

はじき出されたひとの行方《ゆくえ》

「これで人生も終りと思った。」

「生ける屍のような気持で来ました。」

「死を願いつつあった私ですから、肉体だけ持って来たと言うような気持。」

右はらいになったひとびとが愛生園にはいって来た当時の心境を記したことばのなかからひろい出したものである。一般に生きがいをうしなうほどの状況にあるひとは、みなもうこれで自分の生涯はおわった、あとはただ余生あるのみ、と感じるようである。

時間の軸の上で

時間というもののふしぎさは、こういうときに初めて知られる。生活に目標があり、毎日の大体の時間割がきまっているときには、時間というものは経過しさえすれば、それがどこかへ自分をつれて行くと感じられる。ところがなんの目標もない生活においては、単に夜昼の別、食事の時間などがあるだけで、あとは砂漠のように無構造な時間のひろがりとなってしまう。余暇というものは、仕事が忙しいひとには思いがけない贈物《おくりもの》のようにたのしいものであるが、生活全体が余暇になってしまったひとにとっては倦怠と苦痛でしかない。時間を「つぶす」ためにいろいろなことを試みてみても空虚さと無意味さの感じがつきまとう。

時間からはじき出された人間は、長い間、フレッスのいう「無時間」のなかに漂う。過去を思うことはたえがたい苦痛であり、未来は考えるさえおそろしい、という人間には、現在という時間にも現実性が感じられなくなる。次は結核で病んでいる或る娘のことばである。

「私にはもう時間というものがなくなってしまったような気がする。あるものはただ苦しんでいる自分、その苦しみの意識だけではないか。これはいつまで経っても変るはずがないのだ。まわりでどんなことがおころうと、自分とはもう何の関係もない。あるのはただ苦しみの永遠のくりかえしだけだ。時計の針がどんなにまわっても、私はただこの耐えがたい状態で生きて行くだけなのだ。」

しかし「無時間」のなかにたたずむひとも、やがては否応なしに現実の時間に対しても態度をきめなくてはならなくなる。現実の時間とは現世でつみかさねられて行く歴史的時間である。これを発見するとき、ひとはいわゆる「時の負課性[22]」にめざめる。この「歴史的意識」については、後章でのべるが、いずれにしても、余生もこれをどのように生きるか、その生かしかたによっては単なる残余物でなく、一つの新生にさえ変えられるのである。

空間のひろがりの中で

生きがいをうしなったひとは、時間の上ではじき出されているだけでなく、空間のひろがりの中でも疎外されている。今までそこにはまりこんで暮していた世界から急に「無用者」、「アウトサイダー」、「疎外者」としておし出されてしまったのである。あるいは自分から出て行くのである。

人生の空しさをさとり、世をはかなんで出家するひとは、昔からどの文化圏にもみられた。唐木順三[21]によると、日本には「無用者」の伝統があって、それが文化的に大きな役割を演じて来ているし、また河上徹太郎[23]のいう通り、近代日本でも「アウトサイダー」は文化的に大いに活躍している。すでに源氏物語の世界で自明のこととされているように、世を捨てるということが伝統のなかでみとめられているときには、個人的にそういう必要の感ぜられる際に、自他ともに抵抗少なくこの道をとることができるのであろう。西行や芭蕉など、いわば大手をふって世の外へ出て行けたのかもしれない。世捨人は鴨長明のようにひとり小さな庵《いおり》を結ぶこともできたし、さすらいの旅に出ることもできれば、寺にはいることもできた。

西洋にもアウトサイダーの系譜があることは、ウィルスンの本[24]をまたないでもよく知られている。とくにカトリック教会の修道院の制度は、世のなかからはじき出されたひとや世俗的なことを嫌うひとにとって、手頃な隠退所を提供して来た。ことにもし女性が精神の世界に集中して生きたいと願うならば、修道院にはいることこそ最も手近かで実現しやすい道であったろう。パスカルの妹ジャックリーヌがポール・ロワイヤルにこもってしまったのもそのよい例である[25]。

このような制度や場所が現代の一般のひとにも手のとどくところにあったら、助かるひとも少なくないであろう。クエーカーのひとたちは、静かな冥想の時と場所を生活のなかにそなえるべきであるとの考えから、定期的な「隠退」retreat というしくみを現在に至るまで実行している。

以上は主として自分から世を捨てる場合であったが、病気その他の理由のためにやむをえず共同世界から去って行かなくてはならないひとたちの場合はどうであろうか。種々な療養施設、更生施設等、特殊な集団へ行ってみると、各々ニュアンスの差こそあれ、すべてに共通なのはふつうの社会の外にある世界、べつの世界という一種独特なふんいきである。それはホスピタリズムというような名前では表現できない、あるとくべつな感じである。それらをつきつめた形で代表するものとして再び愛生園の人びとが入所して来たときの心境をのぞいてみよう。

「墓場に来たのだと思った。」

「島流しにされたと思った。」

「無期刑務所入りの気持。」

「べつの暗い、暗い世界へはいって行く気がした。」

いうまでもなく、これは療養所に対する先入見も手伝っているのであって、来てみて思いがけない安住の地をみいだしてほっとするひとも少なくない。それまでは一般社会のなかで病気をかくしたり、気がねしたりしながら生きていたのが、同病のひとたちとともに暮せる、という気安さである。さらに彼らのなかには積極的な生きがいのある生活を築きあげるひとも少なくない。初代園長光田健輔がこの島に園を創った当時、前任地全生園から何人かえりすぐりの「開拓者」たちをつれて来た。そのなかには夫婦者もいた。そのひとびとは園長に身も魂もささげたひとたちで、精神力も体力もすぐれ、困難な創始期に鍬をふるい、もっこをかついで、島に道をつくり、家をたて、樹木をうえ、園の礎を築いた。その古い功労者たちは今は年もとり、不自由な身になっているが、彼らと話してみると、自己の生存の意味についてのほこらかな意識を持っており、彼らの眉間には人間としての堂々たる自信と威厳がただよっている。一つの社会を建設するために一生をささげることが、人間の生存にとって、どのような意味を持つか、ということを彼らはこの上もなくあざやかに示している。

一方にはまた、まだ年も比較的若く、体も不自由でないひとには、園内の組織を批判し、患者の人権のために大いに闘争し、そこに生きがいをみいだすひともある。軽症で伝染力のないひとは社会復帰するが、うけ入れ側に病気に対する理解がない場合には、病を秘めてひと知れぬ苦労をなめなければならない。またときどき一般社会に「一時帰省」をするひとも多いが、帰省といっても、仮名のもとに行方不明者となって姿を消しているひとなどは、大っぴらに我が家に戻ることもできない場合もあるから、身内の者の様子を知るために生家のまわりをうろついてみたり、番号をまちがったふりをして電話をかけ、母の声をきいてみたりすることもあるという。

らいのひとにかぎらず、ひとたびこの世からはじき出されたひとは、はじき出された先でどこへ行こうとも、この世に対しては一種の亡霊的存在である、といえるのではないであろうか。フランス語で幽霊のことを revenant《ルヴナン》 というが、これは再び戻ってくる者、という意味のことばである。たしかに人間社会からひとたびはじき出されたひとは、べつの世界からふたたびそこへもどってくる亡霊ともいうべき存在なのである。

自然のなかで

それまでひとびとと共に暮していた世界から外へ出て行く者は、自発的に出て行くにしても、むりに出されたにしても、行く先がやはり人間の集団であるかぎり、そこでまた他人と一緒にやって行かなくてはならない。そのためには皆と同じ価値体系をうけ入れ、そこの規律や習慣に服し、集団の一員としての責任も果たして行かなくてはならない。特殊な社会へ逃げて行けば、対人的な面倒なことも一切なくなるだろうと期待して来たひとは、がっかりすることになる。小さな閉ざされた社会では、社会生活がいっそう面倒なものであることはめずらしくない。

ことに生きがい喪失という苦悩を胸に抱いているひとは、ただ住む社会を変え、同苦同病のひとの住むところへ入った、というだけでその苦悩がいやされるものではないことをやがて発見するであろう。療養所のあるひとは次のようにいう。(26)

「衣食住さえなんとかなればそれでいいと言うものではない。人間が人間らしく生きるためには、その先の世界が必要なのだ。……地位を失い、職を失い、血族を失い、ふるさとを失い、そしてひとの形体をまでも失って、広い天地の間のどこにも住む処がなくなった者の集まりである。生きていればここはここなりに一つの社会となって生活もあり、喜怒哀楽の感情もかもし出されて生きるのが当り前のように思っているが……何年、何十年生きようと、その生になにがあるだろう。成長も生産も表現ももたない生などと言うものの、どこにとりつく島があるだろう。なにを考える力がなくても、このことだけはここにいる者の意識の根底に隠しもつようになっている。」

しかしこれはレプラのひとに限ったことではない。たしかに彼らの状況は最も「限界状況的」

なものの一つにちがいないけれども、人間の持つ本質的な問題をただ極端な形であらわしているにすぎない。所詮生きがいをうしなったひとは、新しい生きがいを見いださないかぎり、地上のどこへ行っても、それはただ「仮りの宿り」にすぎない。「生ける屍」であるかぎりは、現世はただ肉体をしばらくあずけておく場所にすぎない。

それであるから、この世からはじき出されたひとは、現実の世界でどういう場所に行き、どういう行動をとるにせよ、心のなかではさすらいびとでありつづける。出家であり、亡霊でありつづける。それでは彼にもはや安住の地はないのであろうか。彼が少しでもやすらえるところはないのであろうか。

それには自然がある。自然こそひとを生み出した母胎であり、いついかなる時でも傷ついたひとを迎え、慰め、いやすものであった。それをいわば本能的に知っているからこそ、昔から悩むひと、孤独なひと、はじき出されたひとはみな自然のふところにかえって行った。聖賢たちも人生について悩んだとき、皆自然のなかにひとり退いたのであった。自然には内も外もなく、出る出されるもないからである。ある生きがい喪失者は次のように歌っている。

言い知れぬなげき抱ける心をば野によこたえて仰ぐ大空

草原に伏して仰げばわれもまた小さき花なり大地に咲くなり

足場をうしない、ひとり宙にもがいているつもりでも、その自分を大地はしっかりと下からうけとめて支えていてくれたのだ。そして自然は、他人《ひと》のようにいろいろいわないで、黙ってうけ入れ、手をさしのべ、包んでくれる。みじめなまま、支離滅裂なまま、ありのままでそこに身を投げ出していることができる——。

血を流している心にとってこれは何というやすらぎであろうか。何という解放であろうか。そうして、自然のなかでじっと傷の癒えるのを待っているうちには、木立《こだち》の蔭から、空の星から、山の峯から声がささやいてくることもある。自然の声は、社会の声、他人《ひと》の声よりも、人間の本当の姿について深い啓示を与えうる。なぜならば社会は人間が自分の小さい知恵で人工的につくったものであるから、人間が自然からあたえられているもろもろのよいものを歪め、損っていることが多い。社会をはなれて自然にかえるとき、そのときにのみ人間は本来の人間性にかえることができるというルソーのあの主張は、根本的に正しいにちがいない。少なくとも深い悩みのなかにあるひとは、どんな書物によるよりも、どんなひとのことばによるよりも、自然のなかにすなおに身を投げ出すことによって、自然の持つ癒しの力——それは彼の内にも外にもはたらいている——によって癒され、新しい力を恢復するのである。

このことは地上のどこにいても、人間が自然に接することができるかぎり同じであろう。たとえレプラの島のなかでも同じことである。小さな療養社会のなかで息がつまりそうに感じるひとも、そこからそっと脱け出て丘の頂きから碧い海と広い空を眺め、草木の緑の輝きに身を包まれるとき、傷ついた心身が次第に癒され強められるのを感じる。完全に断ち切られてしまったと思っていたひとびととのつながりも、自然のなかに深く沈潜することによって、かえってもっと広く深くむすばれるのを発見するのである。「はじめに」に記したひとは次のように歌って逝いた。(27)

丘の上には
松があり　梅があり　山桃があり　桜があり
木はまだ若く　背たけも短いが
互に陰をつくり　花のかおりを分ち
アラシのときは寄りそいあって生きている

ここは瀬戸内海の小さな島
だが丘の頂きから見る空のかなたは果しなく
風は
南から　北から　東から　西から
さまざまな果実の熟《う》れたにおい　萌えさかる新芽や
青いトゲのある木　花のことば　を運んで吹いてくる

それは　おおらかな混声合唱となって丘の木々にふるえ
天と地の間
すべては　光　空気　水　によって　ひとつに
つながることを教える

風はあとからあとから吹いて来る
雲の日　雨の日　炎天の日がある
みんなこの中で渇《かわ》き　求めているのだ
木はゆれながら考えている
やがて　ここに　大きな森ができるだろう
花や果実をいっぱいみのらせ
世界中の鳥や蝶《ちょう》が行きかい
朝ごとににぎやかな歌声で目覚めるだろう

8　新しい生きがいの発見

生きがいをうしなったひとが「実存的空虚」におちこみ、「荒野」のなかでさまよっていたとき、彼を誘惑するものはたくさんあった。自殺、酒、麻薬、犯罪、ニヒリズム、デカダンス——。苦悩から逃れるためにこれらの道をえらばなかったのは、むしろふしぎと思われるほど、それほど彼の苦悩は大きく、深かった。そのなかでやっと運命とも和解ができたとしても、まだ新しい生きがいをみいだしていないひとは、やはりまだはじき出されたままなのである。皆の住む世界には、まだほんとうにもどれていないのである。

もしいつまでも新しい生きがいがみつからなければ、心の世界はこわれたまま、それなりに虚無とあきらめのなかで、渾沌とした世界に低迷しつづけることになる。愛生園の調査用紙に、「ケ・セラ・セラ」、「どうにでもなれ」、「食べることと寝ることが最大のたのしみ」とのべ、毎日の生活について、「時間をつぶすのに苦労している」、「ただ娯楽に費している」、「ムダ口と居眠りに」、「火鉢のそばで首をふる程度」と記し、一ばんの願いは「今日一日を忘れること」と書いたひとたちの姿がそれであろう。

彼らの場合には、その病気、病状、環境からしてよく理解できる状況だが、これとあまりちがわない姿が都会の健康者のなかにもたくさんみられる。たとえば週日の昼間に映画館、デパートの屋上、パチンコ屋、無料の催しもの会場などへ行ってみれば、時間をもてあましているひとが多いのにおどろかされる。またあちこちの観光地の、裕福な旅行者のなかにも、そういうひとは決してめずらしくない。

これらのひとのなかには、文字通りの失業者も少なくないであろう。また職場から逃げ出している者もあろう。何とはなしにふつうの生活のできないひともあろう。職の有無を問わず、生きがいをうしなったひとは、すべて人生からあぶれた失業者であるといえる。ひとびとの忙しそうな、にぎやかな世界からのけ者にされ、そこにもどりたくてももどれない。そうかといって、人生の裏通りの暗く淋しい世界のなかで、どうやって生きて行ったらいいのかそれもわからない。私なんかこの世に存在する必要はないのだ。ただひとの邪魔になり、目ざわりになるだけだ——。

こういう思いにうちのめされているひとに必要なのは単なる慰めや同情や説教ではない。もちろん金や物だけでも役に立たない。彼はただ、自分の存在はだれかのために、何かのために必要なのだ、ということを強く感じさせるものを求めてあえいでいるのである。

自分にはもう生きている意味も資格もないのだ、と極度の劣等感につきおとされて自殺をはかろうとしていた青年が、小さな子どもに救われたという話がある。子どもが海におぼれそうになっているのを、彼がたまたま救ってやるまわりあわせとなり、自分でもまだ他人の役に立ちうるのだ、という発見のよろこびに絶望から立ち直ったという。

生きがいをうしなったひとに対して新しい生存目標をもたらしてくれるものは、何にせよ、だれにせよ、天来の使者のようなものである。君は決して無用者ではないのだ。君にはどうしても生きていてもらわなければ困る。君でなくてはできないことがあるのだ。ほら、ここに君の手を、君の存在を、待っているものがある。――もしこういうよびかけがなんらかの「出会い」を通して、彼の心にまっすぐ響いてくるならば、彼はハッとめざめて、全身でその声をうけとめるであろう。「自分にもまだ生きている意味があったのだ！　責任と使命とがあったのだ！」という自覚は彼を精神的な死から生へとよみがえらせるであろう。それはまさに、地獄へおちた罪人にむかって投げかけられた蜘蛛の糸にひとしい。

新しい生存目標の発見は、急激に、一挙にして行われることもあれば、長い、苦しい暗中模索を経て成ることもあろう。いずれにしても、その新しい目標が彼に生きがい感をもたらすためには、それが彼自身の内部にある、本質的なものの線に沿ったものでなくてはならない。もしそうでさえあるならば、彼は心の底から湧きあがるよろこびにみたされ、荒涼とした心の世界には、ふたたび生気がよみがえるにちがいない。新しい道にどんな困難が伴おうとも、これ以外に自分の生きる道はないのだとわかったひとは、思い切って高いところからとびおりるような気持でそれをえらびとるほかはない。ティリッヒのいう「生存への勇気」をここでふるいおこしうるかどうかによって、その後の一生に天と地の差がおこる。この決断と選択と「賭け」の前に尻込みしたときには、いわゆる「実存的欲求不満」の根ぶかい種をまくことになり、多くの神経症や、「にせの生きかた」や自殺を後日にひきおこすことになる。フランクルによれば、[1]人間の持つ「意味への意志」の欲求不満からおこってくる神経症は、全神経症の一四%を占めるという。

生存目標の変化の様式

ひとが人生への再出発をするとき、新しい生存目標の採用のしかたに幾通りか種類がある。大ざっぱに分ければ、以前の目標と同じ形のもので代償される場合と形がまったく変る場合とがある。後者のなかでも、本質的には同じ心のはたらき、同じ欲求が、表現だけを変えてあらわれる場合と、外形的にも内容的にも以前とは根本的にちがった生存目標が採用される場合とがありうる。この三つを代償、変形、置きかえ、と名づけて、次々にみて行きたい。

同じ形での代償

たったひとりの息子をうしなって死ぬほどの悲嘆にくれた親でも、そのうちにはあとつぎの必要を考えて養子をもらう、という行きかたは、かなり多くの人間が行うことである。この場合、少なくとも外見上は以前と同じ生きかたが再びつづけられることになる。つまり代償といえよう。

いうまでもなく、死んだ息子が心に残して行った穴はいつまでも埋められるものではない。自分にとって大事なひとのかけがえのなさというものは、そのひとを喪《うしな》ってみて、はじめて身にしみてわかる。そういう愛の対象をうしなったための深い悲しみと無常感は、のこる者の心の質をそれまでよりもやわらかに、こまやかに、ひろやかに変える傾向がある。これは多くの観察によってうたがえない。

「愛し、そして喪ったということは、
いちども愛したことがないよりも、よいことなのだ。」
（イン・メモリアム）

テニスンのこの有名な詩句は、この意味で正しい。しかし、それにもかかわらず、養子をもらった親の生きかたにおいては、必ずしも価値体系の変革や心の世界の大きな変化は生じなかったかも知れない。

配偶者と死別した後、再婚するひとの場合にも似たことがありえよう。このときもひとたび家庭がこわれるのを経験したひとは、そういう経験をしなかったひとよりも謙虚になり、感謝を知るようになっているであろう。愛生園の患者にも故郷に妻子や夫を残して入園して来たひとがたくさんいるが、園内で新しい結婚をするひとも少なくない。夫婦者には住居その他の点で特典があたえられるので、そうした利害から結婚する者もあるが、不自由な身をいたわり合って暮す多くの夫婦のなかには、右にのべたような深味《ふかみ》のある精神的な結合を示す姿がしばしばみいだされる。

生きがいの同じ形での代償は園内作業についてもみられる。たとえば、社会にいるとき大工をしていた或るひとは、入園後に、自分の信仰する宗派の寺院を建てることに大きな誇りとよろこびを発見した。元教員である一婦人患者は園内の小学校の教員としてつとめることに生きるはりあいを感じているとのべた。このように、もともと身についている技能や職業をそのまま生かせるひとが、患者のなかでも一ばんたやすく新しい生存目標をみいだせることはうたがいもない。

しかし、このような道はだれにでも開かれているわけではない。たとえば、らいにかかるひとは世界のどこでも女性よりも男性のほうがずっと多いので、療養所内では独身を余儀なくされている男性が圧倒的に多い。したがって、女の患者はほとんどみな園内で結婚して、一応家庭に生きがいをみいだしているひとが多い。これに反し、男の患者は家庭ももてず、はりあいのある仕事にも就けない、という状況にあるのが大部分といってよい。彼らに生きがい喪失者が多いとしてもふしぎはないのである。

変　形

変形と置きかえとは、フランスの心理学者リボーが、「いかにして情熱は終るか」というきわめて興味ある文章(2)で述べているところからヒントをえたものである。

リボーの考えでは、あることに対する情熱が形だけを変えて、その基盤には共通なものがみとめられるときにはこれを変形とよび、これに反し、全く性質を異にするものがそれまでの情熱にとって代るとき、これを置きかえとよぶのがふさわしい。

第一の変形が生ずるには二つの前提条件が要る。まず、もともとそこにありあまるエネルギーがなくてはならない、とリボーはいう。一つの情熱がうしなわれても、そこから再び立ちあがり、新しい情熱に生きるためのエネルギーである。極悪人が偉大な聖徒に変りうるのも、芸術への情熱に生きるひとが一歩まちがえば大犯罪者でもありえたろうと考えられるのも（たとえばベートーヴェン）、ここから説明される。もう一つの条件は、新しい指導理念の出現である。これも単なる抽象的観念としてではなく、もともとそのひとの人格構造のなかにその理念にこたえるものが潜在していて、それが人物や書物や出来事との「出会い」を通してよびさまされる場合に、情熱の変形がおこりうる。以上が大体リボーの説であるが、これは生きがいの対象についてもいえよう。

変形のなかで一ばんよくみられるものは、ある特定の人間への愛がもっと多くのひとへの愛に変る場合であろう。

愛する者は死んだのですから、
たしかにそれは死んだのですから、

もはやどうにもならぬのですから
そのもののために、そのもののために、

奉仕の気持にならなけぁならない。
奉仕の気持にならなけぁならない。

中原中也「春の狂態」より

愛生園でも、もともと愛情ゆたかなひとで、不自由者の付添いという仕事に新しい生きがいを感じていた或る中年の男性患者があった。彼は最近、肢体不自由者としての年金をもらうことになり、その作業に従事する資格をうしない、それとともに生きがいをもうしなってしまった。神経衰弱のようになり、にわかに老けこんでしまった彼はいう。「こんなことになるなら、いっそ年金はお返しするからまた付添いをさせて下さいと願い出たのですが、許されませんでした。」

このほか、人間への愛が神への愛に変る場合がある。多くの神秘家にこれがみられるし、失恋して修道院にはいる者にもこういうひとがあろう。ラシーヌが晩年に劇作をやめて敬虔そのものの生活にはいったことについて、有名な書簡作家セヴィニェ夫人はいった。「彼は恋人たちを愛していたように神を愛している」と。

その他、宗教的狂信は政治的、社会的狂信に変りうるし、闘争と征服への情熱も目標を変えうる。たとえばイグナチウス・ロヨラは、はじめは奔放で好戦的な軍人であったが、あるとき傷を負って、身動きもできなくなってしまった。深い苦悩におちこんだ彼は、病臥中に回心して、軍隊的規律を特徴とするジェスイット修道院の創立者となり、キリストに奉仕する別種の軍人となった。以上はみなもとの情熱や生きがいが、べつの仮面《マスク》の下に生きつづけた場合といえる。現在、ある目標にむかって熱中しているひとを眺めるとき、その同じ資質をもってして、どんなほかの形の人生をかたちづくりえたか、と考えてみるのは興味のつきないことである。それは、人生における偶然や運命や決断などの役割に、深く思いをひそめさせる機会でもある。

情熱はときどき一見、正反対とみえる形に変ることがある。たとえば愛情が憎悪に、宗教的狂信が反宗教的狂信に、快楽主義が禁欲主義に、といった例はそれほどめずらしくない。しかし感情というものが反対の極のものに変りうること、時には正反対の感情が同時に共存しうることは人間の心によくみられる現象で、この場合も情熱の対象が変ったというよりも、感情の質が反転したにすぎないといえる。

置きかえ

情熱のおきかえとリボーが呼んだものは、そのまま生きがいの対象についてもあてはまるが、これは複雑な問題をふくんでいる。

まず人間は年齢によって生きがいとするものが変ってくる傾向がある。フランスの語りぐさでは、青年時代は恋愛、壮年時代は仕事への野心、老年にはどん欲、といわれるが、これは生理的、社会的条件につながっているのであろう。

年齢をべつとすれば、おきかえ現象がおこりうるのは、ひとりの人間のなかにいくつもの生きがいの可能性が共存している場合である。青年時代にはそれらの可能性を次々と追求してみるが、やがてその渾沌としたなかから一つの大きな目標が結晶して、他のすべてにとってかわるようにみえることがある。たとえばバイロンはもともと冒険や探険が好きで、詩はしかたなしにやったのにすぎないと自らいっていた。ゆえにギリシャの独立戦争に参加して戦死したときには、本来のもっとも強い傾向にしたがったまでのことといえる。またシーザーやナポレオンも、決してうまれながらの行動的野心家ではなかった。シーザーは長い間からだが弱かったため、学問や芸術にこるディレッタントとしての半面があったし、ナポレオンにも夢想への傾向があったが、意識してそれをおさえていたという。一八世紀イタリアの劇作家アルフィエーリは、二七歳まで旅行、女、馬、などに熱中したが、その頃、ある精神的転換がおこった。「その時彼は自己及び公衆に対して約束をなし、劇作家になる決心をした。」それ以来、五二歳で死ぬまで仕事に打ちこみ、その努力の烈しさのために死んだとさえいえるという。「突然かれは世間から外へ出て、文学にはいった。それはちょうどむかしの宗教的な時代に、ひとが修道院へはいったのと同じような工合であった。」とある伝記作者はいっている。株の仲買い人として、物心ともにゆたかな市民生活を送っていたゴーギャンが、三五歳のとき、職を捨て、絵に走り、現世のふつうの幸福をすべて破壊してしまったのも置きかえの例であろう。(3)

以上、どの例でも人生の途上でそれまでとはまったくちがった生存目標にむかって歩き出したようにみえるが、じっさいにはそのちがった傾向、その可能性は以前からそのひとのなかに潜在していたと考えられる。

結局、自分の内にさまざまの可能性を持っている人間は、一つの生きがいをうしなえば、ほかの方向に生きがいを求めることになるのであろう。クレッチマーの天才論(4)のなかにも、一身上に大きな生きがい喪失を経験したひとがそれを契機として科学の研究を始め、ついに偉大な業績をあげるに至った例があげてあるが、現在活躍している一米人生物学者も似た例である。このひとはもともとチェロ演奏家になるつもりで勉強していたところ、或るとき事故のために指を怪我して深刻に悩んだが、結局志望を変えて再出発した。よくきいてみれば、彼の場合にももともと自然科学的興味が音楽的素質と共に初めから存在していたのであった。

以上のことから考えれば、内在的傾向の複雑なひとほど生きがいのおきかえ現象がおこりやすいのであろう。またそういうひとほど、どのようなところにころがされても、そこで生存目標をみいだし、雑草のように強く生きて行けるのではないかと思われる。いわゆる「適応性の幅のひろさ」とか、人格の弾力性、柔軟性などと呼ばれるものもこれと関係があるのかも知れない。

愛生園では、軽症者たちは患者自治会のしくみのなかでさまざまな作業をこころみている。また自治会の役員として打ちこむひとや政治的、宗教的、芸術的活動などに生きがいをみいだしているひともある。農村出身者の多い園のことであるから、これらは多くの場合、「おきかえ」の例であろう。社会で暮していたら伸ばす機会もなかったろうと思われるような、文学や絵や音楽の才能が発揮される場合もある。病気になって入園したことは大きな不幸にちがいないが、生活のために追われなくなって初めて伸ばしうる可能性というものが、多くのひとのなかにひそんでいることを右の事実は示している。

次は一患者の記す「転業の記」[5]からのぬきがきである。

「私は入園するとすぐ陶工部に就業した。別に経験があるわけでもなかった。……ただそのふんい気がよかったので、すすめられるままに部員となってしまった。しかしこの作業は……大戦がはじまり、戦況が苛烈になった時、真先に廃止されてしまった。わずかな年数であったが、苦心の作品が思う色に焼きあがった時の悦びは体験してはじめて知る味わいである。湯沸部に這入ったのはその後であるが、私はいつかここで十七、八年もいすわってしまった。しかし園内作業といっても、一定の賃金を貰い、職業となると……人知れぬ苦労もあれば強い責任感も必要である。しかし人間というものは妙なもので、永年こうした仕事をしていると、むしろそうした、さまざまの苦労の伴うことに生きがいを感じ、悦びを与えられるものである。……私は健康、年齢、地理的条件からして、この作業こそ天が私に与え給うた最上の仕事であると観念していた。……」

このひとの転業はこれにとどまらず、その後、さらに放送部へとひっぱられる。おそらくそこで彼はまた新しい生きがいをみいだしているにちがいない。なぜならばこのひとは、もともといろいろな能力にめぐまれている上、一貫してすべてを天の摂理としてうけ入れるすなおで純朴な宗教心ともいうべきものを持っているからである。

心の構造の変化

前にのべたように、ひとにはめいめい独自の世界があり、そのひとが主な生きがいをどこに置くかによって、その世界のひろがりも大体きまってくるのであった。今、もしあるひとが、生きがいをうしない、べつの生きがいを見いだすとしたら、このひろがりはどういう風に変るのであろうか。ごく図式的に言えば、空間的にいわば社会化される場合と、時間の軸に沿っていわば歴史化される場合とがあるように思える。この二つが同時に行われることも少なくないが、便宜上ここでは、べつべつにみて行きたい。

ひろがりの変化

社会化

「人生には、長い年月の間に起こったことの意味が、一瞬のうちに結晶するような瞬間が、ごくまれにはあるものです。あの講堂の壇上に立ち、そして私をみつめている数百人の子供たちの顔をみたときに、私はそのような瞬間にみまわれたのでありました。何という心痛がその子供たちの背後にあったでしょうか。その子供たちのためにどのくらい苦しみ、泣き、おそろしい失意と絶望におちいった人たちがあったことでしょうか。」

右はパール・バック(6)が、長い遍歴ののち、やっと精薄の娘をあずけるよい施設をさがしあて、そこへ初めて娘をつれて行ったときの感懐である。こうして彼女は自分の苦しみは、自分ひとりのものではないということを、生きた事実として心にうけとめたのであった。ひとり苦しむひとにとって、これは大発見である。苦しみのなかで自分はひとびととともにあるのだという自覚は、やがて苦しみのなかでひとびとと手をつなごうという積極的な姿勢に変りうる。パール・バックもここで、「自分の子供を決して無駄に生かしてはならない」と考え、子供の生を「人類にとって何らかの役に立つもの」にしようと決意する。これが彼女の新しい生存目標となったのであった。この決心を生涯捨てなかったことは、彼女のその後の生きかたが証明している。

このようなとき、心の世界はあきらかに社会的にひろがったのであるから、社会化と表現してさし支えなかろう。欲求や感情の社会化 socialisation ということをいったのはフランスのポーラン(7)であった。彼のいったのと大体同じ意味で、右のような場合を苦しみの社会化、願望の社会化と呼んでみたい。ひとともに苦しみ、ひとともに癒されたい、と願う心である。この際、ベルグソン(8)のいう「閉ざされた魂」が、悲しみの経験によって多少とも「開かれた魂」に変貌したのだともいえよう。ベルグソンは前者から後者への移行を、質的な変化、次元の変化と考えたから、そこに断層と飛躍を要求したが、同じ平面でのひろがりを考えてよいならば漸進的な移行過程をもみとめてよかろう。

このような例は無数といってよいほど多い。みずから精神病院で苦悩の年月を送ったことのあるクリッフォード・ビアーズ(9)が余生をささげたのは精神衛生運動であった。最愛の息子をうしなった親が、同年輩の恵まれぬ青年たちのために育英事業をはじめることもある。結核やがんによって愛する者をうばわれたひとが、これらを研究し、治療するために医学の道へ進むこともある。原爆の悲劇を身近かにうけたひとが、平和運動にていい身することもある。

このような社会化の道は、ただ悩む以外に何もできなさそうにみえる状況にあるひとにもりっぱにひらかれている。たとえば、ひろく読まれたローゼンバーグ夫妻の記録(10)をみても、この二人の死刑囚の心には、自分たちの受けている苦しみの社会的意義を意識するところが強くあらわれている。それが彼らの精神をしっかりと支え、彼らの生と死に意味と品位を与えている。

次は愛生園の、かなり重症な患者が記したところである。

「こんな不愉快な姿をして生きていることが時折りいやになることがあります。けれど、私の悩みは人類の悩みだ、と気をとりなおして、逆コースを正しいと信じているひとびとに、われわれの進む道を話合う時に、希望が湧きます。いま私の一番のたのしみは……困ったことを、困っているひとと力をあわせて解決への努力を払う時でしょう。」

このような「人類連帯感」が、多くの危機的状況にあるひとの心に浮かびあがるのは、考えてみればふしぎなことである。結局、人間の心は奥深いところで、ユングのいうような「集合的無意識」によってつながっているのであろうか。人間が人間としての生存をおびやかされるような事態におかれるとき、このつながりが意識の表面に浮かびあがって来てひとをしっかりと支えるのであろうか。

ともあれ、たとえ独房のなかで死と直面していようとも、肢体不自由の身で島にとじこめられていようとも、自分の生は全人類の生の一部であり、自分は皆に対して意味と責任を担っているのだと思い至るとき、ひとはしっかりと顔をあげて堂々とその生を生きぬくことができる。少なくともその可能性はひらかれている。それは「はじめに」にのべた一患者の詩「土壌」[11]にもよくあらわれている。

わたしは耕す
世界の足音が響くこの土を
………
原爆の死を、骸骨の冷たさを
血のしずくを、幾億の人間の

人種や　国境を　ここに砕いて
かなしみを腐敗させてゆく
わたしは
おろ　おろと　しびれた手で足もとの土を耕す
どろにまみれる　いつか暗さの中にも延ばしてくる根に
すべての母体である　この土壌に
ただ　耳をかたむける。

歴史化

「私は死刑を宣告された。誰がこれを予測したであろう。年齢三十にならず、かつ、学半ばにしてこの世を去る運命……しかし、これも運命の命ずるところと知ったとき、最後の諦観が湧いてきた。大きな歴史の転換のもとには、私のような陰の犠牲がいかに多くあったかを、過去の歴史に照らして知る時、まったく無意味のように見える私の死も、大きな世界史の命ずるところと感知するのである。

日本は負けたのである。全世界の憤怒と非難との真只中に負けたのである。日本がこれまであえてしてきた数かぎりない無理非道を考える時、彼らの怒るのは全く当然なのである。今、私は世界人類の気晴らしの一つとして死んでいくのである。これで世界人類の気持が少しても静まればよい。それは将来の日本に幸福の種を遺すことなのである。……日本の軍隊のために犠牲になったと思えば死にきれないが、日本国民全体の罪と非難とを一身に浴びて死ぬと思えば、腹も立たない。笑って死んでいける。」

右は第二次世界大戦のさい、シンガポールの刑務所で戦犯刑死した学徒の手記(12)の一節である。この心の世界ではひろがりは空間だけでなく時間の軸の上でものびて、過去から自分の亡き後の未来にまではるかに展望がひらけている。そのなかでの自己の生の位置と役割とを意識することにより、生きがいと、そして死にがいをも感じている。

前にあげたローゼンバーグ夫妻の場合にも、死刑を前にして、獄舎のなかでたがいに交わした手紙の中に、この歴史的な意識のひろがりがみられる。自分たちの苦悩と死は今にはじまったことでなく、中世紀の宗教裁判や魔女狩の犠牲者と同じ苦しみをうけたのである。人間の自由のための戦いの歴史のなかに自分たちはあるのだ。その歴史の一《ひと》こまとして自分たちはりっぱに生き、かつ死ななければならない。この歴史的意識と使命感が彼らの心の世界を、単に同時代のひとだけでなく、過去のひとと、そして未来のひとをも結びつけている。この縦の連帯意識もまた大きな意味感となって彼らを力強く支えていたことはあきらかである。

ひとびとの住む世界からはじき出され、ひとり宙を漂うひとにとって、歴史の発見はたしかに或る救いを意味する。自分もまた人類のひとりとして、人類の歴史の流れのなかに立っているのだ、と知ることはひとつの「足場」の発見であり、回復なのである。これも一種の社会化である。

時間の軸における社会化、つまり歴史化である。

歴史化もまた心の眼に新しい視点を与え、悩むひとにも、自分の悩みのうちに個人を超えた意味をみいだすことを可能ならしめる。未来というものを、単に自分一個の身の上の成行というような小さな単位でなく、歴史の運行という巨視的な観点から望見することを可能ならしめる。人類のためにより幸福な未来をと願う心、そのために自分の生を役立てたいと祈る心が、多くのひとの生と死を支えて来た。

この未来意識は、宗教的人物などにおいては、歴史を超えた永遠性をおびることもある。しかしこれも広い意味で歴史的意識といってよいであろう。ここでは心の世界が時間の軸をのりこえて、無限にまでひろがってしまうわけである。もとより無限というものを具体的に思い描くことは、人間の精神能力を超えているから、強いてそのイメージを表現しようとするならば、聖書の黙示録やダンテの「神曲」にみられるようなキリスト教的な来世、あるいは経典や古寺のなかに描かれているような仏教的終末世界などの形をとることになる。それらのイメージが時には笑いをさそうようなものであっても、その背後にある「永遠的意識」、「終末論的意識」まで否定することはできない。これもまた人間の精神の、厳然たる事実なのである。しかも、この事実についてもっとも注目すべき点は、この永遠性の意識が、かならずしもこの世における現在の生とかけはなれた遠い未来として体験されているのではなく、すでに「いま」、「ここで」いきいきと体験されているということである。少なくとも、単なる借りものでない「生きられた永遠」はそうであると思われる。

心の奥行の変化

苦しんだことのあるひとの心には深みがある、というようなことが時どきいわれるが、これはどういうことを意味しているのであろうか。

同じ苦しい目にあっても、その苦しみかたは、ひとによってちがう。さらりと苦しみを受け流せるひとと、不器用に苦しみをすみからすみまで味わわなければそこから抜け出せないひとと。ほとんど心に傷あとの残らないひとと、心が深層にまで掘りおこされてしまうひとと。深い心とはそのように深く掘りおこされてしまった心を意味するのであろうか。

もうひとつのみかたは、心の深さというものを、心の世界の奥行と考えてみることである。視覚によって、ものの奥行を認識できるのは眼が二つあるからである。つまり二つの異なった角度から同じものをみているから、自分からその物体への距離もわかるし、その物体そのものの奥行もわかるのである。カッシーラーはいう。(13)

「人間経験の深さも……われわれの見る角度を変えうること、われわれが現実に対する見解を変更しうることに依存している。」

この「経験の深さ」、もしくは「経験のしかたの深さ」が心の深さをつくるのではなかろうか。

いいかえれば、ひとの心に、二つ、またはそれ以上の世界が成立し、それぞれの世界から、各々べつな角度で同じ一つの対象をみるとしたら、この「心の複眼視」から、ものの深いみかたと心の奥行がうまれるのではなかろうか。

生きがい喪失の苦悩を経たひとは、少なくとも一度は皆の住む平和な現実の世界から外へはじき出されたひとであった。虚無と死の世界から人生および自分を眺めてみたことがあったひとである。いま、もしそのひとが新しい生きがいを発見することによって、新しい世界をみいだしたとするならば、そこにひとつの新しい視点がある。それだけでも人生が、以前よりもほりが深くみえてくるであろう。もはや彼は簡単にものの感覚的な表面だけをみることはしないであろう。ほほえみのかげに潜む苦悩の涙を感じとる眼、ていさいのいいことばの裏にあるつらいや虚栄心を見やぶる眼、虚勢をはろうとする自分をこっけいだと見る眼——そうした心の眼はすべて、いわゆる現実の世界から一歩遠のいたところに身をおく者の眼である。

現実から一歩遠のいたところに身をおく、ということは、生物のなかでも精神能力が分化した人類だけにできることらしい。この能力によって人間はパスカルのいうように、たとえ宇宙におしつぶされそうになったときでも自分をおしつぶすものが何であるかを知ることができる。動物のように現実に埋没して生きるのでなく、苦しむときには、その苦しむ自分を眺めてみることもできる。

心の深さというものが、このような現実からの遠のきと心の世界の複数化からくるのであるとすると、これを精神化とよんでみてもよかろう。というのは、次の章でくわしくのべるように、精神の固有の世界は、現実からはなれたところに身をおくことによって、はじめてうまれるからである。ゆえに、生きがいをうしなって、現実の世界から一度でもはね出されたひとの心にうまれやすいのもふしぎではない。同じ理由から、一般にジェイムズのいう「二回うまれ」の人間のほうが精神化に傾きやすいのではないかと思われる。「一回うまれ」のひと、つまりうまれながら現実の世界にうまく適応して行けるひとは、ともすれば現実に密着して生きる傾向があるようにみえる。

生きがい喪失という事態はヤスパースのいう限界状況のひとつであろう。限界状況に対してひとが示しうる反応に三種類ある、とヤスパースは考えた。ここで私たちがいっている「精神化」という形でこの状況をのりこえるとすれば、それはヤスパースのいう三種類のうちの第三にあたると思われる。彼によれば(14)、この三つの反応のうち、第一は、不決断と自己の能力全体の麻痺によって破滅してしまう場合。第二は妥協、あきらめ、自殺その他によって、限界状況と正面から対決することを避ける場合。第三は、たえずあらたに「統一への意志」と「形而上的なものへの意図」をかためることによって力を獲得する場合である。

右の分類に従って考えてみれば、生きがいをうしなったショックのため、破局的状況に陥り、いつまでも葛藤のなかでのたうちまわり、これという新しい生きかたを発見できず、また発見しようともせず、精神的な廃人、または発狂、というようなところにおちこんでしまう場合が第一に属するのであろう。ヤスパースのいう通り、限界状況の本質は二律背反的状況 antinomische Situation にあるので、このなかにある人間は平生よりずっときわだった形で矛盾した力にひきさかれるから、よほど思い切りのいい、勇気のある決断を行なってそこから脱け出さないかぎり、いつまでも心の地獄のなかであがいていなければならない。

そこから抜け出すといっても、第二の逃避という形をとれば、これは真の対決や決断ではなく、安易なごまかしである。アルコールや麻薬に耽溺すること、あきらめ、すてばち、濫費、ニヒルのなかで低迷すること、犯罪や神経症。これらの道をとるひとがあとを断たないのは、よく考えてみれば無理もないといえる。限界状況というのは、人間が自分ひとりの力で乗りこえられるようななまやさしいものではないからである。

第三の「形而上的なものへの意図」——私たちのいう「精神化」——こそ限界状況をほんとうの意味で、つまり建設的なかたちでのりこえさせるものである、とヤスパースは考えた。彼が「意図」や「意志」をたえずあらたにする必要をのべたのは意味ふかい。精神化というものは、ただ流されていてうまれてくるようなものではないからである。ひとたび新しい生きがいを精神化の方向にみいだしたとしても、それをえらびとる決意をなんどでも新しくたしかめ、その方向へと歩みつづけなければ、いつなんどき第一や第二の生きかたにすべりおちてしまうかわからないからである。それはおそらく人間の精神というものが生物の進化の途上で、ごくさいきんになってあらわれて来たものであるため、それだけまだひよわく、もろいからなのであろう。このことをよく承知の上で精神化ということを考えないと危険であり、またこっけいなことにもなりかねない。

精神化

外の世界があまりに空しいゆえに
わが内なる世界こそひとしお尊い
術策も憎悪も不安もなく
冷酷な疑惑もおこらぬ世界よ——
そこにお前と私と自由とが
何ものにも奪われぬ主権を持つ。

人間の精神の力ほどふしぎなものはない。エミリー・ブロンテが「想像力に寄す」という詩で歌ったように、自分をとりまく環境にどのような不快なことがあっても、ひとは精神の翼にのって自由にあまがけることができる。またオルテガのいうように、群集のなかにいても、いつでも好きなときに自己の内なる世界にひとりしりぞき、そこでしずかな深い世界に沈潜することができる。牢獄も、島への隔離も、病による苦痛さえも、精神をとじこめておくことはできない。精神の力によって人間は時空を超え、あらゆるところと時代のひとびとと手をつなぐことができる。ものの実際的効用からはなれて、知ること、考えること自体のたのしさにひたることもできる。色や形や音の美しさにふれるよろこびにみたされることもできる。大きな夢の殿堂を築き上げて、貧しく、みじめな現実の生活を、けんらんたるものにすることもできる。

精神はもちろん、だれにでもそなわっているが、順境のひとはその有難味をよく知らず、その力によりかかる必要もあまり痛切には感じない。日常の生活は多くの用事でみちているし、その用事を次々と、着実にかたづけて行くためには、「常識」とか「実際的思考力」などという名の、多分に反射的、機械的な知能の処理能力さえあればすむ。あまりにゆたかな想像力やあくことなき探究心やきびしい内省の類《たぐい》は、むしろ邪魔になるくらいであろう。

ところが病床に釘づけになっているひと、四肢をうしない、視力さえうしなっているひとにとって、精神というものがどんなに大きな意味と役割をもっているかということは、愛生園で病室に入っているひとたちを少し観察してみればわかる。園では軽症者や病状の固定しているひとはあちこちに散在するふつうの家に住み、重症者や合併症のあるひとだけが治療病棟に「入室」している。この入室者たちのなかでは、文芸とか宗教とか、何か精神的な生きがいを持っているひとだけが、いきいきとした人間らしいものを保ちつづけているといってもいいすぎではない。というのは、このひとたちには、精神の世界に生きる以外には、人間らしく生きる道がほとんど閉ざされているからである。したがって、このひとたちは健康者よりもはるかに切実な必要に追いやられて、精神の世界に生存の基盤をおくようになる傾向がある。ヘレン・ケラーにもし精神の世界がなかったらどうであろう。もし彼女が五感そろったひとであったならば、彼女の精神の世界はあれほどのひろがりと深さをそなえるに至らなかったのではなかろうか。

以上のような現象を精神化 spiritualisation と名づけてみたわけであるが、じつはこれもポーランの概念を借用したものである。ただポーラン[15]はこれを定義して

「精神化とは人間の基本的生物学的な欲求が精神的なものに変化することを意味し、その欲求が精神生活全体にはいりこんで、そこにあるほかの欲求、観念、感情、行為に結びつき、精神生活に大きな場所を占めるようになることである。しかしその際、もとの生物学的基盤からはなされてしまっては、かえって有力なものたりえず、生物学的なものとしっかり結びついている時こそ強力な精神化がおこりうる。」

といい、そのいい例として恋愛をあげている。

ポーランのいうところはフロイトの「昇華」の概念よりはるかに明瞭であり、適用範囲もずっと広く思われるが、しかし私たちはここでこの精神化ということばを少しちがった意味で用いたい。ポーランは人間の個々の感情の精神化について考えているが、私たちは人間の生存のしかた全体について考えているのである。生存の重みなり基盤なりの全体が精神の領域に大きくかたむくことを意味したいのである。

もう一つ、ポーランと意見を異にするところは、精神性というものを彼やフロイトのいうほど

密接に生物学的なものと関係しているとはみない点である。たしかに精神機能は動物的段階から分化して生じて来たものであろうが、進化の途上で「動物的習慣と絶縁した」（プラディーヌ）とさえいえるほどの精神性が次第にあらわれて来たのではなかろうか。少なくとも高度の認識欲や審美的欲求などはすでに生物学的必要とは無関係なものであり、場合によっては、それと利害の反するものですらある。

このように現実の世界と精神の世界と、いわば両棲動物のように二つの世界にふたまたかけて生きているそのありかたは、あらゆる人間に多少ともみられる現象で、人間存在の二様性(16)などとよばれ、すべて精神生活を持つ人間の、基本的な生活様式であると考えられている。ただ大部分の心身健康なひとは、現実の世界にしっかりと足をふまえ、そこで忙しい、充実した毎日を送る。精神の世界はもちろん存在するけれども、それはふつう現実の生活に対して従属的な位置をとる。認識や思索の世界は現実のなかで能率よく、効果的に生きて行くための手段として存在し、芸術や美の世界は現実の生活をたのしく送り、ゆたかに味わうためにある。宗教の世界も現実の生を、なるべく悩みすくなく、平らかな心ですごすため、そして死を平静に迎えるための助けとして副次的な位置をとることが多い。必要に応じてそれぞれの精神の領域に出入りはするけれども、すべてほどほどにとどめ、現実の生活のバランスをくずさぬように気をつける。それほど現実の生活は大部分のひとにとって、きびしく、忙しい。もともと精神的な欲求それ自体に乏しいひともあるが、かなりのひとはこうしたきびしい、忙しい生活のために追われて、精神的なものの芽を伸ばす機会もなく、必要もない。

ところが、前にのべたように、性格自体からして悩み多くうまれついているひとや、苦しみのなかにあるひとにおいては、「精神化」への傾向が強くなり、ふつうのひとの場合とはさかさまに、現実の世界のほうが精神の世界に従属してしまうことさえある。よく笑いの種になる、学者の「放心」も、精神の世界にふかいりしすぎて、現実の生活が留守になりがちのところからくることもあろう。

とはいえ、どんなひとでも肉体をもって現世に生きている以上、現実の世界からまったく遊離してしまうことはできない。ひたすら精神の世界にあまがけろうとするひとも、たえず現実にひきおろされ、二つの世界の間に引き裂かれることになる。

引き裂かれることは、しかし、生命が躍動していることのしるしなのであろう。というのは、ある種の精神病者では、精神化が極端にまで強くなるが、その反面、現実の世界での生活は次第に稀薄になって行く。そのみごとな例が愛生園においても発見された(17)。その患者はらいの再発を契機として深い絶望におちいったが、やがて独自の宗教的な世界に新しい生きがいをみいだし、積極的な使命感をもって他人に奉仕しつつ生きるようになった。ところが終には治療をうけることも、食をとることも拒絶するようになり、それがもとで早く死亡してしまった。

結局、現世に生きるかぎり、生命と精神の矛盾のなかで生きぬくことこそ人間に与えられた運命なのであろう。パスカルのいう通り、ひとは天使でもなければ、動物でもないのであるから、どちらを否定しても人間の本性にもとることになろう。問題になりうる唯一のことは、この二つのもののどちらに生存の重みをかけるか、ということである。

ところで、どういうひとが精神化にかたむきやすいのであろうか。これについては、ポーランのいうところに、全面的に同意できる。すなわち、思索を好むひと、精神がゆたかで複雑なひと、抑制力がある程度つよく、敏感で感動しやすいひと、うまれつき内気なため、または外的な事情のため、行動にすぐ出にくいひとである、と彼はいう。このようなひとであると、欲求がすぐ行動に移ってしまわず、精神的内部で多くの思考、反省、情緒、恐れ、希望などをひきおこし、それらが互いに組みあわさったり、対立したり、匡正《きようせい》し合ったりしうる。また心理学的な意識がはっきりしていて、自己の精神を分析、綜合、比較することになれているひとは、そこにあるものを一度すっかりばらばらにした上で、なお一層ゆたかな、広汎な、多様でしなやかな組みあわせを作りうるから精神化の度合はなおさら強くなる。しかし、とポーランはいう、このような傾向の強いひとの場合には、精神生活が整然と運ばないきらいがあり、しばしば多少ともそぼくな理想化への傾向をともなうから、充分に強い現実意識が共存していないと、ともすればドン・キホーテのような存在になるおそれもある、と。

精神化にむかないひとというのは、以上をうらがえしてみればわかる。とくに衝動的な人間で、思ったことをすぐ行動にうつしてしまうひと、確信がつよく、自己についてうたがうことがなく、自己観察、自己分析のしにくいひとは、自分の精神のなかにほかの観念をとりいれてみることも少ないから、精神生活が深くほりおこされることも、こまかく分化することもおこりにくい。また、もっとも精神化に縁遠いと思われるのは、することも話すこともすべて型通りで、習俗を「そらでおぼえている」ようなひとである。こういうひとは職場や家庭、社交の場などでやるべきことを寸分の狂いなく、いわば自動的ともいえるほどの能りつのよさで果たせるが、習俗の力では対処できないような事態に当面したときには、まったく無力になる。以上はポーランのいうところを筆者なりにふえんしてみたのだが、こうしてみてくると、この最後の類型はヤスパース(14)が「いきいきした人間」"der lebendige Mensch" と呼んで描写したのと正反対のタイプであることが思いあわされる。

してみると、なぜ苦しんでいるひとのほうが精神化にむかいやすいかということが、かなりわかってくる。たとえば本が買いたくても買えず、貸本屋にあるものしか読めない。勉強の時間が欲しくても、めざめている時間のすみからすみまでがほかの仕事でうめつくされている。などという状況にあるひとの好学心は、その妨げゆえにかえって心のなかで大きなひろがりと力をおびるようになる。食物を減らして本を買い、眠りを減らして勉強するアルバイト学生、舌の先でひたすら点字を読むらいの盲人。こういうひとのなかにこそ知的領域における、きわだった精神化の現象がみられる。このように苦しみを通して得られた知的満足は、何もかもはじめから揃って与えられているひとの場合とは、くらべものにならないほど鋭く、純粋なものにちがいない。これこそ生きがい感とよんでよいものであろう。

しかしこれは何も知識欲のような「精神的」なものに限られたことではない。物質的な欲望でも、これがみたされないときには、かえってりっぱに精神化され、生きがいの問題にもなりうる。たとえば貧しいひとがミシンを欲しいと思っても月賦でしか買えない、というような場合を考えてみよう。戦争直後には、そんなひとがたくさんいた。引揚者などで、ミシンの腕のあるひとは、ミシンさえ買えれば他人のものを縫って収入の足しにできる。着のみ着のままの状態から更生しうると考えた。このような場合、ミシン購入の願いはもはや単なる物質的欲望ではない。そのミシンにはたくさんの夢や将来への計画がむすびつき、いわば未来建設の象徴となる。多くの苦心を重ねて、ついにミシンをわがものにすることができたとき、そこに湧きあがるよろこびは、現実の制約に対してついに精神が勝利を占めたことに対する凱歌なのである。

あまりにも貧しい生活は人間の精神をちっ息させることも事実であるが、ある程度の物質的窮乏が、かえって「精神化」を促進する傾向のあることもやはりみとめなくてはならない。これをみとめることに、いわゆる精神主義に陥る危険がともなうとしても、それでもなお事実は事実である。これは個人についても集団についてもいえる。

精神化と社会化の関係はどうであろうか。多くの場合、この二つは同時に、またはあいついで生じる現象である。社会化によって時空の制約を超え、多くのひとと心をかよわせ、多くのひとのために生きようとするのはまったく精神のはたらきによるわけで、精神化の過程が同時におこっていなければありえない話である。また認識の世界にせよ、美の世界にせよ、精神の領域にふみいるとき、たとえどんなに孤独なひとであろうとも、その精神の世界で以前よりもはるかに広い範囲のひとと共感しあうことができ、多くの新しい友がみいだされるはずである。つまり精神化には社会化をともなうことが多い。

しかし必ずしもそうとはかぎらない。現世をみかぎって新しい生きがいを精神化の方向にのみ求めるひとも時にはある。出家、隠遁者などがそうである。純粋な精神化は、ときには非社会性や反社会性をうみ出すことさえある。たとえば自分ひとりの妄想の世界にとじこもるひと、そこにのみ通用する論理から他人を殺す精神病者などがそれである。反対に社会化のほうが勝って、精神化が稀薄にとどまる場合は、これはかなり多い。行動的なひとは、たとえ生きがいをうしなうような苦悩に出合っても、これを充分精神のなかでかみしめる暇もなく、むしろそれを避けるために、以前より一層はげしく社会的活動へとかりたてられるかも知れない。有意義な社会的目標のために忙しく活動することは、他人のためのみならず、本人にとっても一つの救いである。しかし、これが極端になると精神化の力を弱め、精神的なものの深味《ふかみ》やこまかい色あいに対して心の眼をさえぎる覆いともなりうることはあらそえない。

9　精神的な生きがい

生きがいをうしなったひとが、精神の世界に新しい生きるよろこびをみいだすとしたら、どんなものがありうるだろうか。

本書でのべて来たあらゆる生きがいのなかには多少とも精神のよろこびが参与している。いわゆる物質的と思われるような生きがい、たとえば金を貯めることとか家を建てることにも多くの精神的な夢や理想がこめられている。日常のささやかなくらしのなかにも感じとる心さえあれば多くの精神のよろこびがある。買物籠をさげて市場へ行く主婦も、八百屋の店頭に並ぶ野菜の形や色が急にはっとするような美を帯びて心にせまるのを経験することがあろう。魚屋の小僧の威勢のいいかけ声にユーモアとペーソスを感じ、ふと自分をもふくめた人波《ひとなみ》のはるか上に運ばれて人生を眺める思いのすることもあろう。これらはみな現実の利害を超えた精神の世界での消息である。

純粋に精神的な生きがいというようなものをとり出そうとするのは、人間の本性からしてそもそも無理なのであろう。この章では「主として精神的な」と思われる代表的な領域での生きがいの例をいくつか眺めてみよう。ごく常識的なわけかたをしてみるにすぎないので、このほかにも無限の種類やくみあわせがありうることはいうまでもない。

認識と思索のよろこび

「死の数日前偶然にこの書（田辺元著「哲学通論」（岩波全書））を手に入れた。死ぬまでにもう一度これを読んで死にたいと考えた。コンクリートの寝台の上ではるかなる故郷、わが来し方を思いながら、死の影を浴びながら、数日後には断頭台の露と消える身ではあるが、私の熱情はやはり学の道にあったことを、最後にもう一度思い出すのである。この書に向かっていると、どこからともなく湧き出づる楽しさがある。……尽きざる興味に惹きつけられる。……生の幕を閉じる寸前、この書をふたたび読みえたということは、私に最後の楽しみと憩いと情熱とを与えてくれるものであった。……真の名著は何時どこにおいても、いかなる状態の人間にも、燃ゆるがごとき情熱と憩いとを与えてくれるものである。私はすべての目的欲求からはなれて、一息のもとにこの書を一読した。そして更にもう一読した。……私にとっては死の前の読経にも比すべき感を与えてくれた。かつてのごとき野心的な学究への情熱に燃えた快味ではなくて、あらゆる形容詞を超越した、言葉ではとうてい現わしえないすがすがしい感を与えてくれたのである。私はこの本を私の書かれざる遺言書として、何となく私というものを象徴してくれる最適の記念物として、後に遺す。(1)」

右は京大経済学部学生として動員され、シンガポールの刑務所で戦犯刑死した青年が、この書物の余白にかきこんだことばの一節である。(1) もうひとり、ニューギニアで戦死した学生が兵営で認めた、友への最後の手紙をみよう。

「明日動員命令が下るという今日、俺は相変らず数学書を繙いている。戦友達はそのほとんどすべてがむしろ狂騒とさえいっていいほどの感情にわめいている。こういう現実に直面する時俺はみずからの強丈な強さを――俺の内気そのものの強さを見いださざるをえない。……とはいえ、これを俺のゴウマン不遜な反逆と考えてくれるな、最近の俺は絶対者への思いなくして人生の存在がどこにあろうと、真底から考えざるをえないのだ。……

とはいえ、俺達は単に中世時代の隠れ家にこもって一夜《ひとよ》さを神とのみ語らうべきであろうか――否、俺達の道はただ一つ、創造的世界の創造的要素として、一打一打のポイエシスに神の言葉をみいだすのだ。歴史的現実は夢と偏見と我執にみちた世界である。これがその本質である。ただ歴史的世界の事そのものとなって考え、事そのものとなって行う――数そのものとなって考える、これが俺の最近のすべてである。……友よ！　今後いかなる激しい現実に置かれても俺は相変らず歩いていく、コツコツとみずからの道を踏みしめていく、俺の志が単なる志に終わったとて、なんの恥じることがあろう。……

夜ごと書物を繙く時人生の悲哀も汽車とともに遠くどこかに去っていく。

数学の傍ら――

勇　拝」

死の面前におかれたこの二〇歳の学生の姿には、単に現実からの逃避というようなことばで片づけられない積極性がある。内なる世界と内にむかう心を持つ者のみにみられる強さといえる。現実の世界のどぎついものに心を奪われ、足をさらわれてしまわぬ強じんな抵抗力である。

認識によって得られるよろこびとは、未知の世界を探検してえられるものと同質であろう。スペインの哲学者オルテガ(2)は、哲学的思索を通してえられるよろこびを表現して「前人未踏の沿岸が、われわれの眼の前にあらわれ出るとき、なんという歓喜がわれわれを襲うことであろう！」といった。さらにイタリアのマンテガッツア(3)はいう「純粋な知的歓喜には苦痛が決してまざらぬもので、それはしばしば悲しみからひとをまもってくれる。それは「倍もわれわれのもの」で、決してエゴイズムによって汚されることはない。いくつになっても、心のなかにどんな変化がおこり、そこにどんな廃墟ができても、このよろこびはわれわれをうらぎることはない。」

このような引用は数かぎりなくできそうである。それほどこのよろこびは多くの人間にまじり気のない生きがい感をあたえて来た。

ただ現実の社会のなかでは、学識にすぐ利得がむすびつきやすいので、知識欲も人間の名誉心や虚栄心によって汚染されがちであるが、もし純粋な知識欲や知的歓喜をみたかったらやはり現世からはじき出されているひとびととの間に行ってみたほうが早道《はやみち》である。

今さら勉強しても、それが実生活の上で何のとくにもならぬひと、むしろ経済や健康やその他の面で邪魔にもなるような困難な環境のなかで、やむにやまれぬ心の欲求から、わずかな時間と金を工面して勉強するひとびとのなかにこそ、「無償の」学究心がみられる。愛生園内の定時制高校に学ぶ青年たち――その中には大学へ進学できるひとも少しはいるが――不自由者や盲人たちのなかにも、そういうひとがみいだされる。次は一盲人が点字舌読によって発見したよろこびを歌った詩[4]の一節である。

燃えさかる焔のように近寄りがたい熱気となって
…………
彼らはついに征服した
未踏の大地凸凹の曠野を

――生きる根強い執着

そして彼らはみた
ほのかにみちてくるひかりと
もう一人の自分の新しい生誕

また遥かに遠い地の果から伸びてくる幻の橋を
双拳ふりかざして渡ってくる夥しい未知の友の
近づきたかなる明るいうたごえ

いま彼らは把もうとする
苦しむもののみが知る生きる価値やよろこびや
おとろえ知らぬ太陽のかがやきを

審美と創造のよろこび

「私共のように長期療養者は……社会復帰も職業訓練も無駄で、将来はまったく絶望的である。と言っていたずらにこの尊い生命を粗末にしてはならない。たとえ前途に死の壁が閉ざされているにしても、この世に生まれ出て来た以上、何か証拠を残しておきたい。それには絵を描くことだと思い、この十四年間周囲のいかなる侮辱も嘲笑も受け流して、只一筋に絵を描き続けて来た。

私は思う、絵は楽しんで描くことである。常に自然の美を観察し絵筆を画面に思うままに塗りたくっていると、永い療養人生の旅路をふしぎに慰めてくれる。[5]」

右は愛生園と同じ島にある、もう一つのらい園の一患者が書いた「わがよろこび」という文章の一節である。このひとは永い精進の結果、大阪府の労働者の美術展に出品して入選し、「社会人と共通したレベルの作品として立証されたこと」のよろこびまで与えられている。

次に愛生園の盲人たちが楽団を組織し、十余年の間、それを育てることにどのような生きがいを感じて来たかを眺めてみよう。文はこの楽団の指揮者であり、やはり盲人患者である近藤宏一のものである。[6]

「昭和二十八年、……私達はよりよい自分の生活を築こうとして誰いうとなくハーモニカバンドを組織しようと、眼の見えない者十数名が秘かに会したのであった。……「夕焼小焼」の合奏を始めた時そこには盲人という意識がまるで遠い世界のように薄らぎ、明るい弾んだ気分が充ちていた。私は自分の打ちひしがれた境遇の中で、音楽という慰めによってどれだけ救われてきたか知れないのでこの小さなグループをぜひ育てていきたいと思った。

やがてこのグループに「青い鳥」楽団という名称が与えられた。互いの心の中にある幸福を発見しようという訳だ。」

しかし眼がみえず、指も麻痺しているひとたちのグループであるから、まず唇と舌を頼りに読む点字楽譜の勉強から始めなくてはならなかった。「唇が痺れ、舌先から血が滲みでる」ような努力と日数を経て、ようやくともに音楽を奏でることができるようになったときのよろこび――

「かつては不自由な肉体を持て余していた私達は無限の明るい広がりを目の前に見るような慄きをさえ覚えながら貪ぼるように勉強していった。それは全く新しい世界である。生活の全てが非生産的であったのに対し、それは一つのものを産み出そうとする積極的な体験の世界であった。」

「しかし団員の中には、舌先でさえ点字を読めない者がいた」と近藤はつづける。このひとたちには「楽譜の全てを口伝えに暗記してもらうほかない。その結果面白いものがうまれた」と近藤は言う。即ち――

「或る者は唇に触れるハーモニカの感触によってドレミファの音階を頭に描き、或る者はグラフのような波形をえがき、或る者は色彩別に暗記して行くというのであった。私は人間の努力と能力の素晴しさを改めて発見した。」

これは心理学的にいってもきわめて興味ふかい事実である。こうしてこの楽団は今では大きく育ち、自分たちだけの楽しみでなく他の病友たちをも慰めよろこばす有力な存在となって来ている。

「できないと思われることでも皆の力で征服した時、幸福の青い鳥は何時の間にか心の中で大きく羽ばたいていた。

萎えた手に握りしめる一個の小さなハーモニカを手にして私はいつも慰められている。皆でうみだした悦びと希望が細く優しい音色とともに夕べの窓辺でいつまでも私の心を揺り動かしているのだった。」

ここに記してあるよろこびが、真の生の充実感から湧きあがっているものであることは、この楽団の練習をこっそりとのぞいてみればわかる。指揮者の、必死と形容するほかないような、烈しく、きびしい指導のもとに全員が力をふりしぼって創り出す協和音。これほどすばらしい生命の燃焼の光景を筆者はあまりみたことがない。

このように、絵画、音楽、文学など、美の世界に生きるよろこびをみいだしているひとはらい患者に少なくない。失明してもなお、あるいは失明したからこそなお一層ひとすじに、楽団演奏、作詩、作歌、作句その他に打ちこんでいるひとびとがある。彼らは、これらを通して生きがいをみいだし、一般社会のひとびととの連帯感をも回復している。なかには明石海人、玉木愛子、北条民雄のように社会的に名を成したひともある。しかし名を成す成さないは、ここでは問題ではない。大切なのは、新しい精神の世界が発見されることである。明石海人はいう。

「人の世をはなれて人の世を知り
骨肉をはなれて愛を信じ

明を失っては、内にひらく青山白雲もみた。
癩は天啓でもあった。」

盲目の一患者は一輪のさくらを「舌と唇で愛し、そこから故山に匂う桜を見た」といい、これを「静かな花のうたげ」(7)とよんで、悦びを表現する。

考えてみると、ものの形や色や音に、現実の利害や効用を超えたよろこびを感じる心が人間にそなわっているのは、おどろくべきことである。この心は、ごく幼い子どもにもみとめられるから、人間の生得の素質と考えなくてはならない。太古の時代の遺蹟にすら人間の芸術的な心の発露のみられることからも明らかである。「美しいものは永遠のよろこびである。」というキーツのことばはいつの世にも真理であろう。

ホワイトヘッドは文明の概念において、美にきわめて大きな重要性をおいているが、彼は芸術について次のようにいっている。

「芸術は、人類が、その生存のストレスに対して示した精神病理的な反応である、といってみることもできる。……芸術は、それが、いわば一つのひらめきのなかで、事物の本質についての内密な、絶対的真理を啓示するときに、人間経験において治癒的な機能を持つ。」(8)

右の「治癒的」ということは、生きがいをうしなったひとびとにとって、たしかにあてはまる。らいを病んでいるひとを観察してみても、それまでは美とは無縁と思われるような生活をしていたひとでも、詩とか歌とか、なんらかの表現法を手がけて行くうちに、それまでとはちがった精密さと角度でものを見ることを次第に身につけて行く。この場合、やはり表現しようとすることが大切なのであろう。表現は創造に通じる。表現への努力がもののみかた、感じかたをきびしく、こまやかにするし、そのようにして見られたもの、感じとられたものはやがて自分のほうからひとりでに表現の道を求めてやまなくなる。ここに新しい世界の発見があり、創造がある。この「表現の悦楽」は、トマス・マンが『トニオ・クレーゲル』のなかでいっているように、たしかにひとを「陰うつ」から救い、「われわれをいつも生気潑剌とさせ」る作用を持つ。

このことは、死刑囚たちに俳句を指導した北山河の著書『処刑前夜』(9)に、最もきわだった形で例証されている。それを示す数々の例から二、三引いてみよう。ある死刑囚は言う。

「俳句に興味を持ってから、その日その日がみじかすぎて仕方がない。心もいきいきとしてきた。この身も心もぞくぞくうれしくはればれしい心境をば十分味わわせていただきつつ、ひとしお修養させていただいている。」

次は文盲であった死刑囚が、死の数日前に書きのこした俳句である。

「子の手紙蠅といっしょに読みました。」

「絵を描いてみたい気がする夏の空。」

「キャラメルで蠅と別れの茶をのんだ。」

「つばくろよ鳩よ雀よさようなら。」

この囚人は、俳句をならうようになってからの心境をつぎのように、たどたどしいことばで、そぼくに、記している。

「私わことばや字をならいながら俳句お自分の友だちとおもいべんきょしています。俳句はさびしい私のきもちを一ばんよくしってくれる友だちです。俳句をならったおかげで蝿ともたのしくあそぶことができます。火取虫がぶんぶんと電とうのまわりをとんでいるのも私をなぐさめてくれるとおもうとうれしいです。運動じょの青葉にとまってちゅうちゅうないている雀もやねでくうくうないている鳩もみんな私の友だちです。こないだ山河先生がきれいな花を独房えくばってあるきました。私わあとでなみだがこぼれました。この花も永いあいだ友だちになってなぐさめてくれました。私わ花がかれたとき土の中えうずめてやりたいとおもいますが、ここでわそんなことわできません。……夏になったので友だちがたくさんいるので、うれしいです。……夜わ窓をあけて火取虫をよんでやります。私の友だちわ皆かわいらしいです。」

ここにあらわれている心は、もはや自己の苦悩の泥沼のなかであえいでいる姿ではない。そこからぬけ出て、一歩も二歩もはなれたところから自己の悲しみも周囲の風物も眺め、そこにみられる風趣を味わい、たのしんでいる。花や虫と心をかよわせ、そこになつかしさとなぐさめを感じている。独房のこの囚人はもはや孤独ではない。もはや疎外さえされていないといえる。この共感には現実の世界でのひととのやりとりのような、なまなましさはない。それはもっとちがった世界での、多分の非個人的《インパースナル》な色彩をおびており、そのために、かえってすべての生物、無生物にまで共感が行きわたっている。

この心には認識の心のように対象にむかって切りこもうとするあらあらしさがなく、征服とか攻撃などの能動的態勢がない。したがって現実からの遠のきは、なお一層大きいといえる。受身の姿勢で、しずかに、そのあるものを味わい、たのしむ。そこにはあきらめに似たゆとりと超脱性がある。シュプランガー(10)のいうとおり、観照の世界に生きるひとは、認識の世界に生きるひと以上に、生を間接的に（"aus zweiter Hand"）生きるひとであるといえる。じっと眺めてあじわう観照の眼には、周囲の自然もひとも、すべてつきぬニュアンスのゆたかさをあらわしてくる。色や形の美しさはもちろん、おもしろさ、いじらしさ、かわいらしさ、ユーモア、こっけい、グロテスクなど、人間のあたえられているあらゆる情緒がゆりうごかされる。またこの観照の眼は自分の心さえ風物の一つとして眺めることができるから、自分のなかにあるみにくいもの、どぎついもの、おかしなものさえも遠いところにひきはなし、微苦笑のうちにじっとみつめることを可能ならしめる。そのことによって苦悩の刺がとり去られるのである。

愛のよろこび

何時の間にか僕は

人生の片隅を　愛するようになった
ここには　子供も青年も老人もいる
みんな同じレッテルをはられているが
それぞれの心に
燃えている焔は
どんなに　とりどりであることか

……………………

レッテルをはられている人びとよ
たたずんではだめだ
松葉杖で義足で隻眼で歩くもの
元気なものは　倒れたものを背負い
僕らは相愛の軌道を歩むのだ
大道を求める人たちのために
片隅にくらす者の広さを見せよう
悪夢にうなされてはならない
やがて希望の門はひらかれるのだ
僕たち

片隅の人は片隅の価値しかないという人たちに抵抗しよう
僕らは待望の日のために
片隅を愛し
人間性の香り高い生活を創ってゆこう。[11]

右は、以前レプラの宣告をうけたとき「いやだ！　みんなレプラになれ、みんな」と叫んだ青年が、その後、療養所生活を送るうちに到達した心境を歌ったものである。これを題して「待望の詩」という。彼にとっては、「相愛の軌道」を歩むことが新しい待望の目標となり、生きがいとなったわけである。じっさいにらい園のひとびとをみていると、ここに歌われているような姿があちこちでみられる。その姿の根底にあるものが真の愛であるか、それとも単なる利害関係によるものかを問うのは止めよう。真の愛は自らを語らない。意識すらされないのがほんとうであろう。愛はただ黙々としてはたらく。ゆえに目立たず、気づかれさえしない。従って新しい生きがいとしての愛を語る文章は意外にみいだしにくい。しかし、たとえばらいで精薄で聾唖という何重苦もの少年に忍耐づよい愛護の手をさしのべる同病者たち、精神病のために荒れて手におえなかった患者が、永い間親身な看護をつづけるうちに人間性をとりもどし、はじめて「看護婦さん」、と親しみをもって呼んでくれたといって涙をこぼす看護婦の姿などに、愛の光はまぎれもなく輝いている。塩尻[12]も生きがいの理想としたように、「他の喜びを自己の喜びとし、他の悲しみを自己の悲しみとする」こと、「他を愛しうる人間となる」こと、たとえ今すぐそういう人間でありえなくても、「やがては愛をもちうる……という信頼と希望」が、精神の世界における最高のよろこびの一つであることは、らい患者の社会においても、一般社会においても、まったく同じことであろう。

このような愛は単なる血縁や異性間の本能的牽引力によるものとはちがい、もっと本質的な人間同志としてのむすびつきの意識に根ざすものと思われる。ある患者は散文詩(13)に歌う。

「傷に繃帯を巻いてもらいながら、この痛みを爽やかに洗ってくれるもの――少女の手の汗や疲れの中に、少女自身みずからを愛し私を生かす純粋な――共に一つの泉をくむ世界を感じる」

若い看護婦とこの患者とは、ここで同じ生命に生かされる共同の世界にいる。一つの世界にいて、一つのものにむかって励ましあって行く同志としての友情こそ、精神の世界での愛のかたちであろう。たとえ血をわけた者同志でも、夫婦でも、この友情に裏づけられなければ、そのむすびつきは真の生きがいではありえないと思われる。そうでなければ自由で独立した人格同志の関係でありえないからである。愛生園に住む夫婦たちのなかには、もちろん単に利害や便宜のために結ばれている者もいるが、ともに苦しみを負い、たすけ合おうとする友愛、同志愛が、一般社会の夫婦の間よりも、はるかに多くみいだされるように思われる。代るがわる「熱こぶ」を出して、みとり、みとられる夫婦、気管切開をうけて、カニューレで呼吸をする妻を、何年も明るい顔とユーモアをもって世話しつづける夫。こうした夫婦愛は、苦痛や死にたえずおびやかされているために、一層高い精神性を示していることが少なくない。

この頃のらい療養所には問題が多く、権利の主張と利害得失の計算、そのための闘争のみにあけくれしているようにみえる面もある。権利や金の保障さえもらえれば人情など要らない、という患者さえもある。しかし、園にはいりこんで、患者たちの毎日の生活に接してみれば、右のようなあらあらしい、たけだけしいひとはめだちはするが、じつは少数にすぎないことがわかる。大部分のひとはひっそりと、おだやかに日々を送っており、そのひとびとを支えているものは何かといえば、お互いの間のあたたかい心の交流や、看護婦たちの苦労の多い、骨身惜しまぬ世話である。もちろん人間のあつまりであるからには、多くのみにくいものもある。しかし、その闇のなかに、時折思いがけずきらりとひらめくものがある。愛の光である。これなくして、どうして人間が生きがいをもって生きて行けるであろうか。

ひとを真に支えうるような愛は、ベルグソンのいう、あの「開かれた魂」の愛にちがいない。それはおそらく、前にのべた「精神化」と「社会化」の最も微妙な組みあわせなのであろう。同時にまた、もっとも個をいつくしむものであろう。たがいにかけがえのないものとして相手をいとおしむ心、相手の生命を、その最も本来的な使命にむかってのばそうとする心、そのために自分の生が意味を持つことを感じうるよろこび、——これは同じ幹からはえ出た枝がともにのびつつ、清冽な大気のなかでよろこばしげにともにゆれている姿に似ている。

愛については多くの美しいことばが語られている。聖書のコリント前書第十三章にある愛の讃歌、ブーバーの『われと汝』(14)等々。私たちはここに蛇足を加えたくはない。しかし、愛を語るどんな美しいことばよりも、現実に辛抱づよい、思いやりにみちた愛の姿を発見するとき、私たちは驚きとともに愛の存在の可能性を確認するのである。

宗教的なよろこび

精神の世界のなかで宗教的なものの占める位置が大きいことは今さらいうまでもないことであろう。宗教というものを、既成宗教や宗派の枠にとらわれずに、教義や礼拝形式などの形をとる以前のもの、またはそれらを通してみられるもの、つまり、目にみえぬ人間の心のありかたにまで還元して考えるならば、それは認識、美、愛など、精神の世界のあらゆる領域に浸透しているように思われる。

自然科学者が、たったひとつの小さな断定をなしうるために永年にわたる労苦をかさね、その結果えられたデータがたとえ自分の予測とちがっていたとしても、厳然たる事実の前には謙虚に、無私な心で頭を下げるとき、その姿には宗教的な敬虔さに通じるものがある。また辛苦の結果、たとえ瞬間的、断片的にせよ、真理と思われるものを垣間みることがゆるされたとき、心に湧きあがるよろこびは法悦にちかい。

美の世界が宗教的な心ときわめて近い関係にあることには多くのひとが気づいて来た。たとえば日本の民芸の美を愛し、これを発掘することに献身した柳宗悦のかきもの[15]をよむと、彼の心のなかでは美の世界が宗教の世界とはなれがたくむすびついていたことがわかる。あるいはまた亀井勝一郎によれば、兼好のようなひとにあっては「信の体験と美の体験とが電光のやうにいり乱れて」いて、その「あはいの戦慄が彼の生命であった[16]」という。

次は謡に打ちこむ一らい療養者の文[17]であるが、この「幽玄美」の境地も宗教的なものを多分にあらわしている。

「悲しい運命のもとに、〇〇園入所以来、何時しか十四年の歳月は過ぎ去って行ったが、此の間、私は私なりに幽玄的な美しさを愛し続けて来た。

独り静かに作中の人物の心になって吟じている時、そこには人の世の醜い葛藤もなく、むしろ精神の安らぎをさえ感じさせられるのを幽玄の境地とでも言うのであろうか。幽玄が昇華し、脱皮すると一段と高い芸術美の窮極の境地に達すると言われ、これこそ……東洋的な枯淡美と言うか。いわば宗教的な悟りの境地と一脈相通ずるもので、私は此の幽玄の美の中に平和の姿を感じるのである。」

審美的直観は、クローチェ[18]のいう通り、時間と空間を超えた次元で、自然の事物や人間の個別的な相貌をとらえるものである。したがって、人間の精神を探究する場合にも、つめたい認識の眼とちがって、個々のひとの個性を、そのかけがえのなさにおいて、あるがままに眺める。同時に、そこにふくまれている過去の集積も未来への可能性も、一瞬のうちに洞察する。この心は愛の心に通じ、宗教の心に通じている。

このようにみてくると、宗教の世界というものを、認識や美の世界と同列にならべるのは正しくないと思えてくる。むしろ、人間の精神全体が宗教の世界につつまれているか、少なくとも接しているというべきではなかろうか。ただ多くのひとがそれに気づかないでいるにすぎないのだと思われる。

苦しいときの神だのみ、というようなことばでも明らかなように、昔から宗教は苦しんでいるひとのために存在するもののように考えられて来たし、たしかにその考えかたを裏がきするに足るだけの事実も観察される。宗教は死に対する恐怖から出て来たものであるとの説の根拠もそこにある。現世においてみたされない欲求を、べつの次元でうめあわせする役割を演ずるものが宗教である、というみかたで宗教のすべてを説明しうると考えるひとは少なくない。

生きがいをうしなったひとが宗教の世界に新しい生きがいをみいだすことは、右の説からいっても当然のことであろう。しかし、このみかたからいえば、宗教はひとに非合理的な方法で気休めと慰めを与える、という消極的な意味しか持たないことになる。合理性を大切にするひとには、これはあわれむべき人間の弱さのなすところとみえるであろう。しかし、現実の場で苦悩に苛まれるひとびとに接する者は、このようなひとにとって、宗教がたとえ右のような役割でも演じうるならば、それだけでも大したことだと思わずにはいられなくなるはずである。

とはいえ、宗教がもし右のような代償と自己防衛の意味しか持たないのならば、真に積極的な生きがいとはなりえないのではなかろうか。そういう意味だけで宗教に入ったひとには、現実の苦悩の原因がとりのぞかれれば、宗教はもはや必要でなくなるのではなかろうか。

宗教というものの役割に関するもう一つの主な学説は、宗教とは人格《パースナリティ》に統一的な原理を与えるものであるとする。[19] この説はオルポートの著書[20]に最も明快に書かれている。彼によれば宗教は、自我の成長の各段階において存在全体を意味づける前進的意図を用意するもので、それは人格の統一への努力であるから、欲求とその充足による緊張解除という形をとるとはかぎらず、むしろ遠大な生活の目標にむかって緊張を持続させるもの、安定への抵抗を意味するものである、という。これは前にあげたあのマスローの「成長動機」に相当するものといえよう。宗教が積極的な生きがいをひとにあたえうるとすれば、まさにこのような意味での宗教でなくてはならない。そのような場合には、宗教とは単なる思想や理想の意味をこえて、人間の心の世界を内部から作りかえ、価値基準を変革し、もののみかたのみならず、みえかたまで変え、世界に対する意味づけまで変える。岸本[21]は宗教というものを「人間生活の究極的な意味をあきらかにし、人間の問題の究極的な解決にかかわりを持つ人びとによって信じられている、いとなみを中心とした文化現象である」としているが、この意味づけの役割こそ、終極的には宗教の持つ最も大きな働きであると思われる。あの「意味への欲求」という人間の心の根づよい渇望にこたえるものである。なぜならばカッシーラー[22]のいうとおり、人間は本質的に意味づけする生物なのであり、その最も包括的な意味づけは、宗教的な心の働きによって行われるものであると思われるからである。その意味づけが外部からおしつけられたものでなく、ひとりひとりの心の必然的な発展の結果として生じた場合にのみ、宗教は「抑制や強制でなく人間の自由の新たな積極的理想の表現」となりうるであろう。

代償としての宗教

愛生園における調査のなかで、病気になって生きがいをうしなったが、その苦悩が契機となって宗教に入った、という例はかなりあった。本病による失明は一割強のひとにおこり、それがまた病気の宣告にまさるとも劣らぬ苦悩を、とくに失明の一歩手前という時期においておこすことが多い。この闇の脅威のもとに不安神経症をおこす例は少なくないが、この不安をきっかけとして信仰の道に入ったというひともかなりある。

らい園というところは、どこでも宗教がさかんで、諸宗教の礼拝堂がせまい地域内にいくつも共存しているのが特徴である。愛生園では、それらのなかで最も活発な活動を示している宗派の一つはプロテスタント教会であるが、その礼拝に出席してみると、宗教というものがここの会員たちの多くにとってどういう意味を持っているかが、はっきり感じとられる。そこにただようのは烈しく昂揚した情緒であり、感動である。壇上のひとのことばにこたえて、聴衆席から爆発する「アーメン！」の嵐。そのなかにはなげき、うらみ、あきらめ、あこがれ、感謝、法悦など、さまざまの情緒が烈しく渦まいている。それはかつて筆者がニューヨークの黒人街の教会で礼拝に出てみたとき、そこにたちこめていたふんいきに酷似している。両者とも一般社会から疎外されたひとびとの集まりであることを考えればうなずけよう。

疎外されたひとびとは、ある宗教によってべつな価値観をあたえられ、同じ価値観を持つ集団への所属感をあたえられる。新しい連帯感のなかで「反響への欲求」も充分みたされる。ことに病める者として、この友愛による助けあい、支え合いがどれほどの力になることか。これだけでも宗教はうしなわれた生きがいの代償として、りっぱに成立しうる。

しかし、初めは病気になった苦悩から宗教に救いとうめあわせを求めたとしても、宗教の世界に深くふみ入るに従って、もっと積極的な生きるよろこびをつかむようになるひとも少なくない。それは、教えや儀式による暗示の力も手伝って、人生そのもの、世界そのものに対する心の根本的なかまえが変ってくるところから生じるものと思われる。この場合には、宗教はもはや単なる代償の域をこえてしまう。次の一患者の文(23)はその一例といえないであろうか。

「……宿命的重荷を背負っている自分にやはり信仰により、生きる嬉びを得んと決意を持ち、信仰に踏切ったのでありますが……始めの頃は宗教というものを疑問視し、且つ、宗教とは迷信的な行為にすぎない偽善だと浅薄な気持で眺めていたものでありますが、考え違いをしていたことを悟ると、今になって思いを新しく、仏にお詫びしているのであります。……今日までは地獄同然の人間であった。しかし今は違う、今日から希望の峯に登る勇者である。……そう考えると大きな嬉びが拡がり、……絵具の刷毛の先で私の心を塗り換えられた清浄な気持と嬉びで一杯である。自分で選んだもの、そして獲た嬉びと生甲斐……此の嬉びと共に、自由な信仰、和と愛と誠、で励んで行きたいものと考えています。

自然は総ての生物を抱え大きく呼吸し、無言の愛情の中に抱いてくれるのです。それにこたえるには懺悔である。……妄想的観念の信仰ではなくして御仏の御教えに追従し、生きる嬉びと生甲斐と感謝の念を持った信仰をすることが、療養する身の私に課せられた課題と考えているのです。」

積極的な生きがいとしての宗教

「(らいとの) 診断をうけた直後、私は世に存在する価値のない者と思った。自殺を真剣に考えている中に、回心を経験し、自分の生が神に向けられた生となるところに真の価値があることを知って入信した。……その後信仰は生を根底から支えるものと信じているし、また支えられて来た。……病気にならず信仰を得なかった生と現在の生とどちらを選ぶかと問われれば、現在の生をと答え得よう。……(病気になる前とくらべて私の気持は) 今がみじめだと思っていない。むしろより人生を肯定しうるし、いろいろなことに意欲を持って来たと思っている。これから先どうなるかわからないとしか言えないが、ただ、今、ここを肯定しつつ生きたいと思う。前向きに。将来も今の生き方を真剣に、しかもユーモアをもって続けて行きたい。」

右は愛生園の一キリスト教徒が調査用紙に記したことばである。彼が「回心」といったことの内容は後にまたくわしく検討したいが、ここにみられるのは単なるあきらめではなく、また暗示による自己陶酔でもなく、静かで、ゆとりのある、人生への積極的な肯定的態度である。このことはこのひとの生きかたの上にもはっきりあらわれ、一般の作業のほかに、宗教的活動に、音楽的活動に、読書に、充実した日々を送っている。そこにはまぎれもない生命の発展と成長がうかがえる。

もし宗教的信仰というものが、ひとの生を真に内面から支えうるものならば、それは、そのひとが宗教集団に属する属さないにかかわりなく、どんなところにひとりころがされていても、そのひとのよりどころとなりうるはずであろう。単にある宗教集団に属してそこで行われている価値基準をうけ入れ、皆がやっている生きかたを自分も採用するというならば、その集団が一般社会のなかでどんなに特殊なものであろうとも、本質的には習俗に従うという生きかたである点に変りはない。しかし、もしひとが自分で苦しんで生きる道を求め、新しい足場を宗教に発見したとすれば、その発見はそのひとの心の世界を内部からつくりかえるにちがいない。それはただ、欲求不満への代償とか、死の恐怖への防衛とか所属感の恢復などという消極的なものではなく、人格に新しい重心のおきどころを与え、新しい統合をもたらすはずである。自己の生存に新しい意味づけをあたえるはずである。そしてまた世界もちがってみえてくるはずである。そのような精神化された宗教、内面的な宗教は必ずしも既成宗教の形態と必然的な関係はなく、むしろ宗教という形をとる以前の心のありかたを意味するのではないかと思われる。結局、宗教的な世界というものは表現困難なもので、一定の教義や社会的慣用の形では到底あらわせぬもの、固定されえぬ生きたものであるからである。しかし、ひとの生きかたを少し注意深く観察してみれば、一般の人びととはべつの世界、次元のちがった世界に足場をもち、べつの価値体系を持ち、べつの生存目標をもって生きているひとが、あちこちにたしかにみいだされるのである。そういうひとは仏教やキリスト教の枠のなかにも、またその外にもみいだされる。

ただ、ひとり宗教的な境地に生きる場合には、そこに相当の反省能力のない場合には、いわゆる「ひとりよがり」になり、自他にとり破壊的な現象もおこりうることになる。歴史的宗教の遺産は、それが形式化されてひとを縛るときには、人間の内的な生命の発展を阻むが、過去の偉大な宗教者たちの洞察や発見を伝えることによって、個人の貧しい信仰生活をゆたかにし、ひろくする作用をもつ。またひとが自分ひとりの主観にあやつられてさまざまの迷路へとさまよい出ることを防ぎ、匡正《きょうせい》するという意味を持っているのであろう。

愛生園での調査においてもひとりひっそりと自己特有の宗教的境地に生きているひとに二、三遭遇した。その一人は肢体不自由の五〇代の女性患者で、病室に身を横たえていた。七年前に家庭をのこして入園したが自分だけの宗教の世界に生きていて、まったく満足であるという。

「私はちっともたいくつしません。霊魂と話していますから。霊魂は一分から三分ぐらい来ます。声がきこえる時もあります。これはまあ私ひとりで考えた宗教ですね。他人《ひと》の宗教はいろいろありますけれど言うことと行いとが一致していないので、みていていやになります。私は、私ひとりの宗教のおかげで無我の境にも入れます。それは精神統一のようなものです。この宗教で私はひとの病気がわかるようになりました。どこがわるいかということがわかるのです。」

この患者は自己の宗教について他人にほとんどかたらず、生活のしかたに変ったところはなかったが、その明るい口調には何か高揚した自我感情がうかがわれた。ひとりベッドに病んでいても彼女は明らかに淋しくもたいくつでもなかった。他人には不可解な独特な生きがいを持っていることはあきらかであった。これはいわば社会化のともなわない宗教的境地といえるが、もしこういうひとが自己陶酔能力、自己顕揚欲、支配欲の強い人物であったなら、このような境地から教祖のうまれることも充分考えられる。現に新興宗教の教祖たちには、そのような例が珍しくない。

もう一人の例はすでにのべた宗教的妄想の患者である。(24) この男性は前例よりももっと内容のゆたかな独特の宗教の世界を持ち、「人間ばなれのした」愛情を周囲のひとびとや不自由者にそそぎ、「変り者ながら人格者」として友人たちから尊敬されていたが、ついにみずからの神秘的な使命感の犠牲になって死亡した。しかし少なくとも彼は、直接面接したひとのなかでも、きわだってはっきりした生きがい感をもち、毅然たる独立性と威厳を持った人物であった。それは何よりも彼が自分の生きる意味をはっきり把握しているところからくるものと思われた。こういうひとが知能や教養のもっと高い人物であったなら、そこにまた多くの思惟も加わって、密度の高い宗教的世界を創りあげたろうと思われた。

いずれにしても、多くの思想家や心理学者のいうように、宗教の果たしうるもっとも本質的な役割は、人格に新しい統合をあたえ、意味感、すなわち生きがい感をあたえることであろう。単なる防衛的な心の態勢からは決して生きがい感はうまれないのであった。カッシーラーが明快に示したように[25]、神話と宗教の歴史の発展をみても、恐怖や不安に対する防衛として始まった人間の原始的な宗教も、次第に高級な、洗練されたものになるに従って、抑制、強制、服従というような消極的な宗教的感情から、人間の自由な新たな積極的理想の表現となり、人間の内部のもっとも積極的な力、「霊感と憧憬の力」を解放するようになったのである。

従って、らいの発病その他の苦悩が契機となって宗教を求めたとしても、もしそこに右のような積極的なものをみいだしたとしたならば、もはや現実の苦しみは癒されても癒されなくてもよくなる。それよりも、自己を超え、人間を超えた世界のなかで新しい光のもとに人生を眺めることになる。大きな力の中で生かされているよろこびがあふれる。ある患者はいう。

「(信仰に入ってから) 死に対する考えかたが変り、信仰とは活きたものだと思った。そのひとの全身に活きつづける。そうでなくては意味がない。そしてらい者のみではなく、全ての人間に共通したものがあって、生きる目的がはっきりする。創造主なる神に向って、と共に、歩むことが、人間の使命である、と。はじめは病気から受ける精神的苦悩の故に信仰をもとめたけれど、(信仰には) 病気を越えたものがあることを知らされ、病気であるなしにかかわらず「人はいかに生きるか、生きるべきか」という問題が解決し、その故に病気による差別感や屈辱も気にならなくなった。」

これが単なることばの遊戯でないことは、これを記した婦人に接してみればわかる。彼女は、あの「壮健さん」との間にあるという「壁」をこちらに全然感じさせないで接してくれる数少ないひとの一人である。所属集団の枠を超えて人類の一員として存在することを可能ならしめるのが真に宗教的な生の特徴であろう。そこでは病者も健康者もなく、貧乏人も金持もなく、社会的地位の上下もない。思想のちがい、文化のちがい、宗派のちがいすらものりこえられるはずである。

10　心の世界の変革

変革体験について

ひとたび生きがいをうしなったひとが、新しい生きがいを精神の世界にみいだす場合、心の世界のくみかえが多少とも必然的におこる。このくみかえはごくゆっくりと本人にも気づかれないうちに少しずつ行われて行く場合もあるが、本人もおどろくほど突然に、急激に生じることもある。急激におこる場合には、異常ともいえる様相をおびることがあるので、以前から心理学者、宗教学者、精神病理学者の注意を惹き、多くの研究が行われて来た。なかでも宗教的関連においてよくみられる現象なので、回心とか悟りなどという名で呼ばれ、またもっと広い概念としては「神秘体験」ということばで総称されて来た。

しかし人間のあらゆる精神機能は、つきつめた形にまで昂じれば、異常な様相を呈するはずである。異常なものはひとをおどろかすから、当然そこに神秘という印象もおこる。神秘体験ということばの語源には、「秘義を啓示され、しかもこれを黙していること」という意味がある。これは語ってはならない、という戒律的な意味と、語ろうにも表現できない、という機能的な意味の二様に解釈できる。少なくとも、現実の心のありかたからいえば、後者が「神秘」の意味であろう。

私たちがここで問題にしたいのは、ふつうのひとにもおこりうる、平凡な心のくみかえの体験である。これを私たちは「変革体験」とよぶことにした。神秘ということばのあいまいさを避け、宗教以外の世界にもおこるこの種の体験を総称するのにこの方がふさわしくないかと思う。

変革体験を経なければ前むきに生きて行くことができないような人間をジェイムズは「二回うまれ」のひとと呼んだが、それが人間のなかで、どの位の割合を占めるのかはわからない。しかし、いつの世にもこの種のひとはいる。生きがいをうしなうような目にあったひとのなかにこの種のひとが多いこともたしかである。しかしこのことは、「二回うまれ」のひとのほうがすべての生体験を深くうけとめがちであり、したがって致命的な傷を負いやすいことからも説明できるであろう。

前にものべたように、変革体験は急激な形のものから静かな形のものまで、あらゆる段階と色あいがある。これらすべてをふくめて、さいきんオルポート(1)が記したように、あくまでも人格形成の一過程として考えてみたい。オルポートはいう。

「ときおり、人格組織の中心そのものが、突如として、なんらの警告もなしに、移行をおこすことがあります。あるはずみで——それはある場合には死別、病気、あるいはまた宗教的回心から、もしくは先生の話や読んだ書物などからさえおこることがありますが——再志向《リオリエンテーション》にみちびかれることがあり得るのです。」

これをオルポートは「外傷的中心転換」traumatic recentering とよんでいる。筆者がずっと前に「全人格の重心のありかを根底からくつがえし、おきかえるようなもの(2)」と表現したものも、同じことを指したつもりである。

変革体験を経ると人格がめざましく変ったようにみえるが、多くのひとがみとめているように、新しく表面にあらわれて来たものは以前から人格の内部にひそんでいたものであり、それが突如として、それまでの「従属的地位から最優位にのしあがり」、「熱と生命と駆動力を帯びる」（オルポート）のであろう。

この種の現象は、多くの場合、ひとが人生の意味や生きがいについて、深い苦悩におちこみ、血みどろな探求をつづけ、それがどうにもならないどんづまりにまで行ったときにはじめておこる。多くの専門家が報告しているように、精神療法やカウンセリングにおいても、悩んでいるひとが、心のなかにみちているうらみ、にくしみ、くやしさ、不満など、いわゆる否定的感情をあらいざらい発散してしまうと、そのあとでまったく自発的に、よろこびや希望や勇気など肯定的感情が湧きあがってくるのが観察される。こういう心のはたらきと変革体験のおこりかたとは似た現象なのかも知れない。ただ後者の場合には、もっと強烈に、もっと全面的におこるのであろう。

苦悩の果てにやっと光に接するのであるから、この種の体験には、ふつう大きなよろこびがともなう。しかしこれをうけとめる心の姿勢には、自らの力で苦闘して光をかちとったと感じるものから、まったく他者の力によって光を与えられたと体験するものまで、さまざまのニュアンスの差がみられる。自力と他力。そのちがいはどこからくるのであろうか。性格の相違、生活史、教育、宗教的環境の影響などが考えられよう。自力他力の別は、とくに宗教においては教義上の大きな差を意味し、論理的にもまさに反対概念にちがいない。しかし、じっさいの人間の心の体験としては、自力と他力はしばしば微妙に、密接にからみあっているのではないであろうか。これは、のちにみるように、ひとが自己を深く掘りさげれば、そこに結局みいだされるものは大いなる他者とでも表現するほかないものであるところからくるのかも知れない。

ともあれ、真摯な探求と悩みなしに、ひとの心に光明をもたらされたためしはない。しかしまた精一杯の求道の後に発見される光は、自分ひとりの力で創り出したものとしてはあまりにも輝かしすぎるのである。ゆえにパスカルは、

「安心しなさい、お前が私を（すでに）みいだしていたのでなければ、お前は私を探し求めはしなかったろう。」

とキリストにいわせている。というより、キリストとの内密の対話のなかで、じっさいにこう語りかけられたのであろう。つまりここでは救いを求める心そのものが、すでに他者——神——のなすところであると感ぜられているのである。他者によって求めさせられているという体験がそ

こにひそんでいてもふしぎはない。

フランシス・タムスンの有名な詩「天の猟犬」はまたべつなうけとめかたをあらわしている。ここでは人間の魂が狩の獲ものにたとえられ、神の手を逃れようとしてさまざまの迷路にまよいこむ姿が描かれている。神なる狩人の放つ「天の猟犬」に追いに追われて、ついに神の手にとらわれるという経路は、多くのひとの求道の体験記にみられる。

キリスト教の圏内で急激な心の変革がおこり、後むきであった心が突然前むきの姿勢に変るときには、ふつう「回心」とよばれ、その体験がそのままキリスト教への帰依を意味することが多い。それはキリスト教の教えが知らぬ間に心の底ふかくしみこんでいて、とっさの場合、自己の体験を表現し、解釈するのに役立つのではなかろうか。他の宗教の圏内では似たような体験に対して、またべつのうけとめかた、表現のしかた、解釈のしかたが行われるであろう。仏教の世界で「大死一番」、悟り、見性などといわれるもの、インドの仏教やヨーガで三昧とよばれるものも、心理学的には類似な現象である。宗教学では、これらを総称して神秘体験という。リボーは主著『感情の心理』(3)のなかで言う。

「これらの神秘家たちを研究してみると、時、ところ、民族、信仰のちがいにもかかわらず、彼らは……みな親類同志のような様子をしており、互にふしぎに似かよっている。この場合、(彼らを)分かつものは理くつなのであって、(彼らを)一つに結びつけるものは感情なのである。」

リボーのいうように、人間に共通な、なまの体験がことばや教義や解釈として表現されるときに概念化され、固定化されるために、ひどくちがった形をとるようになるのではなかろうか。もし歴史家トインビーの願うように、東西の宗教の融合を将来に期待するならば、まずこのことに眼をとめるべきではなかろうか。

ことは必ずしもいわゆる宗教の世界にかぎらない。神秘主義の研究家ツェーナー[4]がさいきん指摘したように、公平に事実を観察してみれば、宗教以外の世界にも、自然との融合体験や審美的色彩のつよい体験など、「異教的《ペイガン》」な類似の現象が少なくない。ペイガンというのはもちろん、キリスト教の立場からの表現であるが、私たちから見ればみな非常に似かよっていて、神秘というにはあまりにも普遍的すぎる。やはりこれは人間の心の発展のしかたの一つと考えるよりほかない。したがってある種の「神秘家」のように、これを人間の精神生活全体のなかで過大評価することは正当ではないであろう。現代の大神秘家ブーバーは『われと汝[5]』という著書のなかで神秘体験のめざましい描写を行い、「この瞬間を味わったことのないものは精神的な仕事に適さない」とまで極言する。しかし、そういっておきながら同じ著書のなかで、「あのような瞬間は人生の長い道の休憩所にすぎない」といい、「二律背反」のなかにたえずあたらしく生きてゆくことこそ人間の道であるとのべている。

とはいえ、ひとたび生きがいをうしなったひとが、精神の世界に新しい生きがいをみいだす経路として、この種の体験がかなりしばしば観察されるので、みすごすわけにも行かない。次にその実例を私たちの資料のなかから少しあげてみて、それらにみられる共通の特徴をとり出してみよう。それはもっとおだやかな形の心のくみかえを理解するのに役立つかと思う。

自然との融合体験

「ぼくは青年の頃、肋膜炎をわずらい、ひとり海辺に転地療養して半年ほど過しました。人生について深刻に悩み、毎日のように海岸を散歩しつつ、いろいろ考えていました。あるくもった日に、浜の草の上に横たわって、じっと雲と、海と、松の木と、砂浜を眺めていると、ふと自分の体の下の草を通して大地がしっかりと自分を支えあげていてくれるのが体にはっきりと感じられるような気がしました。雲を通して、太陽の光が放射線状に輝いていましたが、その光線はみなぼくの心に向かって温かさを降りそそいでいるようでした。波のしずかな音も、ふしぎな力をおびてぼくにかたりかけているようです。言うに言われぬ深いよろこびと安らぎがぼくの全身全霊を浸しました。人間をこえた、大きな生命の河の流れに運ばれている感じ、否、ぼく自身がその河になってしまったような感じでした。」

右は或る日本の青年の体験談である。このひとは仏教的な環境に育ったひとであったが、右の体験を契機として独自な宗教的境地に生きるようになり、その後自然科学者としての道をひとすじに歩んでいるが、その仕事への使命感もこの体験を通して得たものであるという。

このような自然との融合体験は東洋にも西洋にもみられ、必ずしもそれぞれの社会の宗教環境如何に関係がないようである。さいきんの西洋の作家では、「意識の流れ」をひたすらみつめて描き出そうとしたプルーストやキャサリン・マンスフィールドやヴァジニア・ウルフなどの作品や日記のなかに、こうした体験がところどころに宝石のようにちりばめられている。プルーストにとってはこのような永遠性の瞬間を過去の「うしなわれた時」のなかから発掘して描き出すのが最大の生きがいであったらしい。

宗教的変革体験

「……らいである自分がこれから生きていくことは無意味であると思えたのです。……生きる意味を見つけ出すことが出来ないにもかかわらず、もう死へ踏み切ることはなかなか出来ませんでした。死のうという決心はにぶる、しかし、生きるのも辛いというせっぱつまった気持でした。色々考えてもその気持を解決できそうな考えは出てきませんでした。

こんな気持になっていた時、たしか診断を受けた日から三日目だったと思いますが、突然、それまで考えていたこととは何の脈絡もなしに、自分は生かされているという思いがおこりました。自分が生きているのではなく、生かしてくれる者がある。それは、神ではなかろうか、神によって私は今こうしてあるのではなかろうか、という思いでした。そしてその神は、キリスト教の神であることが、考えるまでもないこととして非常に強く感じられました。単純な考えではありましたが、神があるということは疑いのないことであり、その神が自分の生を支えていてくれる。生は自分自身だけのものではないのだ、という風に思えたのです。それと同時に、依然としてらいに対する不安はなくなりはしなかったのですが、たとえらいであっても、生きているということは決して無意味なことではなく、何か使命があるにちがいないと思われました。その時、どういう使命があるかというところまでは深く考えませんでしたが、もしらいの治療の研究のために役に立つことがあれば、そうしたいと思いました。そして、これらの思いがおこった結果、それまでの死のうという考えは全くなくなってしまいました。」

これは前にあげた愛生園の患者の手記に「回心」と表現されていた体験の内容である。この体験を契機として、この青年はそれまでは無関心であって、むしろ「軽い反感」を持っていたキリスト教に帰依し、愛生園に入るとともにそこの教会で洗礼をうけ、現在に至るまで、教会員として前むきの、はりのある生活を送っている。

このおだやかな、即物的《ザッハリッヒ》な記述にはなんら異常な感じはない。神秘というようなことばを使うのはふさわしくない何気《なにげ》なさである。この種の回心体験はらい園の内外をとわず、日本のキリスト教徒の間にも数多くみられる。それらは西洋の数多い宗教心理研究書に載っている多くの例ときわめて似かよっているから、一々ここで例をあげる必要はないであろう。

私たちの関心はむしろ、そうしたキリスト教圏内にみられる変革体験と、その他の宗教、文化の圏内にみられるものとを一望のもとに眺め、そこにみとめられる共通点をひき出すことにある。それは諸宗教の優劣や差異を論ずるためでなく、あくまでも人間の精神に共通な地盤をみいだしたいからである。

岸本のいう通り[6]、今まで宗教的神秘体験の研究は、主として西欧で行われて来たために、キリスト教の有神論的な体験を中心におく立場へのかたよりが、この現象を人間の「生命拡充の営み」としての広い観点からみるのを多分に妨げていたように思われる。むしろ日本のように、さまざまの宗教が共存し、また自然に対する親近感も深く行きわたっている土地こそ、この種の現象を公平な、客観的な立場から観察し、研究するのにふさわしいところかも知れない。

変革体験の特徴

それでは、この種の体験にみられる共通点は何であろうか。外国の学者たちによって大同小異の特徴表が数多くつくられているが、前記のような理由で、ここでは日本の岸本英夫[6]のあげているものを記しておこう。彼によれば

一　特異な直観性

二　実体感、すなわち無限の大いさと力とを持った何者かと、直接に触れたとでも形容すべき

意識
三　歓喜高揚感
四　表現の困難
の四つが、諸宗教を通じてみられる神秘体験の共通特徴である。
私たちの観察したところでも、右は充分うらがきされる。従って多分に重複するが、次に持ちあわせの資料をもとに分析を行なってみたい。

第一に、この種の体験に必ず伴うのは歓喜と調和の感情である。この歓喜は静かなよろこびから烈しい恍惚感まで、あらゆる段階がみられるが、そのすべてが生存の根底から湧きあがるという性質をそなえている。ゆえに、あの幼児の、単純な、生きるよろこびと同質のものをもっていると思われる。

しかし大人では自我が分化しており、悩みに際してはさまざまの要素が分裂や葛藤をおこしている。それが変革体験を通して自我を超えた大きな力に統合され、またはこれに融合したと感じられるわけである。深い平和と調和の感情はそこからうまれてくるのであろう。ホワイトヘッドの名著『思想の冒険』(7)の巻末に「平和の体験」としてくわしく記述されているのは、まさにこの種の体験であり、彼自身のものにちがいない。以下はその一部の抄訳であり、意訳である。

「ここで平和と言っているのは単なる無感覚《アネステジア》の消極的な概念ではなく、魂の「生命と動き」

の積極的な感情である。それはある深い形而上的な洞察によって感情がひろくされることを意味する。この洞察がどんなものであるかを言葉で言いあらわすことはできないが、それはもろもろの価値に対して重要な統合作用を持つ。

平和の体験によってひとは自己にかかずらうことをやめ、所有欲に悩まされることがなくなる。価値の転倒がおこり、もろもろの限界を超えた無限のものが把握される。注意の野がひろくなり、興味の範囲が拡大される。その結果の一つとして、人類そのものへの愛がうまれる。

人類は高度に発達した精神を持っているため、ただ生存を享受してたのしんでいることはできなくなり、そのたのしみには必ず苦痛や悲劇がからみあっている。平和（の体験）はこの悲劇に対してつねにいきいきとした感受性を保ちつづけさせ、現実のレベルを超えた理想を志向せしめる。」

ホワイトヘッドにとっては、この「平和」こそ個人にとっても、文明にとっても最大の価値のあるもので、真理、美、冒険、芸術など文明を構成する諸要素に、さらにこの「平和」が加わらなければ、それら他の要素の追求は苛酷な、残忍なものになりうるといっている。彼によればこの「平和」はプラトンの「調和」の概念のように、一つのふんい気として、ふだんは「意識の端のほうに潜んでいる」が、折にふれてそれは「一つのひらめきとして」意識を横切ることがある。「それは個人的満足を超えたところにある理想の目標と、魂の活動との調和を意味する」という。

以上ながながと引用したが、現代の代表的な大哲学者であり、数学者でもあるホワイトヘッドがのべるこの「平和の体験」の内容には、私たちが変革体験とよんでいるものの特徴が数多くみとめられて興味ふかい。たとえば「深い形而上的な洞察」「言葉に表現されえない」こと、「統合作用」、「価値の転倒」、「無限性の把握」、「注意の野のひろがり」、「人類そのものに対する愛」、「生命と動き」、「現実を超えること」など。これらのうちのいくつかは、次にまた出会うはずである。

変革体験が急激に、強烈にあらわれるときには、しばしば光の体験を伴う。単なる抽象的な意味での光明でなく、じっさいに視覚体験としてあらわれるのである。パスカルの回心記録『メモリアル』に記された「火」をはじめとして、かなり多くのひとにみられるこの現象を、ウィリアム・ジェイムズは photism と呼んだ。次は或る日本女性の手記である。

「何日も何日も悲しみと絶望にうちひしがれ、前途はどこまで行っても真暗な袋小路としかみえず、発狂か自殺か、この二つしか私の行きつく道はないと思いつづけていたときでした。突然、ひとりうなだれている私の視野を、なゝめ右上からさっといなずまのようなまぶしい光が横切りました。と同時に私の心は、根底から烈しいよろこびにつきあげられ、自分でもふしぎな凱歌のことばを口走っているのでした。「いったい何が、だれが、私にこんなことを言わせるのだろう」という疑問が、すぐそのあとから頭に浮かびました。それほどこの出来事は自分にも唐突で、わけのわからないことでした。ただたしかなのは、その時はじめて私は長かった悩みの泥沼の中から、しゃんと頭をあげる力と希望を得たのでした。それが次第に新しい生へと立ち直って行く出発点となったのでした。」

こうした体験の精神生理はまだ明らかにされてはいないが、心理的事実としてみとめぬわけには行かないであろう。

ここで思いおこされるのは、あの生きがい喪失者の心をまっくろに塗りつぶしていた闇である。あの闇が突然ひらめく光にあとかたもなく霧散するのである。植物と同じように人間の生命も光を必要とする。物理的な光だけでなく、心の光も。光こそ人間をとりまく世界からのもっともそぼくな形での助けと励ましにちがいない。キリストや聖者の像にみられる後光。仏像の光背。これはみな光というものの持つ象徴的な意味、心理的な意味をよくあらわしている。天国や来世の幻想に光のイメージがよく出てくるのも同じことであろう。

しかし実をいうとここに少し問題がある。神秘体験とは必ずしも生命を励ます方向に働くとはかぎらず、分裂病にあらわれるようなおそろしい内容を持つ種類のものもある。そのような場合には、光はあまり現われないようであるが、稀にあらわれるときには、それはぎらぎらした、容赦のない光で、ちょうどナチスが強制訊問のときに使ったという、あの何万燭光という電光のように、ひとの秘密も罪も恥も白日のもとにさらし出し、あばき出す。身のおきどころもない苦しみのなかにひとをおとしいれて苛むのである。

ジェイムズ以来、多くの学者が、この「悪魔的」[8]な神秘体験の存在にも気づいて来た。しかしこの二種の体験、ハックスレイのいう『天国と地獄』[9]の比較研究は精神病理学のなすべきことであるから、ここではこれ以上ふれないでおく。

多くの観察者、研究者が一致してみとめる特徴の一つは、この種の変革体験がふつうの表現を超えたものである、という点である。それにもかかわらず、当事者は、その瞬間に、自己の体験についてなんらかの直観的判断を加えている。ジェイムズが直覚的性質 noetic quality といったのもこのことであろう。この判断はまったく瞬間的に、電光石火のように行われるので、本人自身さえあとでなぜ自分がそう思ったのかといぶかることがある。しかし心理学的にみればそれほどふしぎなことではない。人間の心の奥底には自分すら気づかぬ多くの感情や欲求や観念が沈澱している。それが急に烈しい感情につきあげられ、凝結し、一つのものとして表出されるのであると考えられる。

したがってその判断はさまざまの形をとりうるが、いずれにせよ「当事者は、それを単なる心理現象とは感ぜず、何者かに根ざしたもののごとくに意識するのである。[6]」あるひとはそれを神と表現し、あるひとは自我の奥底に小さな自己を絶する真の自己、「絶対我」をみいだしたといい、あるひとはもっと抽象的に天とか大自然とか宇宙的真理などとよぶ。いずれにしても共通なのは、小さな自己を超えたべつの大きな力との出会いである。綱島梁川は「病間録」でのべている。

「この短時間における、いはば無限の深き寂しさの底より、堂々と現前せる大いなる霊的活物と、はたと行き合ひたるやうの一種の shocking 錯愕、驚喜の意識は到底、筆舌に尽くし得る所にあらず候」

この実体感、または実体的意識はじつに多くのひとの体験記録にみられる。三谷隆正が『信仰の論理』という個性ゆたかな著書[10]で明らかにした「他者の体験」も、心理学的には同種のものを指しているとみてはいけないであろうか。

「我々が衷なる己をかえりみてその根底を衝く時、そこに我らが面接するところのものは自己を絶して他なる或る者である。……我ら自身の奥深く我らが最も切実にまた深刻に体験する所のものは、自己一個の自力感ではなくして、いい難き或る他力の厳としてあらわなる姿である。……神とは此他者に冠せられたる名である。此体験が宗教の根底でなければならぬ。」

この実体験は、もっときわだった形をとることもある。柳宗悦はこれを「声」としてきいた。[11]

その他、何かあらがうことのできない大きな力におしやられていると感じるひと、何かをさせられると感じるひとなど、一時的に多少とも精神病理学的な様相をおびることが、平生は全く正常と考えられるひとにもめずらしくない。

このような体験においては、もはや自分が生きているのではない。他者に生かされているのだと感じる一方で、そのような他律的な生きかたこそ真の自己としての道であると感じるひとが多い。これは多くの信仰者にみられる心のありかたであるが、サルトルのような無神論者にもこの辺の消息は明らかに体験されていたと思われる。彼のいうcontrespontanéité[12]とは、まさにこのような体験における論理的矛盾を説明しようする概念にちがいない。

小我を捨てて大我に生きる、他者に従うという生きかたは、以上の体験から自然に出てくる結果である。ゆえに「古い自己に死ぬ」とか「大死一番」などということばは、いわばあたりまえの表現なのである。なぜこうした生きかたがかえって真の自己に最も忠実に生きる道と感ぜられるかといえば、心のなかの末梢的な感情や欲求の葛藤が、もっと本質的な指導原理のもとに統合され支配されるためであろう。小さな自我に固執していては精神的エネルギーを分散し、消耗するほかなかったものが、自己を超えるものに身を投げ出すことによって初めて建設的に力を使うことができるようになる。これはより高い次元での自力と他力の統合であるといえる。

次に、この種の体験に共通なものとして、強い肯定的意識がある。これはキリスト教はいうまでもなく、たとえば禅経験についても、鈴木大拙[13]が、八特徴の一つとしてこれをあげている。文学史上有名なのは、何といってもカーライルの「永遠の肯定」であろう。『サーター・リサータス』のそのくだりから次に抄訳してみよう。

「私は新しい天と新しい地へとめざめた……自然とは何であるか。あゝ、なぜ汝を神と名づけないのか。汝は「神の生ける衣」ではないか。おゝ天よ、汝を通して語るは実に神なるか。汝において生き、かつ愛し、我において生き、かつ愛するは神なるか。……宇宙は死んだのではない、悪魔的なものでもない、亡霊のみちたる納骨堂でもない。神のもの、わが父なる神のものなのである。

また私はわが同胞である人間たちをもべつの眼でみることができるようになった。無限の愛と無限のあわれみをもって。……おゝわが兄弟よ、わが兄弟よ、何故私は汝を胸にかくまい、汝の眼からすべての涙を拭うことができないのか！」

右を前にあげた「永遠の否定」の意識にくらべたら、まさに天と地ほどの差がある。ここでは心の姿勢は完全に前むきとなり、自己の存在意義はもとより、宇宙から人間の社会に至るまですべてをうけ入れ、肯定している。劣等感や罪障感のために自己嫌悪の泥沼になずんでいたひとが、新しい次元で自分が生きる資格を与えられたことを感じ、自己をあるがままに大きな力に委ねる気持になったのである。現実の問題は解決しなくとも、それにたちむかう新しい力が湧きあがってくる。現実の世界は苦悩にみちみちていても、それはもっと大きな世界の一部にすぎず、そこに身をおいて眺めれば、現世でたどる人生のもろもろのいきさつは、影のようにみえてくる、重要なのは、今自分のうちにあり、自分をとりまくこの大きな力のなかで生きていることなのだ、その力が宇宙万物を支えているのだ——。

このような肯定的意識が、単純な楽観主義とちがうところは、深刻な自己否定、現世否定を経、またそれにうらづけられているところにある。ゆえに、たとえ歓喜や肯定意識がどんなに強くとも、そのために現実の世界の制約や困難や義務を忘れたり、避けたりするわけではない。むしろその歓喜の体験のなかでつかんだものを原理として、現実の世界でそれに忠実に生きて行くために、自己の道をえらびとって行くのである。その消息はブーバーの『われと汝』に、目をみはるほど劇的な表現で描かれている。

このようなわけで変革体験はただ歓喜と肯定意識への陶酔を意味しているのではなく、多かれ少なかれ使命感を伴っている。つまり生かされていることへの責任感である。小さな自己、みにくい自己にすぎなくとも、その自己の生が何か大きなものに、天に、神に、宇宙に、人生に必要とされているのだ、それに対して忠実に生きぬく責任があるのだという責任感である。これが使命感の形をとり、変革体験のなかで直観的に把握され、それ以後の生きかたを決定する場合も少なくない、その例は愛生園にもみられた。

この場合にも、その使命の道を自らえらびとる勇気と決断は、絶対の孤独のうちに行われねばならないが、他面においては、大いなる他者に動かされ、決断させられるという他律性の意識が、微妙にくみあわさっているのが多くの例に観察される。心理学者ブロンデルはその現象をはっきりとみとめ、次のような説明をこころみている。[14]

「この場合、そのひとの意志は単にグループによって強制される概念に受動的機械的に服従するのではなく、ある意味では自己自身への服従を意味する。なぜならば、かかるひとの精神は自分の思想と行動の指導原理をある程度まで自分で創造するからである。しかしまた同時にそれは自己を超える何ものかへの服従であるから、その意味では他律的なものである。」

以上にあげたいくつかの体験記にもみられたように、この種の意識では、高い次元の愛ともいうべき要素がしばしばあらわれる。カーライルのいう兄弟愛、ホワイトヘッドのいう人類愛など。これは根本的には、大いなる他者の前において、小我からぬけ出た人間が、自分も他人も同じ大きな力に生かされている者として意識する連帯感からくるのであろう。ここではもう、人間同志の間の差別、比較など相対的なことは意味がない。否、人間だけではない。生きとし生けるものが、ともに生かされていると感ぜられるのである。この感じ方は、仏教のみならず、たとえば、ベルグソンのようなひとにもみられる。彼はいう。[15]

「(「開《ひら》いた」) 魂は全人類を包含するといっても、いい過ぎではないであろう。いい足りないとさえいえるであろう。なぜならば、この魂の愛は動物や植物や自然全体にまで及ぼされるからである。」

変革体験の意味

以上、きわめて大まかに変革体験の主な特徴をみて来たが、すでにのべたように、この種の体験はあらゆる精神の分野にあらわれる。しかしそのなかでも、宗教的な領域であらわれるものが生存全体に対してもっとも広く深い浸透性を持ち、生の基盤そのものからひとの生きかたを変化させるもののようにみえる。これは宗教というものの本質のしからしめるところであろう。いうまでもなくここでいう宗教とは形をとった宗教とは関係なく、ひとの心の深奥にある欲求にこたえるものを意味している。

オルダス・ハックスレイは神秘体験ときわめて共通点の多い心理現象がメスカリンやリゼルグ酸の服用によっても生ずることに注目している(16)。それはそれなりに興味ふかい題目ではあるが、しかしこの種の実験で経験された光の体験や時空の超越やよろこばしい情緒などによって、その後のもののみかたや生きかた全体に大きな変化を生じたということがあったろうか。もしないとしたら、それはなぜであろうか。

結局、一時的に特異な心理的体験をするということそれだけでは、生きかた全体の上で大した意味を持ちえないのかもしれない。あるとくべつな心の境地になるということそれ自体を目標として生きることは、うっかりすると目的と手段とをすりかえることになりかねない。人間の根本的な、じみちな生存目標は、あくまでも自己の生命を誠実に、いきいきと生きぬくことであろうから。

あるひとの生涯において一回または数回、変革体験がおこったとしても、それはこの生存目標にむかっての歩みを方向づけ力づけるという役割をになっているにすぎない。歓喜と高揚の瞬間がすぎたあとにはまた忍耐と根気を要する時間がつづくのである。ブーバーのいう通り、この「瞬間」は「人生の長い道の休憩所にすぎない」のであり、人間は矛盾と葛藤のなかに身をおき、苦しみながら光を求めて生きて行くべき存在なのであろう。その時、かの「瞬間」に垣間みることをゆるされた超越と永遠の世界は、うたがえない如実の体験としてつねにいきいきと意識の周辺にあり、行きなやみがちな現世の歩みを支えてくれるのである。

問題はただ、この種の体験を通して、またはもっとおだやかな経過をとって、新しい精神的な生きがいが発見されるかどうかにある。

発見された場合には、それは心の世界の相貌を変え、価値体系の変革をひきおこさずにはおかない。それはたとえば次のような表現をとる。

「われわれをいわば蝶番としてリアリティ自身の転換がおこる。(17)」

「大死一番乾坤《けんこん》新たなり。」

ことに生きがい喪失という状況を通って来たひとには、自己の内外にあるもののなかで、いったい何がたのみとするに足るものであるか、ということについて、以前とはまったくちがった判断をくだすようになっているであろう。

愛の対象にせよ、物質にせよ、地位や名誉にせよ、すべて所有というもののなんとはかなく、もろく、むなしいものであるかを彼は身にしみて知った。それらを自分が所有していると信じていたとき、彼はそのなかに自分の存在の重みを感じ、それを生きるよりどころとしていた。しかしひとたび限界状況におちいってみれば、すべて外部からとってつけられた所有物は、奪いさられ、彼はまったく裸のままにとりのこされたのであった。彼がはぶりのいい時には周囲にむらがったひとびとも、彼がおち目になったとき、または他人とはちがった状態になったとき、ただそのことだけで彼を価値なきものと判断し、非難し、彼から遠ざかって行った。肉親すら彼を恥とした。――

このようなところを通ったことのあるひとは、もはや他人の評価や自己の所有するものに重きを置かなくなるであろう。愛の対象すら自分のものと考える執着は、もう二度と持つまいと思うであろう。また自分の心に何ほどかの知識や徳や見識がたくわえられていたようにみえていたにしても、いざというときにはすべて崩れ去ることを経験したから、もはやそういうものによりかかることもしなくなるであろう。どんな状態に陥っても、どんなところにあっても、人間がふたたびみいだしうるよろこび、それは何であったか。それは人間の内なるものだけではなかったか。

獄舎で正月をむかえた死刑囚はいう。[18]

「自由な世界での正月は、ともすれば享楽的な交際や遊びに夢中になりがちで、静かにもののをみつめたり、自然を味わうというような気分には、なかなかなれないものです。……私たちには信仰が、芸術が、俳句が、自然が与えられているのです。空の青さ、日の暖かさ、空気のすばらしさ、そして信仰や俳句を通して人の真実の情を静かに深く見つめ味わい、感謝のうちにそれを身にしみとおらせることができます。……信仰、俳句、自然、これらのものは決して私たちを見捨てない。……たとえすべてを信ずることができなくなっても、この世界だけは最後の瞬間まで信頼できるでしょう。……何かいままで気づかずにいた新しい世界が、獄外の人たちの接しえない世界が、ここにあったということ、これを私は大きく評価し、大事にしたいと思います。

どのような境遇にある身分をも、他と少しの差別なく、照らし、励まし、慰めてくれるもの、否、苦境にあればあるほど、いっそう生きがいを与えてくれるもの、これを私は最も愛し、感謝いたします。」

死刑囚にも、レプラのひとにも、世のなかからはじき出されたひとにも、平等にひらかれているよろこび。それは人間の生命そのもの、人格そのもののから湧きでるものではなかったか。一個の人間として生きとし生けるものと心をかよわせるよろこび。ものの本質をさぐり、考え、学び、理解するよろこび。自然界の、かぎりなくゆたかな形や色や音をこまかく味わいとるよろこび。みずからの生命をそそぎ出して新しい形やイメージをつくり出すよろこび。――こうしたものこそすべてのひとにひらかれている、まじり気のないよろこびで、たとえ盲《めしい》であっても、肢体不自由であっても、少なくともそのどれかは決してうばわれぬものであり、人間としてもっとも大切にするに足るものではなかったか。

このようなことを彼に教えたのは苦しみと悲しみの体験であった。このようなことをわかってくれるひともまた深い苦悩を一度は通ったことのあるひとにほとんどかぎられていた。結局、人間の心のほんとうの幸福を知っているひとは、世にときめいているひとや、いわゆる幸福な人種ではない。かえって不幸なひと、悩んでいるひと、貧しいひとのほうが、人間らしい、そぼくな心を持ち、人間の持ちうる、朽ちぬよろこびを知っていることが多いのだ——。

こうして過去の体験からも、彼の持つ価値体系はいわばひとりでにすっかり変って来て、さかさまにさえなってくる。以前大切だと思っていたことが大切でなくなり、ひとが大したことだと思わないことが大事になってくる。これは外側から来た教えによることではなく、また禁欲や精進の結果でもなく、すっかり変ってしまった心の世界に生きるひとから、自然に流れ出てくるものと思われる。

11

現世へのもどりかた

もどりかたのさまざま

心の世界のくみかえは、必ずしも前章でのべたような急激な経過をとるとはかぎらない。しかし、どんな経路にせよ、ひとたびこの変革がおこると、一般の人びととは多少とも異なった価値体系を採用することになる。そのため、現世のなかに以前のように埋没してくらすことはできなくなっている。そういう意味で、こういうひとはいわゆるアウトサイダーであり、一種の亡霊のようなものである。

しかし、いうまでもなく肉体を持っている人間である以上、現世とかかわりあいを持たないで暮すことはできない。そのかかわりあいかた、いいかえれば、現世へのもどりかたにはどのようなものがあろうか。

同じアウトサイダーにもいろいろある。本来行動的で陽性なアウトサイダーは、精神の「荒野」のなかでひとたび新しい生存目標と新しいよりどころを発見すると、もはやためらうこともなく、世人とはべつな価値体系を武器として現世へたちもどり、確信にみちて現世を征服し、支配しようという高姿勢でたたかって行く。いわゆる正攻法であり、伝道精神である。キリストにはまだ時折、自己懐疑とためらいと絶望の瞬間があったらしく、そこに人の子らしさがうかがわれる。つまり、精神のきめのこまかさがみられる。しかし、モハメットとかロヨラになると、もっと徹底的に前むきのようにみえる。軍人や政治家にこのようなひとが多いのはあたりまえであるが、学者や社会福祉事業家などにも決してめずらしくはない。ひとたび何か信念をつかんだら「考えるより行動することだ」というのが、このひとたちに共通の信条であるように思われる。暗中模索のあげく、ついに具体的な使命感をにぎったナイチンゲールの奮闘の生涯もそのよい例である。

行動性に乏しく、もっと陰性なたちのアウトサイダーはどうであろう。このひとたちはもっと神経がせんさいにできていて、簡単にものごとを黒白にわり切れない。現世では居心地わるくて外へ出たにもかかわらず、どこかでまだ現世への郷愁やうらみや皮肉や憎悪の念がくすぶりつづけていて、すねたような態度をつくり出す。このひとたちは心の構造が複雑にできているため、自分たちが一応否定した現世なるものも、自分自身の内部に充分生きつづけていることをみとめるから、前記のひとびとのように、そう簡単にはべつの価値体系を世人におしつける勇気や自信がない。しかしこの矛盾した姿こそ、人間性そのものを正直に反映したものであろうから、もしこのひとたちに充分の表現力があるならば、彼らのなかからひとの心に訴える文学や思想がうまれ、それが現世へ大きな影響を及ぼすこともありうる。ウィルスン、河上徹太郎、唐木順三らの著書にかかれているようなアウトサイダーたちには、このカテゴリーに属するひとがかなりある。

現世に対して、もっと興味をうしなっているひともある。いわゆる社会化のともなわない精神化の場合であろう。愛生園の、あの「霊魂」と話すことに生きがいをみいだしている女性がそうであった。隠者や仙人は古今東西、時折みられるにちがいない。

しかし、外側からみた生きかただけで判断することはむつかしい。スピノザはひとりアムステルダムの屋根裏にとじこもり、生計をたてるに足るだけのレンズみがきと個人教授のアルバイトをして、あとは全然世事に関係しなかった。しかし思索と著述にあらんかぎりの力と時をそそぎこんだ彼の胸には、人類全体のものの考え方を根本的に変革しようという大それた野心が燃えていた、であるから、彼の意識はもっとも社会化されていたといえるであろう。彼の場合には、目前の現世よりも後世が問題になったのだ。

宗教家たちの場合はどうであろうか。ごく大ざっぱにいえばキリスト教は現世に対して正攻法の態度をとる。ゆえに社会改革の推進力にもなった反面、多くの宗教戦争をもひきおこした。仏教は現世に対してもっと消極的な姿勢をとる。しかし偉大な仏教者たちを眺めれば、いろいろな行きかたがみとめられる。それを柳宗悦は興味ふかく比較した(1)。法然のように、宗教の社会的組織のなかに堂々として地位を占め、きびしい戒律のなかに身をおき、世俗とはべつな聖職にあるものとしての特権と責任をひきうけるひと。親鸞のように、俗世間にあって妻帯し、非僧として人間的な煩悩の矛盾に苦しみながら、独自な宗教的境地をひらいたひと。さらに一遍上人のように、何もかも捨てて、一生を遍歴の旅に送った「捨聖《すてひじり》」。

精神化という角度からみるならば、宗教のもっとも高度に精神化され、純化された形態は、現世の生活を外見では平凡に、内面では超現世的な心の世界で生きて行くひとのなかにみられるのではなかろうか。亀井勝一郎[2]によれば、維摩の生きかた、斑鳩宮での聖徳太子の生きかたがそうであったという。

こういうひとは、いわばすでに永遠の時間に生きているようなわけで、ブレイクが歌ったように

「一粒の砂のうちにも一つの世界を見、
一輪の野草のうちにも一つの天国を見、
てのひらに無限をつかみ
一時間のなかに永遠を持つ。」

したがって、こういうひとは、柳宗悦がのべているように、現世のすべてを「究竟界」のシンボルとしてうけとり、日常のもっとも卑近ないとなみのうちにも、これを超える無限の意味を感じて、つきぬ興味を抱きつつ日を送る。こういう生きかたをするひとはふつう目だたないが、世のなかのあちこちで縁の下の力もちをつとめている。

このようなありかたを岸本英夫[3]は宗教の「諦住態」と名づけた。氏によれば、歴史的にみると、

宗教は現世の利益を求める「請願態」から、宗教のなかで倫理的社会的理想を把握し、これを追い求めて行く「希求態」へと発展し、さらにこの「諦住態」に到達した。そして未来において存続するものはこの後二者であろう、という。

諦住態の宗教的意識については、岸本は次のように説明している。

「第三の類型は、第二の類型と同じく、理想世界を現実世界の中にみいだそうとする。しかし、この場合には、かならずしも、現実世界を、具体的につくりかえようとはしない。宗教的に一段と高いレベルの価値観によって、理想世界をつくり出そうとする。与えられた現実世界をどう変えるかよりもそれを、どう受けとるかということに、問題を移す。内面的な心のもちかたの問題になる。深い価値観にたちうるならば、与えられている現実世界は、そのままで、理想世界になりうるという見解である。……大乗仏教における「沙婆即寂光土」の思想はこれである。西洋の宗教的伝統の中では、この考えかたは、あまり展開しなかった。一六世紀のスペインの神秘家テレサの「霊の婚姻」はこの考えかたである。」

岸本はこういうが、現代のキリスト教にも、たとえばクエーカーの一部には、このような生きかたがみいだされる。[4]

この生きかたは理想主義者が奮闘するのとはまったくおもむきがちがう。どのような思想であれ、人間のあたまが考えだした知恵の限界を知ってしまったひとは、人間の抱く理想に従って社会改革に努力してみても、その成果の範囲はかぎられていることをはじめから知っている。しかもなおそれを承知の上で理想を思い、社会のためにつくそうとせずにはおれない。それはいわば彼の生きる超現世的な心の世界から自然に流露するものである。従ってそこには自然な何気なさがある。どこか子供の遊びに似た無償性がある。それを深く思索したのが西谷啓治の著書(5)である。

そういえばプラトンにもそうした洒脱のおもむきがある。彼は「法律」のはじめのほうで「人間は多くの点からみて操り人形にすぎず、真理にかかわるところは僅か」で、「いくらかはまじめに値するものだ」とみくびっているが、そういいながら一方では人間の社会の理想的なありかたは何かという問題を『国家論』のなかであれほど熱心に探求している。その探究の結果さぐりあてた「天にある」理想の形が地上に行われるかどうかはわからないが、それにはかかわりなくその理想に従って身を律し、その実践につとめるのみ、とのべている(6)。彼もまた一種の諦住型の思想家であるといえないであろうか。

いずれにしても、ひとたびこの世からはじき出され、虚無と絶望のなかで自己と対面したことのあるひとは、ふたたび生きがいをみいだしえたとき、それがどこであろうとも、自己の存在がゆるされ、うけ入れられていることに対する感謝の思いがあふれているにちがいない。もっともささやかな日常のよろこびも、あの虚無の闇を背景に、その光と色のかがやきを増すであろう。そしてた陽の光も、木の葉のさやぎもすべて自己の生を励ますものとして感ぜられるであろう。たとえもし現世のなにごとにも、なんびとにも、自分が役に立ちえないとしても、いいあらわし難いあの「瞬間」に、至高の力に支えられているのを感じたならば、その力のなかでただ生かされているというだけで、しみじみと生きがいをおぼえ、その大いなるものの前に自己の生命をさいごまで忠実に生きぬく責任を感じるであろう。たとえもし自分で自分の生の意味がわからなくても、その意味づけすらも大いなる他者の手にゆだねて、「野のすみれのように」ただ大地にすなおに咲いていることにやすらぎとよろこびをおぼえるであろう。

そういうひとは、数多くはないかも知れないが、愛生園にもたしかにいる。たとえば著者の調査でも、「病気になる前とくらべて私の気持は……」という刺激語に対して次のような反応を記したひとびとのなかにはその例があろう。

「よりよく人生を肯定しうるようになった。」

「心ゆたかになった。安らかになった。」

「心が高められ、人の愛、生命の尊さを悟った。」

「事業欲、出世欲が消失し、潔白になった。」

「人生の目的を知り、人生を咀嚼する歯が丈夫になり、生きる意味を感じる。」

「考え深くなり、あらゆる角度からものを考えるようになった。」

さいきん愛生園で高橋幸彦が行なった調査(7)においても、「療養生活を通して得られた精神的なものは？」という問いに対して次のような結果がえられている。

1　人生というものをじっくり考える様になった。（三七・三％）

2　かえって心ゆたかになった。（一三％）

3　信仰を得た。（一三%）
4　何も得られなかった。（八・七%）
5　性格が良い意味にも悪い意味にも変った。（二〇%）
6　回答なし。（八%）

これをみると5の内容はわからないが、全体として少なくとも過半数は精神的に成長したと考えているといえよう。

このような答をするひとは、決して単なる観念的な自己陶酔におちいっているのではない。その証拠には、この大部分がなんらかの深い心のよりどころを持ち、日常生活でも何かしら具体的に打ちこむものを発見している。彼らはみな生きがい喪失の闇のなかから、建設的な姿勢をもって現世へもどって来て、のびのびと力を発揮して生きているといえる。

深い苦しみと悲しみを克服して来たひとたちも、以前と変らぬ欠点や弱点を持った人間である。それにもかかわらず心の世界が大きく変革されている。マスロー[8]のいう「ほんものの人間」authentic person はこのようなひとびとのなかにみいだされる可能性が大きい。マスローはいう。

「そのような人間は彼の社会に対して新しい関係を持つことを示している。否、社会一般に対して新しい関係を持つのである。彼は単に自己を種々な意味で超えるのみならず、自己の属する文化をも超越する。彼は文化摂取過程 enculturation に抵抗し、自分を彼の文化と社会から多少とも遊離する。地域的な集団の一員である点が少なくなり、人類の一員である点が多くなるのである。」

「人類の一員」にお互いがなるとき、そのときのみ、人種間の差別、階級間の差別、患者と「壮健さん」の差別はなくなりうる。それは愛生園での経験が教えるところである。マスローは、このような「ほんものの人間」、すなわち相対的なものにとらわれず、人間としての可能性をのびのび発揮しているひとびとを更にふかく研究して、精神療法や教育の理想像探求への指針とすべきであるとのべている。

のこされた問題

右のようなひとびとは、不幸な目にはあったが、その不幸を生かしえた、しあわせなひとともいえる。問題なのは、筆者の調査への回答のなかで、半数をややうわまわる比率で、孤独、不安、抑うつ、ニヒリズム、すてばち、絶望、攻撃性を表現していたひとびとである。こうした感情が時には健康者に対する烈しい怒りや憎悪、皮肉や不信の念となって爆発してもふしぎはない。

「先のことを考えると暗黒で、絶望しそうだ。」

「どうしたらいいかわからない。」

「生きたくない、一日も早く死にたい。」

「身内のために自分は死んだほうがいいから、あと五年位したら自殺するつもり。」

「苦しい別世界を知り、人を信じなくなった。」

「どうにでもなれ。」

「愚問である。どうしてこんなことをきくのか。」

健康という不当利得を恵まれている人間がぬけぬけと、さしでがましい質問をならべた調査をすることは、たしかに心なき冒瀆にちがいない。あの大いなる「瞬間」のおとずれもなく、毎日の生活のなかにこれといってうちこむもののもみあたらないひとの底知れぬ虚無と絶望は、そのひとでなくてはわからないにちがいない。「壮健さん」は何もいう資格はないのである。

このような、底知れぬむなしさは、しかし、らいにかかって島にとじこめられているひとに限ったことであろうか。否、ほんとうは、人生そのものに内在しているものである。そのことを私たちはあの生きがい喪失者の世界でつぶさにみて来た。私たちは幸か不幸か現世のなかで自分の居どころをあたえられ、毎日のつとめや責任を負わされ、ひとや物事《ものごと》から一応必要とされて忙しく暮しており、そのおかげでこの虚無を、この「空」を、なんとか浅くまぎらしている。どうして私たちではなく、彼らが、何一つまぎらすものもなく、はだかのままで毎日この恐ろしい虚無と顔をつきあわせていなくてはならないのであろうか。

この問いには答はないのであった。答のないことを自覚する者は、自己陶酔に安住することを許されず、この虚無を克服するすべを、社会のありかたのなかにも、毎日の生活のいとなみかたのなかにも、心の持ちかたについても、探求しつづけなくてはならない。自分だけ、または自分の属する集団だけが「救い」にあずかれば、――そう確信することにそもそも問題がありそうだが――あとは知らん顔することはゆるされない。また自分を「救った」生きがいが万人に有効であると信じて押しつけるのも、単純すぎるというものではなかろうか。

たとえばこういう場合もある。もし人間がなんらかの病、――ことに人格や知能の病のために、またはらいの神経痛のような、いてもたってもたまらないような苦痛のために、ふつうの精神機能をうばわれ、単なる「あえぐ生命の一単位」になってしまったとしたらどうであろうか。そういうひとは愛生園にもたくさんみられる。「熱こぶ」で呻吟しているひと、精神の病のために絶望や虚無のなかにおちこんでいるひと、高齢のためにあたまが働かなくなり、ただ食欲だけになってしまったようなひとなど。こういうひとには、もはや生きがいを求める心も、それを感じる能力も残されていないのではないか。こういうひとにもなお生きる意味というものがありうるのであろうか。

これこそ生きがいの問題を考える者にとって、何よりも一ばん痛い問いである。その痛さをひしひしと身におぼえずには彼らに接することはできない。彼らはみな暗黙のうちに、この痛烈な問いを投げかけているからである。

しかし、この問いに対してはっきり肯定の答をなしえないのならば、精神病者を無用の存在として殺りくした、あのナチスの考えかたに戻るほかはない。そしてこの肯定の答をもっともはっきりと与えうるのは、やはり宗教的な心の世界に身をおくひとではないであろうか。そのひとは次のように答えるであろう——。

人間の存在意義は、その利用価値や有用性によるものではない。野に咲く花のように、ただ「無償に」存在しているひとも、大きな立場からみたら存在理由があるにちがいない。自分の眼に自分の存在の意味が感じられないひと、他人の眼にもみとめられないようなひとでも、私たちと同じ生をうけた同胞なのである。もし彼らの存在意義が問題になるなら、まず自分の、そして人類全体の存在意義が問われなくてはならない。そもそも宇宙のなかで、人類の生存とはそれほど重大なものであろうか。人類を万物の中心と考え、生物のなかでの「霊長」と考えることからしてすでにこっけいな思いあがりではなかろうか。

現に私たちも自分の存在意義の根拠を自分の内にはみいだしえず、「他者」のなかにのみみいだしたものではなかったか。五体満足の私たちと病みおとろえた者との間に、どれだけのちがいがあるというのだろう。私たちもやがて間もなく病みおとろえて行くのではなかったか。パール・バックにとって、精薄の娘はそのままでかけがえのない子どもであるように、大きな眼からみれば、病んでいる者、一人前でない者もまたかけがえのない存在であるにちがいない。少なくとも、そうでなければ、私たち自身の存在意義もだれが自信をもって断言できるであろうか。現在げんきで精神の世界に生きていると自負するひとも、もとをただせばやはり「単なる生命の一単位」にすぎなかったのであり、生命に育まれ、支えられて来たからこそ精神的な存在でもありえたのである。また現在もなお、生命の支えなくしては、一瞬たりとも精神的存在でありえないはずである。そのことは生きがい喪失の深淵にさまよったことのあるひとならば、身にしみて知っているはずだ——。

これらの病めるひとたちの問題は人間みんなの問題なのである。であるから私たちは、このひとたちひとりひとりとともに、たえずあらたに光を求めつづけるのみである。

おわりに

この本をかきはじめてからいつの間にか七年もたってしまった。四年前に一応筆をおいたときには、現在の倍以上の枚数があり、多すぎてどうにもならなかったため、三年間ほっておいた。かきはじめた動機ははじめに記した通りであるが、その後私は愛生園において、じっさいに精神科その他の診療をほんの少しお手伝いすることになった。園のなかにはいりこんでみると、生きがいを見いだせないために多くの患者さんが悩み、ニヒルにおちこみ、かなりの神経症にもおちいっていることがさらによくわかった。どうしたらよいかという問題は、一層切実にせまって来て、この本を留守にしている間も、ほとんど念頭を去ることはなかった。

生きがいの問題は園の内外で本質的な相違はない。ただ治癒した患者の社会復帰の問題や園内における社会的条件の改革など、社会的な面に患者さんの生きがい喪失を緩和しうる要素がたくさんあることはたしかである。これはきわめて重要な課題であるが、昨今園の内外でさかんに論議されているので、本書ではほとんどふれなかった。外的条件がどんなに変ってもなお残るであろう問題に焦点をあてたかったからでもある。

さいきんになって日本の一般の社会でも、生きがいについての調査や論議がとくに活発におこなわれるようになった。たとえば高橋徹らが中央公論誌にその一端を発表した日本人一般の生きがい調査、婦人公論誌上の会田雄次による女性の生きがい論や調査、その他、雑誌、新聞紙上に生きがいという文字がさかんに目につく。これは日本社会のさしかかっている時代に原因があるのかも知れない。

戦争直後は食べるためだけに狂奔しなければならない時代であったから、だれも生きがいについて自分に問いかけるゆとりもなかったのであろう。非常時には神経症の数が減るものである。自国の存亡が問題になる時期や国が建設途上にあって皆の力が切実に必要とされ、皆の気持が一つにはりつめているところでは、神経症も少なく、生きがいの問題もそれほど意識されないらしい。日本ではいわゆる高度経済成長により、ものを考えるゆとりのあるひとがふえて、はじめて倦怠や虚無感に悩まされるひとが多くなって来た。一方には原爆戦争の脅威もある。療養所の患者さんたちは、社会復帰という夢に多くをかけているが、そして復帰したいひとはなるべく復帰できるように各方面で尽力しなければならないのはいうまでもないが、彼らが復帰して行こうとする日本の社会も、決して生きがいの問題を解決しているわけではない。

現代日本の社会、さらには現代文明と人間の生きがいの問題は今後ますます大きくのしかかってくるであろう。現代文明の発達はオートメイションの普及、自然からの離反を促進することによって、人間が自然のなかで自然に生きるよろこび、自ら労して創造するよろこび、自己実現の可能性など、人間の生きがいの源泉であったものを奪い去る方向にむいている。どうしたらこの巨大な流れのなかで、人間らしい生きかたを保ち、発見して行くことができるのであろうか。

しかし、本書はこのような大きな問題ととりくもうとしたものではない。病や苦難にみまわれたひとの心の世界という角度から、生きがいに関係した人間性の事実を少しでも探ろうとしたにすぎない。これが現代の一般のひとの生きがいを考える上でなんらかの参考になるならば、それはまったく望外のことである。

らい園こそ人間の生きがい一般について示唆するところが多い環境である。愛生園ではたらく機会をお与え下さった前園長故光田健輔先生と現園長高島重孝先生に深い感謝をささげる。

おわりにあたり、元のぼう大な原稿に目を通してくれた亡父前田多門と友人浦口真左氏、一言一句検討して助言を与えてくれた主人神谷宣郎、執筆を励ましてくれた息子たち、何度も書き直しの清書をひきうけて下さった多田姉妹に心から感謝をのべたい。またみすず書房の方々、とくにお世話になった吉田欣子氏に厚く御礼申上げる。

付　記

以上が印刷になって再校の段階にはいってから、思いがけない注文がみすず書房から出て来た。いったいなぜ私が生きがいの問題について関心を持つに至ったのか、もっと自分自身について語ってほしい。そのほうが読者にとって親しみやすかろう、という意見である。

本書のなかで、私は自らをなまの形で語ることをむしろ避けることにつとめたので、出版社のこの要望には当惑した。しかし、むげにこれをしりぞけるわけにも行かないと思われたので、本書がうまれるに至った背景について簡単に記してみよう。

私は日本及びスイスのジュネーヴ市で、まずまず恵まれた幼年時代をおくり、将来への夢といえば平和な家庭生活を、と願うごく平凡な少女にすぎなかった。しかし、津田英学塾卒業後間もなく肺結核にかかり、病は悪化の一路をたどるであろうと主治医から宣告され、何年かを主として山の中で、ただひとり、療養と読書にすごした。

当時は結核のいい療法もなかったので、同時代に療養していた知人のなかには、いくたりも若くして逝いたひとがあった。その後私はふしぎにも完全に治ったが、いったいなぜ私だけが癒されて、あのひとたちは死んで行ったのであろうか、という思いが負い目のようになって、いつまでも心につきまとった。大体以上のようなことから、病や苦しみ、死や生の問題は早くから私をとらえてはなさなかった、といえる。

らいの存在をはじめて知ったのは、津田英学塾二年生のときであった。キリスト教の伝道者であった叔父にさそわれて東京都の多磨全生園をおとずれ、この病気の患者さんたちに初めて接して大きなショックをうけた。私もできれば看護婦か医師になってこのひとたちのために働きたい、という思いが心に芽ばえたのもこの時である。しかし、周囲の大反対と自らの病気のため、この願いはなかなか実現されなかった。後年、コロンビア大学大学院古典文学科在学中に、ふとしたことから亡父の思いがけない理解と支持をえて、突然文科から医科への転向がゆるされた。その後さらにさまざまの紆余曲折を経て右の初志がついにある程度まで実現されたのはふしぎというほかはない。

らい園の精神病者は、精神病に対する治療はもちろんのこと、らいそのものに対する治療もうけられぬまま、長い間放置されていた。この二重苦のひとたちのために、全国らい療養所のうち三ヵ所に近代的精神病棟を建て、双方の病気に対する医療と完全看護の体制がとられようとしている。このらい園で精神科医として働くことは私の大きな生きがいの一つである。

（一九六六年四月）

引用文献＊

はじめに

1　Kamiya, M.: Psychiatric Studies on Leprosy, *Folia Psychiat. Neurol. Jap.*, 13; 143, 1959. 神谷美恵子「愛生園における精神障害者について」レプラ誌、二八巻、一頁、一九五九年。同「愛生園における軽症患者の精神状態」長島紀要、八号、一八頁、一九六〇年

1　生きがいということば

1　南博『日本人の心理』岩波新書、一九五三年
2　Araujo, H. A. G., de: Raison d'existence et psychothérapie, *Annales médico-psychol.*, 1; 617, 1960.
3　大熊輝雄「感覚遮断」精神医学、四六巻、六八七頁、一九六二年
4　フランクル著作集、みすず書房、一九六一年〔霜山徳爾訳『夜と霧』『死と愛』新装版、一九八五年、池田香代子訳『夜と霧　新版』二〇〇二年、(『フランクル・セレクション』全5巻、二〇〇二年　以上みすず書房〕

2　生きがいを感じる心

1　岡潔「自然の英知に純粋のよろこび」朝日新聞朝刊、一一月六日、一九六〇年

2 Wauchope, O. S.: *Deviation into Sense*, London, Faber & Faber, 1948. 深瀬基寛訳『ものの考え方』弘文堂、一九五一年〔講談社学術文庫、一九八四年〕

3 神谷美恵子「主婦の精神医学」婦人之友、一月—五月号、一九六二年〔『神谷美恵子著作集7 精神医学研究1』（みすず書房、一九八一年）所収〕

4 Groos, K.: *Der Lebenswert des Spieles*, Jena, Fischer, 1910.

5 Huizinga, J.: *Homo Ludens*. Transl. by Hull, London, Routledge, Kegan Paul, 1949. 高橋英夫訳『ホモ・ルーデンス』中央公論社、一九六三年〔中公文庫、一九七三年〕

6 Bergson, H.: *Essai sur les données immédiates de la conscience*, 8e éd. Paris, P. U. F., 1958.〔合田正人・平井靖史訳『意識に直接与えられたものについての試論』ちくま学芸文庫、二〇〇二年〕

7 James. W.: *The Principles of Psychology*, New York, Henry Holt, 1890. 今田恵訳『心理学』岩波書店、一九三九年

8 Scheler, M.: *Vom Umsturz der Werte*, Leipzig, Der Neue Geist Verlag, 1919.〔林田新二・新畑耕作訳『価値の転倒（上・下）』（『シェーラー著作集 4・5』）白水社、二〇〇二年〕

9 Minkowski, E.: *Le temps vécu*, Paris, d'Atrey, 1933. 中江・清水・大橋訳『生きられる時間 1・2』みすず書房、一九七二年、一九七三年

10 Guérin, Eugénie de: *Journal*, Paris, Librairie Lecoffre, J. Gabalda et fils, 1931.

11 Buytendijk, F. J. J.: *La femme*, 2e éd., Paris, Desclée de Brouwer, 1954. 大橋博司・斎藤正己訳『女性』みすず書房、一九七七年

12 Strachey, L.: *Eminent Victorians*, London, Chatto & Windus, 1948.

13 Dumas, G.: *Traité de psychologie*, Paris, Félix Alcan, 1923.

14 Picard, R.: *La carrière de Jean Racine*, Paris, Gallimard, 1956.

Mauriac, F.: *La vie de Jean Racine*, Paris, Plon, 1928.

15 Schweitzer, A.: *Aus meinem Leben und Denken*, Hamburg, Richard Meiner, 1956.〔竹山道雄訳『わが生活と思想より』白水社、一九九五年〕

16 Sartre, J.-P.: *L'être et le néant*, 53ᵉ éd. Paris, Gallimard, 1957. 松浪信三郎訳『存在と無』人文書院、一九五六、一九五八年〔新装版（上・下）一九九九年〕

17 高田博厚「シュヴァイツァの『神』」図書、一一月号、一九六五年

18 斎藤勇訳による。（『英詩鑑賞』研究社）

19 Hanford, J. H.: *John Milton, Englishman*, London, Victor Gollancz, 1950.

20 Cantril, H.: *The Psychology of Social Movements*, New York, John Wiley & Sons, 1941. 南博他訳『社会運動の心理学』岩波書店、一九五九年

3 生きがいを求める心

1 Murray, H.: *Explorations in Personality*, New York, Oxford Univ. Press, 1938.

2 Paulhan, F.: *Les transformations sociales des sentiments*, Paris, Flammarion, 1920.

3 Sullivan, H. S.: *Clinical Studies in Psychiatry*, New York, Norton, 1956.〔中井久夫他訳『精神医学の臨床研究』みすず書房、一九八三年〕

4 Allport, G. W.: *Becoming*, New Haven, Yale Univ. Press, 1955. 豊沢登訳『人間の形成』理想社、一九五九年

5 Maslow, A. H.: Deficiency motivation and growth motivation, In: Jones, M. R. (ed.) *Nebraska Symposium on Motivation*, Univ. of Nebraska Press, 1955.

6 フランクル『神経症』フランクル著作集第4、5巻、みすず書房、一九六一年〔『フランクルセレクション4・5』二〇〇二年、みすず書房〕

7 Cantril, H.: *The "Why" of Man's Experience*, New York, Macmillan, 1950. 安田三郎訳『人間経験の謎』東

京創元社、一九五七年
8 Wilson, C.: *Religion and the Rebel*, London, Victor Gollancz, 1957. 中村保男訳『宗教と反抗人』紀伊國屋書店、一九六五年〔『宗教とアウトサイダー（上・下）』河出文庫、一九九二〕
9 森田正馬『神経質の本態と療法』白揚社、一九六〇年
10 浦口真左「校庭の草木」普連土学園新聞、四六号、一九六〇年
11 Allport, G. W.: *The Nature of Personality*, Cambridge, Addison-Wesley Press, 1950.
12 Linton, R.: *The Cultural Background of Personality*, New York, 1945. 清水幾太郎・犬養康彦訳『文化人類学入門』創元社、一九五二年
13 Chardin, P. T. de.: *Le phénomène humain*, Paris, Editions du Seuil, 1955. 美田稔訳『現象としての人間』みすず書房、一九六四年〔新版、二〇一一年〕
14 Ribot, T.: *La psychologie des sentiments*, 11e éd., Paris, Félix Alcan, 1922.
15 Lapiere, R.: *The Freudian Ethic, an Analysis of the Subversion of American Character*, New York, Duell, Sloan and Pearce, 1959.
16 Friedan, B.: *The Feminine Mystique*, New York, Norton, 1963. 三浦冨美子訳『新しい女性の創造』大和書房、一九六五年〔改訂版、二〇〇四年〕
17 Tillich, P.: *The Courage to Be*, New Haven, Yale Univ. Press, 1952.〔大木英夫訳『生きる勇気』平凡社ライブラリー、一九九五年〕
18 山内達夫「島について」楓、一一月号、一九六四年
19 Fromm, E.: *Escape from Freedom*, New York, 1941. 日高六郎訳『自由からの逃走』創元社、一九六〇年〔新版、東京創元社、一九八四年〕
20 今西錦司『人間以前の社会』岩波新書、一九五一年〔『今西錦司全集 第5巻』講談社、一九九四年〕
21 Ortega y Gasset: *Man and People*, London, George Allen & Unwin, 1957.〔佐々木孝訳『個人と社会』白

水社、二〇〇四年〕

22 Goldstein, K.: *Der Aufbau des Organismus*, Martinus Nijhoff, Haag, Neitherlands, 1934. 村上仁・黒丸正四郎訳『生体の機能』みすず書房、一九五七年〔改版、一九七〇年〕

Goldstein, K.: *Human Nature in the Light of Psychopathology*, Harvard Univ. Press, 1947. 西谷三四郎訳『人間』誠信書房、一九五七年〔新版、一九六八年〕

23 岡潔・小林秀雄『人間の建設』新潮社、一九六五年〔『小林秀雄全集 第13巻』新潮社、二〇〇一年〕

24 ウォーコップ、前掲書

25 Alain: *Simone Weil*, La Table Ronde, nº 28 avril 1950.

大木健著『シモーヌ・ヴェイユの生涯』勁草書房、一九六四年〔新装版、一九九八年〕

26 Kretschmer, E.: *Geniale Menschen*, 4. Aufl., Heidelberg/Berlin, Springer, 1948. 内村祐之訳『天才の心理学』岩波書店、一九五三年〔岩波文庫、一九八二年〕

27 Lange-Eichbaum, W.: *Genie, Irrsinn und Ruhm*, 4. Aufl. München/Basel, Ernst Reinhardt, 1956.（縮刷版訳）島崎敏樹・高橋義夫訳『天才』みすず書房、一九五三年〔みすずライブラリー、二〇〇〇年〕

28 中前妙子「師とともに泳ぐ」（広島市原爆体験記刊行会編『原爆体験記』）朝日新聞社、一九六五年〔朝日選書、一九七五年〕

29 Whitehead, A. N.: *Adventures of Ideas*, New York, Macmillan, 1956.〔山本誠作他訳『観念の冒険』（『ホワイトヘッド著作集 第12巻』）松籟社、一九八二年〕

Whitehead, A. N.: *Symbolism, Its Meaning and Effect*, New York, Macmillan, 1958.〔市井三郎訳『象徴作用他』河出書房新社、一九九六年〕

30 Abt, L. E.: Movements of Thought in Clinical Psychology, In: *Progress in Clinical Psychology*, ed. by Brower, D. and Abt, L. E., New York/London, Grune and Stratton, 1958.

31 ベルジャーエフ著作集第8巻、白水社、一九六一年

4　生きがいの対象

1　佐藤八十子「私が生甲斐を感じるとき」婦人公論、一〇月号、一九六五年
2　塩尻公明『生甲斐の追求』社会思想研究会出版部、一九五三年
3　ホイジンガ、前掲書
4　ウォーコップ、前掲書
5　Lindbergh, A. M.: *Gift from the Sea*, New York, Pantheon Books, 1955. 吉田健一訳『海からの贈物』新潮社、一九五六年〔新潮文庫、一九六七年〕
6　Ortega y Gasset: *En Torno a Galileo*, trans. as "*Man and Crisis*", by Adams, M., New York, Norton, 1958. この一部は邦訳されている。（前田敬作訳『危機の本質』創文社、一九五四年）〔『オルテガ著作集　4』白水社、一九九八年〕
7　Korzybski, A.: *Science and Sanity*, 4th ed., Lakeville, Connecticut, The International Non-Aristotelian Library Publishing Co., 1958.
8　Ribot, T.: *Essai sur les passions*, 5ᵉ éd., Paris, Félix Alcan, 1923.
9　高橋徹・見田宗介「日本人の理想的人物像」中央公論、八月号、一九六四年
10　神谷美恵子「心の健康と生き甲斐」婦人之友、五月号、一九六二年
11　内村鑑三『後世への最大遺物』岩波書店、一九四六年

5　生きがいをうばい去るもの

1　Jaspers, K.: *Psychologie der Weltanschauungen*, 4. Aufl., Berlin/Göttingen/Heidelberg, Springer, 1954.

〔重田英世訳『世界観の心理学』創文社、一九九七年〕
2　小木貞孝「拘禁状況の精神病理」異常心理学講座〔第二次〕第5巻、みすず書房、一九六五年
3　Porot, M. : *La psychologie des tuberculeux*, Delachaux et Niestlé, 1950. 三浦岱栄・稲葉信竜訳『結核患者の心理』丸善、一九五七年
4　藤井武全集第1巻、岩波書店、一九三一年、一九七二年
5　Buck, P. S. : *The Child who never Grew*, New York, John Day, 1950. 松岡久子訳『母よ嘆くなかれ』法政大学出版局、一九五〇年〔伊藤隆二訳、法政大学出版局、一九九三年〕
6　Halliday, J. : *Mr. Carlyle, my Patient*, New York, Grune & Stratton, 1950.
7　Buber, M. : Guilt and Guilt Feelings, trans. from the German by Friedman, M. S., *Psychiatry*, 20 : 114, 1957.
8　北山河・北さとり編『処刑前夜』光文社、一九六〇年〔改訂版、大樹社、一九八一年〕

6　生きがい喪失者の心の世界

1　ヤスパース、前掲書
2　Kulenkampff, C. : Entbehrung, Entgrenzung, Ueberwältigung als Weisen des Standverlustes, *Nervenarzt* 26 : 89, 1955.
3　Merleau-Ponty, M. : *Phénoménologie de la perception*, 14ᵉ éd., Paris, Gallimard, 1945.〔竹内芳郎他訳『知覚の現象学　1・2』一九六七年、一九七四年、みすず書房〕
4　ミンコウスキイ、前掲書
5　ホワイトヘッド、前掲書
6　Hafner, H. : Die existentielle Depression, Arch. *Psychiatry*. 191 : 351, 1954.

7 蔵原惟光「価値喪失うつ病」精神医学、三号、四七九頁、一九六一年
8 伊東壮「原爆被害者の現状と否定意識」思想、四三〇号、一九六〇年
9 岩谷隆司「つづいているあやまち」(『広島詩集』) 広島県詩人協会、一九六五年
10 重村一二「宣告の記」大江満雄編『いのちの芽』三一書房、一九五三年
11 フロム、前掲書
12 Kahn, E.: Ueber Angst und traurige Verstimmung, *Psychiat. Neurol.* 148 : 32, 1964.
13 霜山徳爾「不安」現代社会心理学第5巻、中山書店、一九五八年
14 ティリッヒ、前掲書
15 たとえばリボー、前掲書
16 James, W.: *The Varieties of Religious Experiences*, New York, Longmans 1902. 比屋根安定訳『宗教経験の諸相』誠信書房、一九五七年〔桝田啓三郎訳『宗教的経験の諸相(上・下)』岩波文庫、一九六九年、一九七〇年〕
17 Araujo, H. A. G. de: Quelques remarques sur la phénoménologie de la dépression, *Annales méd.-psychol.*, 119 : 865, 1961.
18 Maisonneuve, J.: *Les sentiments*, Paris, P. U. F. 山田悠紀男訳『感情』白水社、一九五五年
19 Ioteyko, I. et Stefanowska, M.: *Psycho-physiologie de la douleur*, Paris, Félix Alcan, 1909.
20 キング夫人著、三谷隆正・三谷寿貞子訳『病院に於ける説教』向山堂、一九三三年
21 Scheler, M.: *Le sens de la souffrance*, trad. par Kiossowski, P., Paris, Aubier.
22 I Fioretti di S. Francesco, Paravia, Torino, 1926.

7 新しい生きがいを求めて

1 Kraines, S. H.: *Am. J. Psychiat.* 114 : 206, 1957.

2 大原健士郎「自殺未遂者の予後」精神医学、一〇号、七一三頁、一九五九年
3 パール・バック、前掲書
4 大原健士郎「自殺を中心とした青少年の精神衛生学的一考察」精神医学、一四号、一〇一頁、一九六〇年
5 James, W.: *The Will to Believe*, New York, Longmans, Green & Co., 1921.
6 シェーラー、前掲書（『価値の転倒』）
7 羽仁五郎『生と死について』新潮社、一九四八年〔大和書房、一九七〇年〕
8 藤井武全集第12巻、岩波書店、一九三四年〔『藤井武全集第10巻』岩波書店、一九七二年〕
9 ゴールドシュタイン、前掲書
10 Leibbrand, W. und Wettley, A.: *Der Wahnsinn*, Freiburg/München, Karl Alber, 1961.
11 Spranger, E.: *Lebensformen*, 8. Aufl., Tübingen, Neomarius, 1950.
12 河辺悦子「壮健さん」（堀田善衛・永丘智郎編『深い淵から』）新評論社、一九五六年
13 Fraisse, P.: *Psychologie du temps*, Paris, P. U. F., 1957. 原吉雄・佐藤幸治訳『時間の心理学』創元社、一九六〇年
14 Vidal, B. et Vidal, G.: Etats dépressifs après deuil, *Annales Méd.-psychol.*, 118, T. 1, 1960.
15 Rosenzweig, S.: *The Experimental Study of Repression.* In: Murray, H. (ed.): Explorations in Personality, New York, Oxford Univ. Press, 1938.
16 ブーバー、前掲書
17 Sereni, M.: *I giorni della nostra vita*, Edizioni di cultura sociale, 1955. 大久保昭男訳『喜びは死を超えて』弘文堂、一九六一年
18 Wertenbaker, L. T.: *Death of a Man*, Random House, New York, 1957. 高橋正雄訳『愛は死をみつめて』講談社、一九五八年（『安楽死』講談社、一九七三年）
19 ウォーコップ、前掲書

20 フレッス、前掲書
21 唐木順三『無用者の系譜』筑摩書房、一九六〇年〔『唐木順三全集 第5巻』筑摩書房、一九八一年〕
22 西谷啓治『宗教とは何か』創文社、一九六一年〔『西谷啓治著作集 第10巻』創文社、一九八七年〕
23 河上徹太郎『日本のアウトサイダー』中央公論社、一九五九年〔『河上徹太郎著作集 第5巻』新潮社、一九八一年〕
24 Wilson, C.: *The Outsider*, 13th impression, London, Victor Gollancz, 1960. 福田恆存・中村保男訳『アウトサイダー』紀伊國屋書店、一九五七年〔中村保男訳、集英社文庫、一九八八年〕
25 Mauriac, F.: *Pascal et sa soeur Jacqueline*, Paris, Hachette, 1931.〔安井源治・林桂子訳『パスカルとその妹』理想社、一九六八年〕
26 和志美最堂「一河の流れ」楓、八月号、一九六一年
27 原田憲雄・原田禹雄編『志樹逸馬詩集』方向社、一九六〇年

8 新しい生きがいの発見

1 フランクル『神経症』フランクル著作集、みすず書房、一九六一年〔『フランクル・セレクション 4・5』二〇〇二年、みすず書房〕
2 Ribot, T.: Comment finissent les passions, dans: *Essai sur les passions*, 5e éd. Paris, Félix Alcan, 1923.
3 福永武彦『ゴーギャンの世界』新潮社、一九六一年〔講談社文芸文庫、一九九三年〕
4 クレッチマー、前掲書
5 松江薙岬「転業の記」愛生、四月号、一九六〇年
6 パール・バック、前掲書
7 ポーラン、前掲書
8 Bergson, H.: *Les deux sources de la morale et de la religion*, 120e éd. Paris, P, U, F., 1962. 平山高次訳『道

徳と宗教の二源泉』岩波文庫、一九五三年〔改訳、一九七七年〕
9 Beers, C.: *A Mind that Found Itself* (7th ed.) Doubleday & Co, New York, 1948. 加藤普佐次郎・前田則三訳『わが魂にあふまで』羽田書房、一九四九年
10 Rosenberg, E. & J.: *Death House Letters*, New York, Jero, 1953. 山田晃訳『愛は死をこえて』光文社、一九五四年
11 志樹逸馬「土壌」前掲書
12 日本戦没学生記念会監修『きけわだつみのこえ』光文社、一九五九年〔新版、岩波文庫、一九九五年〕
13 Cassirer, E.: *An Essay on Man*, New Haven, Yale Univ. Press 1944. 宮城音弥訳『人間』岩波書店、一九五三年〔岩波文庫、一九九七年〕
14 ヤスパース、前掲書
15 ポーラン、前掲書
16 Storch, A.: Beiträge zum Verstandnis des schizophrenen Wahnkranken, *Nervenarzt*, 30: 49, 1959.
17 Kamiya, M.: The Existence of a Man Placed in a Limit-situation, *Confinia psychiartica*, 6: 15, 1963.〔日本語版「限界状況における人間の存在」(『神谷美恵子著作集7 精神医学研究1』(みすず書房、一九八一年)所収)〕

9 精神的な生きがい

1 日本戦没学生記念会監修、前掲書
2 オルテガ、前掲書
3 Mantegazza, P.: *La physiologie du plaisir*, trad. par Lestrade, C. de: Paris, Reinwald, 1886.
4 島村静雨「春の序章」島村静雨編『白い波紋』長島詩話会、一九五七年
5 鹿島太郎「わがよろこび」楓、八月号、一九六五年

6 近藤宏一「幸福の青い鳥」楓の蔭、九月号、一九六五年
7 藤本とし「うたげ」楓、八月号、一九六五年
8 ホワイトヘッド、前掲書（『観念の冒険』）
9 北山河・北さとり編、前掲書
10 シュプランガー、前掲書
11 重村一二「待望の詩」大江満雄編『いのちの芽』三一書房、一九五三年
12 塩尻公明、前掲書
13 志樹逸馬「代償」大江満雄編『いのちの芽』三一書房、一九五三年
14 Buber, M.: *I and Thou*, trans. by Smith, R. G., New York, Scribner's Sons, 1958. 野口啓祐訳『孤独と愛』創文社、一九五八年〔田口義弘訳『我と汝・対話』みすず書房、一九七八年〕
15 柳宗悦『宗教の理解』春秋社、一九六一年〔『柳宗悦全集著作篇 第3巻』筑摩書房、一九八一年〕
16 亀井勝一郎『私の宗教観』亀井勝一郎選集第1巻、講談社、一九六五年
17 宮川茂「幽玄美の探求」楓、八月号、一九六三年
18 Croce, B.: *Aesthetic*, trans. by Ainslie, D., London, Macmillan, 1922.〔長谷川誠也・大槻憲二訳『美学』ゆまに書房、一九九八年〕
19 柳川啓一『宗教』現代社会心理学、第6巻、一九五九年
20 Allport, G. W.: *The Individual and his Religion*, New York, Macmillan, 1950. 原谷達夫訳『個人と宗教』岩波書店、一九五三年
Allport, G. W.: *Becoming*, New Haven, Yale Univ. Press, 1955. 豊沢登訳『人間の形成』理想社、一九六一年
21 岸本英夫『宗教学』大明堂、一九六一年
22 カッシーラー、前掲書
23 中村俊観「私の療養と信仰」楓、四月号、一九六一年

24 神谷美恵子「癩患者における一妄想例の精神病理学的考察」神戸女学院大学論集、七巻一号、一九六〇年
25 カッシーラー、前掲書

10　心の世界の変革

1 オルポート、前掲書（『人間の形成』）
2 マルクス・アウレリウス著、神谷美恵子訳『自省録』解説、岩波文庫、一九五六年
3 リボー、前掲書
4 Zaehner, R. C.: *Mysticism*, Oxford, Clarendon Press, 1957.
5 ブーバー、前掲書（『我と汝』）
6 岸本英夫『宗教神秘主義』大明堂、一九五八年〔原書房、二〇〇四年〕
7 ホワイトヘッド、前掲書（『観念の冒険』）
8 Huxley, A.: *Heaven and Hell*, London, Chatto & Windus, 1956.〔今村光一訳『知覚の扉・天国と地獄』河出書房新社、一九八四年〕
9 宮本忠雄・小田晋「宗教病理」異常心理学講座〔第二次〕第5巻、みすず書房、一九六五年
10 三谷隆正『信仰の論理』三谷隆正全集第1巻、一九六五年、岩波書店
11 柳宗悦、前掲書
12 サルトル、前掲書
13 鈴木大拙『禅と念仏の心理学的基礎』岸本英夫『宗教神秘主義』より引用。
14 Blondel, C.: Les volitions. Dans : Dumas, G.: *Traité de psychologie*, tome 1., Paris, Félix Alcan, 1914.
15 ベルグソン、前掲書
16 Huxley, A.: *Doors of Perception*, New York, Harper, 1954.〔河村錠一郎訳『知覚の扉』平凡社ライブラリー、

一九九五年〕
17 西谷啓治、前掲書
18 北山河・北さとり編、前掲書

11 現世へのもどりかた

1 柳宗悦「僧と非僧と捨聖」柳宗悦宗教選集4、春秋社、一九六〇年
2 亀井勝一郎、前掲書
3 岸本英夫、前掲書（『宗教学』）
4 Brinton, H.: *Friends for 300 Years*, Harpers, New York, 1952.
5 西谷啓治、前掲書
6 プラトン『国家論』五九二節〔藤沢令夫訳『国家（上・下）』岩波文庫、一九七九年〕
7 高橋幸彦「癩患者の心理」レプラ誌、三四巻、三四八頁、一九六五年
8 Maslow, A. H.: Existential Psychology-What's In It For Us? In: May, R.（ed.）: *Existential Psychology*, Random House, New York, 1961.

＊〔 〕内は本コレクションの刊行に際して編集部であらたに付したものである。なお、複数の版が存在する場合は最新のものを付した。

『生きがいについて』執筆日記

本編は神谷美恵子が『生きがいについて』を執筆していた時期の日記を抜粋、編纂したものである。基本的には原文通りとし、明らかな誤字、誤記のみ訂正した。途中省略した部分は（……）と表した。前後を略した部分は特に表記していない。

文中の略語のうち、Nは夫宣郎、Rは長男律、Tは次男徹。〔　〕内は編集部注。

すでに『神谷美恵子著作集10　日記・書簡集』（角川文庫版『神谷美恵子日記』）に収録されているものについては日付下に＊を付した。

一九五八年十二月二十一日（日）(1)

昨日大橋さんと多田さんとゴッホ展を見に京都へ行った。ゴッホの少年時代のスケッチが二枚あったが、少年と思えない精緻な見事なものだった。あのようなまぎれもない才能を持ちながら画家としての己が道を見出すまでの廻り道を考えた。人につくしたい一心で牧師になった彼を考えた。無器用な献身の衝動。それからまた糸杉の絵の鬼気せまる迫力やアルルのはね橋や桃（？）の花の輝くような明るさや——これら彼の天才ののび切るところに至るまでの画風の変遷を考えた。それを下から支え、動かしていった彼の苦闘にみちた生活を考えた。

人は自分であり切らねばならない、ということを再びまざまざと感じて帰って来た。自分のこれから進むべき道をはっきりと示されたように感じた。

精神病医として立とうとあがくことのおろかしさよ。私にとって精神医学は最初から単に人間に接触する道ではなかったのか。

一九五九年四月二十四日（金）

C・A〔カナディアン・アカデミー〕[2]の仕事のため一週間がぎっしりとつまった感じで今朝になるとやっとほっとする。一週間分の日記を記すのも今朝だ。いつの間にか若葉もすっかりのびて緑が深くなっている。庭の植えたバラもつぼみをつけ、スイートピーは太く高くのび上っている。論文がすんだら追われない生活ができるかと楽しみにしていたがもう少し待たなくてはならないらしい。

本をかきたい、とこの頃それればかり考えている。午後国際学友会カンでセミナー委員会。Y夫人に初対面。次で医局会。

一九五九年五月七日（木）

昨日は疲れが出て八時頃から床についてしまった。

C・A、レッスン[3]、藤井（竹友）氏。

今日から皆とモンテーニュをよみ始めた。三十七才の時彼が公職から退いて書く生活に入ったことをうらやましく思った。私も書く以外に今までの多方面の経験を生かしまとめる術はないのではないかとしきりに考えている。

一九五九年六月二十九日（月）

午前大橋さん二時間滞在。
あとは一日中Nの校正。(4)
大橋さんは「生甲斐がなくなりました」と云い、ブラジルへ行きたかったと泣く。
「生甲斐」「意味感」ということについて書いてみたいと思う。
夜レッスン。これで一ヶ月休みとなる。

一九五九年十一月十日（水）＊

朝女学院〔神戸女学院大学〕へ行くとき一人山道をえらび、しいんと静まりかえった木立をすかして青い空に映える紅葉黄葉を仰ぎながら人間の生甲斐や意味感について考えた。ただ動物のように生きることではまん足できず、己が存在の意味を感じないでは生きていられない人間の精神構造を思う。宗教の大きな存在理由はそこにあるのであって、フロイドやT氏がきめこむ様に、単なる恐怖の産物としてしまうわけには行かない。「イミ感について」という書きものをまとめてみたい。パトロギッシュ〔病的〕な場合もふくめて。女学院行。

一九五九年十二月二日（水）＊

お使いの途中、いちょうのまばゆいばかりの王者のごとき姿を仰いであの樹一本をゴッホの様に描き出せたら、もうそれで死んでもいいのだな、と思った。生きているイミというのは要するに一人の人間の精神が感じとるものの中にのみあるのではないか。
ああ、私の心はこの長い年月に感じとったもので一杯で苦しいばかりだ。それを学問と芸術の形ですっかり注ぎ出してしまうまでは死ぬわけにも行かない。ほんとの仕事はすべてこれからだというふるい立つ気持でじっとしていられない様だ。

一九五九年十二月二十二日（火）

梅田で二、三私の本も買う。
夜おふろの中で「生甲斐について」という本をかきたいと考えて夢中になった。

一九六〇年一月六日（水）

カミュが自動車事故で死んだと昨日の新聞に出ていたが、そのカミュの *La Chute*〔『転落』〕を家のクラスではまだよんでいる。この作家に死なれたのは全く惜しい。
「生甲斐」の本の為過去によんだあらゆる本をめくり直している。

一九六〇年一月十四日（木） ＊

夜又「生甲斐」に熱中。イデー〔考え〕がこぼれ困るので一時間静かな曲ばかり弾いて子供をねむらせ自分もしずめる。過去の経験も勉強もみな生かして統一できるということは何という感動だろう。毎日それを考え、考えるたびに深い喜びにみたされている。「精神」というもの、それに仕える者の姿をなぜ島崎先生(5)のように悲劇的にのみ考えねばならぬのだろう、精神が生命を助ける事もあろうに！　また生命が精神を支えているのに！

一九六〇年一月二十一日（木）

午後二時頃まで夢中で生甲斐をかく。

（……）

医局時代の日記をよみ直してみたら今書こう勉強しようと考えている題目と全く同じ事をあの頃からもう考えている事を知って驚く。結婚をしてからの年月だけポカッとぬけてしまって、あの時代と今とが直接につながっているような感じだ。しかしともかくやっと書ける時期と情況に来た事に何と感謝してよいか分らない。

一九六〇年二月三日（水）

もも色のヒヤシンスが私の机の上で開きはじめた。かぐわしい香りがただよっている。やっとやっと私の生命も花ひらこうとしている今、この花をみているのがたのしい。ねてもさめても「生甲斐」を考え、その中に私のすべてをぶちこみたい願いに燃える。

このままガンで死んでもいいように(6)、私のカオスをこの本の中で一応克服してまとめることができたらそれでもう私の存在理由は全うした事になりそうな気がする。この苦しみはだから真に甲斐のある苦しみなのだ。

Paulhan : *Les transformations sociales des sentiments* を読了。spiritualisation des tendances〔志向性の精神化〕が非常に参考になる。

オバサン外出につき炊事をしながら「生甲斐」の全体の輪廓を再検討した。

（……）

夜書いていたら二時すぎになっていた。

一九六〇年二月五日（金）

午前「生甲斐」。

昼頃家を出て阪急で律のセーターなど求め医局へ。福井先生の文章完成テストの話など。金子先生に英文直しをたのまる。

外套のポケットに手帳と鉛筆を入れて、歩きながらでも考えついた事をかきとめておく事にしているが、この頃はどこにいても、何をしていても面白いように面白い考えが浮ぶ。ほんとに今こそかくべき時が来たのだと思う。T先生に又2晩英語からの訳本を直してくれとたのまれたが月末にして頂く。

Maisonneuve : *Psychologie sociale* を読了。ものすごく参考になった。全体の見通しがつき、よみたい本がまた沢山できた。

一九六〇年二月十四日（日）＊

一日中書いていた。それでも大して捗っているわけではない。考え考えしらべしらべかいているので。ときどき自己嫌悪におそわれて困る。こんなつまらないものを出す価値があるだろうか、と。でも私は私でしかないのだ。この頃一寸もつかれない。

過去とつじつまを合わせようという grandiose Einheitswillen〔宏大な統一意欲〕がこの頃の私を圧倒しているようだ。過去に蓄積したもののすべてをこの本の中にぶちこんで統一したいというのだ。Chaos の克服ができるかどうか。必死なのだ。ともかくやっと書くことの許される事態と時が来たのだから。

一九六〇年二月十七日（水）

かえり阪急で昼食。シューマンのカーナヴァル〔「謝肉祭」〕を楽譜のところで探したがなし。この頃シューマンのこの世ばなれしたロマンチシズムに強く惹かれ毎日のように弾いている。弾くと考えが流れ出す。

電車にのっていても、何をしていても考えが湧き出て、あふれて、すぐかきとめておかねばならず困ってしまう。もう新聞もザッシもなかなかよんでいる気がしなくて困る。今夜も夢中で書いていたら二時になっていた。

一九六〇年三月十一日（金）＊

父上をお迎えするためのかたづけをしていて学位記授与式におくれて（十五分位？）参列。一ばんあとで追加的に正田総長より頂く。紅一点。かえり大阪府立病院へ行って山川先生にお目にかかろうと思ったが御不在だった。御出になる日をきいて帰り梅田阪急コロンバンでコーヒーをのみ、考えごとにふけって払うのを忘れて出て来て女の子においかけられた！

頭に考えが沸とうして、あふれ出て困る。キャントリル『社会運動の心理学』と「精神医学」一月・二月の妄想研究を熱心によむ。すごく参考になる。今日は一日特殊なイシキ状態。父上九時頃見えた。夜はおぼろ月、一人外でめいそう。

一九六〇年三月十六日（水）

Tはまだ一日中流動物のみ。

私は風邪が本格的になって（七度五分）一日中横臥。「ブッダの言葉」やニーチェ、モーパッサンの *Beule de Suif*『脂肪の塊』等乱読、沢山の時をムダにしているのが惜しく、書きたいと思っておきあがるが烈しい頭痛と咳でまたねてしまう。頭の中に思考がわきあふれて困る。〇回心のあとの人生行路をしらべる。

教祖になる人
社会事業をやり出す人
エステティッシュな人は？

一九六〇年三月二十五日（金）

まだかぜ全快せず、オバサン外出後、一日中要領のえぬ暮し方、障子はり、片づけ。しかしすぐ「生甲斐」ことに宗教的経験のところへ思いが行き、いろいろな人のをしらべたり、近著アナル〔年報〕をよんだり、プラトンをよんだりとりとめなし。

頭痛と疲労と咳で午後ヒルネ。

夜愛生園の二宮氏に回心の経験執筆依頼。

一九六〇年四月二十一日（木）

永谷症例をまとめただけであとはオバサンの外出したしずかな一日を何してくらしたかと思うほどだ。しかし考えてみれば五分の隙もなく、ずっと考え、しらべていた。

ヤスパース、シェレルをよみ、そして「死への願い」ということを考え、夜バッハの伝記（マグダレーナの）をもう一度よみかえした。

生甲斐喪失と死への願い。この角度から考えてみる。

一九六〇年五月十日（火）＊

Tは前々から楽しみにしていた遠足とりやめとなりがっかり。

私はゆうべヤスパースの本を十六年ぶりによんで感慨にたえず二時まで起きており、けさも六時に目をさましてしまった。人間というものを少しでもよくわからせてくれる本というものほど有難い貴いものはないように私には思われる。たとえば聖書というものがどんなに貴い真理をあかすものであるにせよ、それはやはり精神の一形態を示すだけではないか。そこにはやはり自己陶酔があるではないか。もちろん陶酔は生きて行く上で不可欠な要素だけれど、自分の属する形態以外の形態をも理解し、多くの形態の中の一つでしかない自分の位置をも客観的に認識することこそほんとうの智慧ではないだろうか。精神医学はそれを可能にする筈だ。

一九六〇年五月二十八日（土）＊

午後YWCAで話。更年期主婦のオントロジカル〔存在論的〕な虚無感の訴えが一ばん心に残った。「何をみてもおもしろくない」「何もかもしんきくさい」「何のために生きているのか分らない」「女として終りだ」女の生き方、というものについて、同類として私は考えなくてはならない責任がある。女子大生を教える上からも。更年期に女ははじめて人間として生きはじめるわけだ。その時「実存」を確立できなかったら、余生はただ「生ける屍」になるほかないだろう。

一九六〇年七月三日（日）＊

どこでも一寸切れば私の生血がほとばしり出すような文字、そんな文字で書きたい、私の本は。今度の論文も殆どそんな文字ばかりのつもりなんだけれど、それがどの位の人に感じられるものだろうか。

体験からにじみ出た思想、生活と密着した思想、しかもその思想を結晶の形でとり出すこと。

一九六〇年七月二十七日（水）

一日中事務処理、愛生園へ雑誌の小包二つおくる。

「生甲斐」に再びとりかかる態勢をつくる。

一九六〇年八月七日（日）

けさも四時半におき原稿かき。

しかし大して捗りはしない。書き直してばかりいるからだ。

一九六〇年九月三十日（金）

試験監督三時間。社会学科教授会。

睡眠不足のため疲労。

夜試験採点をし乍らNのかえりをまつ。阪急の終電車もすぎ十二時半帰宅。そして今床についたのは一時半。

夫と子供と、学校のつとめと、その中でかきたいもの、かかねばならぬものをかくことは不可能な気がしてくる。時間が、ねる時間も、書く時間も、全然意のままにならないのだから。三ヶ月ほど病臥できたら、とついそんな事を考えてしまう。

ああしかし書くことが使命ならそのための時間も体力もきっとどうにかそなえられるのだろう。たとえぎりぎりの形ででも。

夜気の中虫がしきりに鳴いている。もう十月だ。

一九六〇年十月二十九日（土）

父上と朝語る。選挙で酷使され大分つかれておられ、いつ倒れるか分らないといつも覚悟しておられる由、倒れたら殉職というわけだ。朝森市場。父上午後一時半芦屋駅までお見送りし、帰ってレッスン。そのあと疲れのため横になる。

夜二時まで「生甲斐」をひさしぶりでかく。もっとかきたくて死にそうだ。

一九六〇年十二月九日（金）

朝コーギ休みのことを忘れて一校時から出かける。晴れた空に山々が安らかに憩うているさまに心をうばわれつつたんぼ道を歩く。ずっとハーバート・リードの *The Meaning of Art*〔『芸術の意味』〕をよみつづけている。目ひらける思い。

教授会が一時から五時すぎまであった。

図書館から

Lytton Strachey : *Eminent Victorians*

L. Strachey と V. Woolf の書簡集

Hanford : *J. Milton , Englishman*

の三冊を借り出して来た。第一書はナイチンゲールのことをよみ直すため。

こうして精神医学と直接関係のない本がどんどん借りられる事も今のポジションの有難いところだ。「生甲斐」のための勉強はここにいなくては不可能だろう。

一九六一年一月三日（火）＊

朝七時。今年になってけさ初めて自分の仕事部屋にすわる時ができた。一日と二日の日記をつけ、一年の初めの想いをかえりみる。今年は何と云っても本をかきあげなくてはならない。その責務が何よりも大きく、重く、心の上にのしかかっている。しかし、今までの毎日の歩みがいわばその本を書いていたとも云えるので、これまで完成がのばされたことにもイミがあるのだろう。

昨日から寒さはやわらぎ、昼の太陽はあかるく、夜の月もまどかである。自然はしずかなたたずまいで今年も私たちを抱いている。「死」と「虚無」をのぞきながら、私の心の深いところでしずかに、着々と、課せられたものを果して、いつでも死へ戻れる用意をしたい。

一九六一年二月七日（火）

雨がはれて雲がさかんに動いている。時々淡い青い空がその間からのぞく。気温は近来めずらしく高い。

社会科教授会と精神医学の最後の講義。キェルケゴールの *Entweder Oder*『あれかこれか』上下二巻を岡本先生のところから借りて来た。

論集原稿の校正で夜の時間はすぎてしまう。よみたいもの、かきたいものに圧倒されている毎日。

律の風邪は今日も七度八分で咳はふかい。中島先生から電話を頂く。

毎日どんな少しづつでも
生甲斐をかく事にした。

一九六一年三月九日（木） ＊

午頃帰宅。赤穂あたりから雪がふった。ずっと船の上、汽車の上を通して書いていた。今「苦しみと悲しみの意味」というところをかいているので、文字通り心血注ぐといった感じ。ああいっそ自分の血でかけたらいいものを！

（……）

烈しく悩んでいる人のすぐそばに暮していて、その人の悩みの本質について少しも知らず、悩んでいることすら知らないで、いられる人もある。そういう人はもともと鈍感にできているのだろうか。それとも、自分の主要人生目的にかなうこと以外については何も知るまい、知りたくない、と思っているため、実際に知らないですごしてしまうのだろうか。多分後者だろう。久しぶりで家に帰ったように今夜はたのしかった。Nと子供たち、みな愛し。

一九六一年三月二十五日（土）

「生甲斐」の中の疎外感の項がやっとかけた。ちょっぴりかくために何とたくさん本をよんだりすることか。例のバカ正直ではないか。

一九六一年四月十八日（火）

朝日ジャーナルでトインビーの最新作についてよむ。

美しくかがやく日々。この春休みはちっとも休みらしくなく、事が多すぎたが、学校がはじまったらかえって規則的に生活がおちつくかも知れない。毎朝早くおきて原稿をかき、なんとかせめて夏までに仕上げたいと心から思う。

一九六一年四月二十一日（金）

思いがけなく社会学科教師会がない事になり一日休みとなった。「生甲斐」を初めからよみ直し、これから順をちゃんと追って完成しようとの意志をかたくかたくきめた。故に、できている部分から多田サンに清書に渡すことにした。いつまでたってもまん足の行くものにならぬことはたしかだが、今の段階としてどこかでキリをつけねばいけない、と思われて来た。

疲労のため大した事できず。

午後パーマをかけに行く。

一九六一年五月二日（火）

礼拝当番でSCT〔文章完成テスト〕のことを引合いに出して「生甲斐」のことをのべた。学長、社会学部長にアプリシエートされ、ピンクルでなかったことを知りホッとした。(7) そのホッとした気分に浸りつつ神戸へ明日の子供たちの映画ベンハーの切符を買いに行く。電車の中から思想ふつふつとわきいで、ふっとうし、車中で、また歩きながらかきとめた。

夜帰ってからもかきたくてうずうずし、子供たち、かぜ気のNのねしずまるのを待ち今（二時）までかきつづけていた。だれのためでもない。だれに気に入られなくてもよい。ただかかずにいられないからかくだけ。

一九六一年五月三日（水）

午前中「生甲斐」をかき午後徹、文夫ちゃん、克ちゃんをつれてベンハー見物。一時半から五時半までの長い映画でひどく疲れた。憎みと復讐が生甲斐となりうることを考えつづけた。例により足が腫れてジンジンし、早く床についてキャントリルをよむ。一度診察をうけなくてはならない。

一九六一年五月二十八日（日）

今日はめずらしくオバサンのいる日曜なので休日らしくのんびりする。市場へ行ったほか生甲斐をかく。欲求論のところはむつかしくて書き直してばかり。書き直すとはとりもなおさず考え直すということ。

夕方久しぶりでNと禿山の方を散歩。私の足のためたくさん歩けないので小山の上に二人で坐してくれゆく山と海をながめユーモアについて語り合う。彼とともに山を歩き、こういう話のできるたのしさ。勿体ない。

一九六一年六月十二日（月）

旅のつかれで半日ね椅子でビンスワンガー「分裂病」をよむ。このくどさにはへきえきする。

典型的なドイツ精神だ。どうして我々日本人がこのマネをする義理があろうか。

夜に至ってやっと元気恢復。いつもの通り子供英語とレッスン。

Nは「生甲斐のさまざま」を体系化せよという。

大へんなことだ。

一九六一年六月二十五日（日）

ヘンデルのコンチェルトグロッソ〔合奏協奏曲〕をきき乍ら心に涙がたまっている状態で雨のそぼふる窓辺で久しぶりに「生甲斐」をかく。きのうよんだ Ortega y Gasset の本の中に Pain の現象論を充分書いた人はないとあったのが心に喰い入っている。私のこの本はせめてその一部になれないだろうか。

一九六一年八月一日（火）

父上来る。

原稿よんで頂く。

一九六一年八月六日（日）

「喪失」のところをかいていると、現在の気分まで悲しくなってしまって、あまりものを云いたくなくなり、Nにすまない。メシヤをかきながら泣いていたというヘンデルを思う。

多田サンよる清書をとどけて下さる。「喪失」（第五、六章）をわたす。

一九六一年八月十一日（金）

午前苦悩のところを書きおえた。午後一時からスカウトハウスでTたち月の輪の集会があり私たち母親も出席を要求された。炎天下道に迷う。三時半頃米山夫人と芦屋の駅まで歩き、そこで別れて、梅田へRのズボンなど買いに行く。収穫は古本屋でカッシラーの「人間」の訳をみつけた事だった。マゴちゃんの本をさしおいて帰宅の電車から今（十一時半）に至るまで夢中でよむ。シンボリズムについて大いに啓発された、ホワイトヘッドと云い、カッシラーと云い、今まで知らないでいたとはまるで目かくしして現代に生きていたようなものだ。

一九六一年八月十六日（水）

あさせんたく等で十時までかかる。クーラーのへやで一日中子供たちと一緒にいるとぜんぜん仕事ができず、少々ノイローゼ気味。こんな事では何日あってもだめだからいっそ一人でお寺へでも行こうかと考えてみたりする。実に苦しい。

一九六一年八月十九日（土）

第八章をかき終えた。ここはずい分難航で幾度かき直したか知れない。しかも一寸も大した出来栄でない。

毎日かきものの事ばかり考えているので、日の経つのもわからなくなった。今日は久しぶりで市場へ行き、空の入道雲のかがやきにみとれ、目がさめるような気がした。

一九六一年八月二十七日（日）＊

けさカッシラー読了。人間存在の全般――神話、宗教、言語、芸術、歴史、科学――に対する展望、雄大なヴィスタ〔見通し〕をえて大きな昂揚にみたされた。まる一週間、はなれていた「生甲斐」にまた新しい力と姿勢で向かって行けそうだ。私はもっと広い立場で書かねばならぬ。とくにカッシラーの「シンボル的宇宙」ということばに深く感銘した。

一九六一年九月七日（木）＊

十日間夢中でかき、今八日午前二時、一通りかきおえた。まだ二、三かきのこした節があるけれど、ともかくゲボイデ〔構格〕はできた。あとは穴をうめたり、けずったりすることだけだ。

心の中にたまっていたことがすっかり出てしまって、圧迫から解放され、それこそ levitation〔空中浮揚〕を感じてしまう。

もう今なら死んでも大丈夫という気がする。感謝のほかなし。家族の健康も私の体ももったことが何よりも有難い。私はずっと二食しか食べず、ほとんど外出しなかった。

一九六一年九月十一日（月）＊

いよいよ夏休み最後の日になってしまった。学校の用意をしながらただただ本をかくことに没頭したこの夏を思いかえした。これこそ自分の一ばん大切な仕事である事は、やればやるほど明らかになるばかりだった。このために生きて来たといえる位である。それを次第次第に発見して行くおどろきとよろこびとかしこみ！　自分の生の意味がだんだんに自分に明らかにされて行くということの可能性を私はほんとうに想像さえしていなかった。夜、星をみつめて、このふしぎさ、ありがたさを考えた。

原稿手入れ。

一九六一年九月二十三日（土）

一日中書いていた。ミスチシズムのところからすっかりかき直す。ホワイトヘッドのシンボリズムがうまく使えてスッとした。

この頃どうも六時間もねない中に「書かなくては」という意識で眼がさめてしまう。暑い一日だったけれど、夢中でかいていると忘れてしまう。

Tは米山さんの車で有馬への新しい道をドライヴ。Rは友人と高校へ。Nと二人のしずかな休日だった。

一九六一年十月六日（金）

西谷啓治「宗教とは何か」読了。

やっと今日から「生甲斐」の仕上げにとりかかれる！　そのうれしさに茫然としてしまう。

兵庫県精神衛生協ギ会からの依頼ひきうける。

父上、私のために旅からの帰宅を早めて夜汽車で十二日帰京されるとの速達来る。そのお心を思い、胸があつくなる。平生の親不孝を思う。そして父上の淋しさを。

一九六一年十月十四日（土）

午前中原稿。

（……）

父上は一日中原稿をよんでいて下さって七章にさしかかったところ。ぜひ出版せよ、費用は出すと云われる。

一九六一年十月二十四日（火）

島崎先生から原稿の受取状来る。「スケールとスピードが自分はすべてわるい」とのこと。これはご謙遜であろう。ヴォリュムばかり大きくても内容がすこぶる問題だ。

一九六一年十月三十日（月）

島崎先生に第九章の残りをおくる。

一九六二年一月四日（木） ＊

やっと疲れがなおったようだ。日記にもはじめてむかう。

朝、一家でくれに新しく求めた世界大百科辞典をみてたのしむ。子供たちとよろこびを共にできる有難さ。

今年の決心。仕事について。「生甲斐」完成。欧文で論文をかくこと。

徹と律は縁側で陽を浴びながらトランプをしている。Tは鼻うたを歌っている。小鳥のさえずりのようなその声をきいていると私の心はたのしさでとけそうになる。

夕方Nと二人で海まで歩いて行った。火の玉のような夕陽が海におちたあと、波はいつまでも赤く照りはえてゆれていた。論集用の原稿にやっととりかかる。

一九六二年三月十日（土）

朝島崎先生におめにかかり、「生甲斐」の原稿を返して頂く。Confinia[8]にかくように云って頂いた。「生甲斐」はもっとけずるようにと。

一九六二年六月三日（日）

東京から帰京以来ろくにねるときもなかったのでゆうべは十時頃から十一時間位眠ってやっと足のむくみもとれたようだ。ねていて、私のなすべきことについて考えるところあり。今度社会保障の委員をひきうけたことはまちがいだろう。私はやはりかくことと考えることに集中すべきだ。

「使命感について」

一九六二年十一月七日（水）

実に恍惚とするほどの透徹した日々がつづく。学校では文化精神病理学をききに英文科生が六人ほど来た。Ｆ321で「あそび」をかく。ジョルジュ・サンドをよみ五時すぎ暗い中を帰るとマサさんの手紙が待っていた。生きがい原稿「あふれる感動とよろこびをもってよみはじめた」と!!西村真二先生から別刷の礼にそえて、インターナショナル・ジャーナル・オヴ・レプロシーに送るようにとのおすすめ来る。一九五九のものを2つ送る事にする。

今後の学問的活動について考えつつたまった学術ザッシをよむ。

一九六四年七月十七日（金）

午前中歴史のかきあらため終了。(9) 初めと終りをあらためただけだ。明朝発送するつもり。これから当分家事、ウルフ、そして「生甲斐」のよみ直し（かき直し？）

（……）

台風→熱低で、梅雨もあがったのやらまるでわからない。毎日湿って暑くて、私にはこたえる。何というういくじなしだろう。

一九六四年七月二十五日（土）＊

暑さと蚊のためによく眠れなかったので、朝の仕事をすませぼんやりしていたところへ田島様からの手紙来り、津田〔津田塾大学〕辞任、著述業に専心の方針大賛成とのご意見。

バッハを久しぶりで弾き乍らもう一度よく考えてみた。

（……）

夕方Tとレコードをきき乍ら、私は「生甲斐」に久しぶりで手を入れはじめた。しらべてみるとこれをかき出したのは一九五九年十二月だった！

一九六四年八月三十一日（月）

暑さぶりかえす。

ウルフの長編は全部よんだので短篇をよんでいる。「生甲斐」中央公論に出ていた調査をよみ何とか推こうせねばと考え、古い原稿をよみ直しはじめる。冗長さにあきれる。

一九六五年四月十九日（月）

買物をして午後四時帰宅。ルス中の事、旅支度。けさみすずに手紙で職業の事、「生き甲斐」のことなどかく。

一九六五年四月二十四日（土）

午前桜井先生のお仕事見学。

結局園での私の仕事は当分、当直ができるようになることをめざす以外に何もないらしい。園でのレーゾン・デートル〔存在理由〕がわからない空しさに悩みつつ夜七時半帰宅してみると家中ぶじで、しかもみすずから「生甲斐」の原稿をみようと云って来ていた。ここに私の生甲斐があった！

一九六五年五月五日（木）＊

ゆうべ使命感のところまでかいた。けさ五時半におきて喪失のところにとりかかる。ひる間R、Tのへやの掃除と市場行。

おばさんの老齢と体力不足を考えると島のつとめも前途は全くわからない気がする。結局「書くこと」に限定せざるをえなくなるのだろう。そのためにも今のうちに、しっかり地盤をつくらねば、という思いに駆られ、ひたすら机にむかう。

一九六五年五月十七日（月）

生甲斐の一、二、五、六、八章をみすずへ発送。一種の虚脱状態。どういう結果になるか神のみぞ知る。

一九六五年五月二十六日（水）

今日は左の耳前後が痛い。淋巴腺？　雨の為市場行もやめ明日の旅にそなえて家のルス中のこと、身支度などする。

みすず吉田欣子さんから「生甲斐」のうけとり状速達で来る。数人でわけてよんでいる、と。

一九六五年六月七日（月）＊

午前十時半。今みすずから「生甲斐」を出すと云って来た……感謝!! 阪大へ電話してNに報告せずにいられなかった。

午後横田先生から長いお手紙で、島での私の仕事について、すっかり安心してよいとのご報告、先生の温いご配慮感謝のほかなし。

一日に二つも大きなよろこびが来て昂奮し、夜疲れてしまった。

一九六五年七月十六日（金）

オバサン外泊。家事以外はV. W.〔ヴァージニア・ウルフ〕のタイプ[10]で殆ど一日ついやす。なかなか「生甲斐」にとりかかれぬのがつらい。

三谷〔隆正〕全集の内容見本来り、私のすいせん文が南原〔繁〕、安倍〔能成〕両先生の次に並んでいるのにおどろく。

一九六五年七月二十日（火）

ゆうべも沢山ねむり、今日やっと「生甲斐」にとりかかる。午前中一杯第一章をかき直したり文献をしらべ直したり。

一九六五年八月七日（土）

午後組合マーケットへ行きパーマと買物。久しぶりの外出でよい頭の転換になった。毎日机に向っていると却て頭の回転がにぶってくるらしい。Tと二人で夜一時までやっていた。時々、こんなものをかいて何になる、というニヒリズムにおそわれてやり切れなくなる。

一九六五年八月八日（日）*

朝七時。台風のあとたしかにすこし朝夕がさわやかになった。せめて朝のうちしっかり書こうとおき出して、オリズルランのならんでいる窓の前に陣どる。神よ、助けたまえ、と自然に祈りが出る。やっと七章をけずる。しかしまだけずり足りない。自分の冗長さにはおどろくほかない。夕方Nと二人で散歩に行った。山の上にはすでにたそがれがたちこめ、涼風の中に港の光がまたたいていた。

一九六五年八月二十三日（月）

午前原稿。第三章を又かき直している。何度書き直すことだろう。あつさのためか食欲なくムカムカして頭も鈍る。午後カーン氏(11)に手紙。

一九六五年八月三十日（月）

多田澄子さん来り、姉上と二人で清書をひきうけたし、と云ってくださる。早速三章までわたす。ありがたし！

一九六五年九月五日（日）＊

ゆうべ三時まで原稿。一日中原稿（生きがい）。「愛」のところが一ばん困る。おざなりはかきたくないし。一〇章までどうやらけずる。ありがたい事に神経痛ほとんどおさまり、今日は平熱だった。

シュヴァイツァがとうとう亡くなった。家中で七時のニュースのとき、彼のフィルムをみた。胸があつくなり涙でよくみえなくなった。

一九六五年九月十五日（水）＊

オバサン昨日外泊。今夕帰る。その間家にひとりいて、ずっと「生きがい」かき。Nがよしとして線を引いてくれたところはみなそのままにしておく事にした、とTに話したら「女は自己陶酔するからいかん、そこが一ばん気をつけるべきところだ」と云って私の頭を何遍もつついてくれた。

一九六五年十一月六日（日）

島から帰って以来初めておちついた日。午前中市場行。午後多くの文債をかたづけ、一ヶ月分の家計ぼをつける。夜はじめて「生き甲斐」を再び。

一九六五年十一月十四日（日）

風邪気、頭痛、はきけで一日ふるわず。しかし「生きがい」の清書のできた分――八章まで全部よみおえた。

一九六五年十一月十九日（金）

オバサン今日外泊。Rカゼで休校。午前中文献表作製。みすずへ手紙を出す。

家事、おつかいでくれる。

N十章十一章を毎晩少しづつよんでくれる。私はどうも自己嫌悪におそわれてならない。何しろ六年もやっていたからだろう。バッハのみが慰めてくれる。

一九六五年十一月二十九日（月）

Nのみてくれた原稿を毎朝晩みては直している。

一九六五年十二月二日（木）

夜中もけさも「生きがい」に手を入れる。自己嫌悪で一杯。

晴和病院で内村先生[12]にお目にかかる。

一九六五年十二月三日（金）

朝原稿に手入れ。

十時頃みすずへ行き全部（文献表をのぞき）渡す。吉田欣子氏、小尾副社長と話す。

（……）

島崎先生と四時—五時半話し、七時のひかりで帰宅。

一九六五年十二月五日（日）

夕方Nと「原稿門出祝」にエスカルゴーへ行く。

一九六六年二月十二日（土）

朝光明園[13]で精神科の患者をみてから光明の舟で日生まわりに帰宅。組合マーケットで頭をして、大きなタイのお頭付を買って帰る。

一同無事で有難し。

かえりの舟からのけしきの輝かしさ！

みすずへボイテンディイクの第一回分おくる。

みすずから「生きがい」が四月末に出ると云って来た！

一九六六年二月十四日（月）

「生甲斐」の校正来る!!

一九六六年二月十六日（水）

校正一応終る。

夜一時に文献表のつぎはぎ終了。

一九六六年二月十八日（金）

二度目の校正終る。

文献表の穴をうめる為梅田へ行き丸善、旭やでしらべる。

（……）

夜文献表完成。

一九六六年二月十九日（土）

午前中みすずへ初校発送。

（……）

組合マーケットによって帰る。春らし。午後疲れが出てひるね。

一九六六年三月十日（水）

帰宅後、生きがいの校正全部をやり、あとがきに足す文章もかき、「みすず」への訳文の校正もやった。

一九六六年三月三十日（火）

夜十二時すぎR図書新ブンで私の本の広告をみつけ、コーフンで一時までおきていた。

一九六六年四月十二日（火）

ゆうべ三時まで校正。「付記」につき昨夜から今朝にかけてNと何度も相談。極度にけずった。Nの協力ありがたし。十一時半頃三校発送。かえり市場へ。柳の芽なよやかにうつくし。「ルビコンを渡った」という感じで急に疲れが出た。

一九六六年四月十八日（月）

みすずから電話で奥付の相談。いよいよ出ると思うとこわい。

一九六六年四月二十五日（月）

京都では30度を越すあつさ。ここでも半袖の服装で恰度いい位。

同右〔夏の太平洋学術会議のための〕原稿かき。

「みすず」四月号に私の本の広告が出ていた。父上との写真が出ているのにおどろく。

一九六六年五月十四日（土）

光明園で診察。

かえりの舟で原田禹雄先生と共になり大阪まで話しつづける。

帰宅してみたら「生きがいについて」が来ていた（十部）。

（1） 本編ではこの部分のみ、日記帳とは別のノートに書かれたもの。（『神谷美恵子著作集』月報（1）に収録）
（2） 神戸市東灘区のインターナショナルスクール。一九五二年より依頼に応じて断続的にフランス語を教えていた。
（3） 自宅で開いていたフランス語教室。当時は上級者を対象に仏文学や思想書の輪読をおこなっていた。
（4） 夫宣郎の英文論文校正の意。語学が堪能だった美恵子は、しばしば家族だけでなく大阪大学の同僚など、知人からも英文論文等の校正を依頼されていた。
（5） 島崎敏樹（一九一二―一九七五） 精神医学者。都立松沢病院医員などを経て一九四四年より東京医学歯学専門学校（現・東京医科歯科大学）教授。一九六七年退官。美恵子は東京女子医専在学中の一九四三年に島崎と出会い、それが精神医学を志すきっかけとなる。
（6） 一九五五年に初期の子宮癌であることがわかり、ラジウム照射で進行を食いとめていた。
（7） ピントが狂っていなかった、の意。
（8） スイスの精神医学誌 *Confinia Psychiatrica* 翌一九六三年に The Existence of a Man Placed in a Limit-situation が同誌に掲載される。日本語版は「限界状況における人間の存在」（『神谷美恵子著作集7 精神医学研究1』、一九八一年、みすず書房）
（9） 『異常心理学講座』（第二次、一九六六年、みすず書房）第7巻所収「精神医学の歴史」。（『神谷美恵子著作集8 精神医学研究2』、一九八二年、みすず書房）
（10） 論文 "Virginia Woolf — An Outline of a Study on her Personality, Illness and Work" "Confinia Psychiatrica"（前出）に掲載。日本語版は「ヴァジニア・ウルフの病誌素描」（『ヴァジニア・ウルフ研究』、一九八一年、みすず書房）
（11） 米国精神医学界の重鎮で *Confinia Psychiatrica* の編集者であったオイゲン・カーン博士。美恵子とは親しく文通を交わしていた。
（12） 内村祐之（一八九七―一九八〇） 精神医学者。東京大学医学部精神科教授を経て、国立精神衛生研究所長、神経研究所長などを務める。美恵子が東大精神科医局に勤務していた当時の主任教授だった。
（13） 邑久光明園。長島愛生園に隣接するハンセン病療養所で、一九六六年より同園でも診療をしていた。

困難な「現代のジレンマ」克服への道

柳田　邦男

神谷美恵子さんの『生きがいについて』は、現代に生きる人々が直面している困難なジレンマについて、鋭く予言的に問題提起をした書として、いまこそ注目すべきだと思う。

現代のジレンマとは、文明が進むこと、とりわけ物質的に豊かになることが、必ずしも心の満足感や生きがい感に結びつかないどころか、むしろ満足感や生きがい感を得るのを困難にしていく傾向があるということだ。そして、人々はそういう状況の中で、もがき苦しんでいる現実がある。

今回、新たな構成による「神谷美恵子コレクション」全五巻の刊行にあたって、『生きがいについて』の解説を依頼されたので、何度目かの再読をしていくうちに、そういう印象を強く抱いた。

神谷さんは、まず「生きがい」という用語の特殊性を指摘する。本書によると、「生きがい」という言葉は、それに該当する単語が欧米の言語にはなく、〈いかにも日本語らしいあいまいさと、それゆえの余韻とふくらみがある〉という。私の知識の範囲では、この言葉とその意識がいつ頃から日本人の中に登場し広まっていったのかはわからないが、神谷さんが生きがいについての論考を書こうと思い執筆に取り組み始めたのが、一九五〇年代後半であったことから考えると、戦後の日本が社会的にも経済的にもかなり落ち着いてきたことが、人々の心の中に生きがいを求める気持が広まっていったことと関係があるようにみえる。そのことは、生きがいをめぐる問題の本質と深くかかわっていると思われるが、それについてはおいおい論じていくことにする。ともあれ、一般の人々が生きがいという言葉を意識し、それを求める気持をもつという現象は、江戸時代まではなかったようだし、明治時代から昭和戦前期までは、仮にあったとしても、社会的に論じられるほどの課題にはなっていなかったようにみえる。もちろんそのことは、人々が生きる目的や人生の目標を考えなかったという意味ではない。

神谷さんは、生きがいという言葉のあいまいさを簡潔に指摘したうえで、本論に入り、生きがいを感じる心、生きがいを求める心、生きがいをうばい去るもの、新しい生きがいの発見――といった項目をたてて、生きがい論を俯瞰し体系化しようと試みている。その内容は、精神科医としてのハンセン病患者との深い交流と人間論・精神医学・文学にわたる広範な読書歴とを背景にした人間考察の論文として成立しているだけでなく、この時代にいかに生きるかを考える密度の濃い長編エッセイとしても味わい深いものとなっている。そして、生きがい問題の全体的な構造をはじめて提示したという点で、神谷さんを「現代生きがい論の発見者」と呼ぶことができると、私は考えている。

神谷さんはこの本の「おわりに」の中で、次のように書いている。

〈現代日本の社会、さらには現代文明と人間の生きがいの問題は今後ますます大きくのしかかってくるであろう。現代文明の発達はオートメイションの普及、自然からの離反を促進することによって、人間が自然のなかで自然に生きるよろこび、自ら労して創造するよろこび、自己実現の可能性など、人間の生きがいの源泉であったものを奪い去る方向にむいている。どうしたらこの巨大な流れのなかで、人間らしい生きかたを保ち、発見して行くことができるのであろうか。〉

まさに現代に生きる人間のジレンマについての気づきだ。だが、神谷さんは、〈本書はこのような大きな問題ととりくもうとしたものではない〉という。「おわりに」でそう書くということ自体が、本全体の内容を受けて、残された課題がどこにあるかを提示するということを意味するのだろうが、しかし、本書全体を精読すると、この現代のジレンマについて、断片的にではあるけれど、随所で注目すべき記述をしている。なかでも私がドキッとさせられ、しばらく頁をめくるのを止めたのは、第六章「生きがい喪失者の心の世界」の中の次の二つの記述だった。

一つは、愛生園でハンセン病が進行し、病状が重くなってベッドに身を横たえていたインテリ青年が、神谷さんに語った言葉だ。

〈「私は元気なときは、社会主義革命の理想に燃え、同志たちと一所懸命そのために運動することに生きがいを感じていました。そうすることによって日本全体もよくなり、社会保障制度も完備し、私たち病気の者も幸福になると信じ、そのために励むことによろこびを感じていました。ところがこうして病気が悪くなって（中略）、自分の悩みと毎日対面していると、やっぱりそれが自分にとって一ばん大きな問題であることがわかり、社会主義運動によって人間の社会的な境遇がよくなったとしても、人間の心の深い悩みは解決されないであろう、ということがわかりました。……〉

もう一つは、この青年の言葉を紹介した後で、「生きがい喪失者の心の世界」の別の問題を論じる中で、神谷さん自身が述べている言葉だ。

〈原爆症患者は特定の国家の破壊的な力に対して怒る。らい患者はらいに対する世間の偏見やそのためにおこってくる種々の差別待遇に対して憤り、これと戦おうとする。しかしそのような破壊的意志や偏見の根は、人類一般の心にあるものであり、したがって自分たちの内部にもひそんでいるものではないか。もし自分たちが権力や健康を持っている者の立場に立っていたとしたら、自分たちもまたそのような破壊や偏見にくみしはしなかったろうか。……〉

これらの青年の言葉の引用や神谷さん自身の言葉は、誤解されかねない危険性をもっている。短絡的に解釈するなら、核兵器反対運動や被爆援護法要求運動やハンセン病患者救済運動などの社会活動も、資本主義体制をひっくり返して社会主義国家を建設しようという革命運動も、しょせん上っ面の世の中の仕組みの作り直しに過ぎないし、その程度のことで人間が幸福になれるなどと思ったら間違いだ――と、神谷さんは考えているのだと思われてしまうからだ。それは神谷さんの真意ではない。

神谷さんの著作の全体を読めばわかるのだが、神谷さんは社会活動や革命運動をする人々を全否定しているのではない。権力による抑圧や働く者からの搾取や戦争による殺戮がなくなり、老人や病人や障害者が安心して暮らせる支援制度が確立したとしても、その先にある心の問題――病気や障害を苦にする心、死への不安、喪失体験による悲嘆、他者への怨念・恨み、劣等感、支配欲、権力欲、等々を克服できなければ、結局、人は心の平安も幸福感も得ることはできないだろう。むしろ経済的・物質的に豊かになればなるほど、そういう心の問題が表面化し、前面に出てくるだろう。社会的な活動を否定するのではなく、社会の仕組みを変えたり、経済的・物質的豊かさを求めたりする時には、そういう新しい状況の中で心の問題がどうなるのか、心の問題にどう対処したらよいのかを、同時に考えていかないと、人は厳しく困難な新しい問題に直面するおそれが大だ。神谷さんは、そういうとらえ方をしていたのだ。

ただ、一九五〇年代から六〇年代はじめにかけての時代状況は、戦争か平和か、資本主義か社会主義か、親米か親ソか、貧しさを脱して経済成長へ、三等国の屈辱を脱して先進工業国へ、という国家のマクロな枠組みの選択志向、しかも二者択一的な発想が支配的だった。そういう中で、人間が生きることの本質にかかわる問題はなおざりにされた。一体人々の暮らしが経済的・物質的に豊かになった時、人は即幸福感に満たされるのか。人間の生きがい感や幸福感というものはすぐれて心のもち方がからむ問題であることを考えると、経済的・物質的に豊かになった時、人の心はどうなるのか。そういう問題に目を向けた議論は少なかったのだ。

神谷さんは、国家のマクロな枠組みばかりを論じる政治運動や社会活動が支配的になっている状況に対するアンチ・テーゼとして、前述のように誤解を招きかねない厳しい表現で、被害者側の心の中にさえある、いつ加害者側になるかもしれない暗部を露出させたのだ。私はそう解釈している。

もちろん、心の問題が経済的・物質的な状態や病気・障害などの肉体的な状態と無関係に優位にあると言っているわけではない。両者の関係は別々の独立したものとして切り離すことはできない。そのことを神谷さんは、ハンセン病患者における肉体と精神との関係を例に挙げて考察している。すなわち、肉体が崩れていくのを見る自分の心の中に、「肉体に侮辱されているような気がします」という形で、肉体と精神がばらばらになる傾向を見せるのだが、それでも、〈いかに精神が肉体をうらめしく思うことがあっても、生きがい喪失という危機をのりこえさせてくれるものは、この場合、肉体の生命力そのものかも知れないのである〉というのだ。

この構図を一般社会に拡大するなら、人々が心の問題をそっちのけにして、カネやモノに走っていたことを、心の側が気づいたからと言って、カネやモノと全く無関係に心の〝復活〟が可能かというと、現実の社会では、そうはいかないということになろう。あり余るカネやモノが必要だという意味ではなく、例えば肉体を維持する最低限の衣食住、あるいは病人に対する医療資源、障害者に対する福祉支援といった条件が、やはり心の再生や生きがい感の獲得に重要な役割を果たすことは確かだ。問題は、カネ・モノと心のあり方に十分にバランスよく対応したものになっているかというところにある。

ところで、〈破壊的意志や偏見の根は、人類一般の心にあるものであり（中略）、もし自分たちが権力や健康を持っている立場に立っていたら……〉という神谷さんの重い問いかけに、今回私がしばし佇んでさまざまな思いをめぐらせたのは、最近、水俣病患者の緒方正人さんを中心とする「本願の会」の思想と行動に魂を揺さぶられるほど惹かれるものを感じているからだった。

緒方さんは一九五三年（昭和二十八年）に水俣市の北方にある芦北町女島という漁村に生まれ育った。少年時代に父親が悲惨な急性激症型の水俣病で死亡し、自らも発病した。一九七四年に患者運動が活発になる中で、水俣病の認定申請を出し、裁判闘争などで活発に活動していた。しかし、水俣病を特定の症状に限定して国が認定し医療支援などを行なう制度そのものへの疑問（緒方さんは申請しても認定患者として認められなかった）と、企業（チッソ）や国から賠償金を取ることで結着させようとする裁判闘争への疑問から、八五年、認定申請を取り下げるとともに、自ら会長を務めていた水俣病認定申請患者協議会を脱会した。

しかし、それは闘争をやめるということではなかった。認定申請を取り下げたのは、一見逆説的だが、水俣病問題に幕引きをさせないためであり、より根源的に水俣病の原因と責任を問い続けるためであった。それは現代文明への批判であり、自分の内なるチッソへの問いかけでもあった。だから、不知火海で漁を続けながら、一人ででも抗議すべき時には抗議の座りこみをするし、同時に破壊的な現代文明に依存して生きている自分たち自身の罪に対して救いを求める祈りもする。緒方さんは、一九九四年に志を同じくする患者仲間や有志たちとともに「本願の会」を発足させたが、その機関誌『魂うつれ』第9号（二〇〇二年四月）のインタビュー記事の中で、こう語っている。

〈裁判での和解、政治決着という名の幕引きを前にして、私たちは水俣病が制度的な処理機構の中に埋め立てられるのではないか、と強く危惧したのです。だから、本願の会はその状況を見越し、「終わらない水俣病」をどこまでも引き受けていくことを決意した集団だったと思うのです。〉

また、栗原彬編『証言　水俣病』（岩波新書、二〇〇〇年二月）の中では、こう語っている。

〈この「システム社会」に魂が閉じ込められ制度化された患者として存在するのではなくて、生きた魂としてもう一度、不知火の海に帰る、水俣に帰る。そういう意味では、現象の上で闘い敗れてもいいじゃないかと、魂を持って帰るということこそ大事だと思います。

小さいときに親父を殺されて、チッソをダイナマイトで爆破してやりたいと思っていた自分が、今、チッソに対してほとんど恨みを持っていません。そして私は、チッソや行政の人たち、あるいは水俣病被害が拡がっていく当時、特にチッソ擁護に加担したといわれる人たちを含めて、ともに救われたいと思います。〉

緒方さんが不知火の海で漁をして暮らすということは、慢然と生業としての漁業を営むというのではなく、「命のつながる世界に生きる」という、破壊的な現代文明に抗しての人間の再生の営みなのだ。

もし神谷さんが今の時代に生きておられたら、「本願の会」の思想と行動をどのように受けとめただろうか。神谷さんは、原爆症患者やハンセン病患者の社会的活動に関する前掲の引用文に続いて、広島のある詩人の次のような言葉で終わる詩を紹介している。

〈平和は手をつなぐというかんたんなこと
本当の戦いは、自分自身に向かって進めていくものだとだれも知ろうとしない。〉

それだけに、神谷さんが緒方さんの生き方と暮らし方をどう受けとめられるか知りたいのだ。

神谷さんは生きがい問題の考察をすすめる中で、しばしばハンセン病患者の心の世界を患者自身の言葉によって紹介している。神谷さんがそのようにハンセン病患者との交わりを、生きがい問題考察の重要なベースにしたことは、問題の核心がどこにあるかを明示するうえで至当だったと言える。

ハンセン病患者は肉体は崩れていくが、精神活動は維持される。現在では治療薬が開発されて治癒可能となったが、有効な薬のなかった時代には、病気の進行は耐え難いことだった。しかも、地域から追われるだけでなく、家族からさえ絶縁されるほど社会的に疎外される。それゆえに肉体の内部の問題、すなわち心の問題が、否応なしに前面に出てくる。精神が崩れる人が少なくなかったが、文芸や絵などの表現活動によって精神の崩壊を防ぎ、精神性を高く保って生きた人々もいた。

最近では、エイズ患者が往年のハンセン病患者と非常に似た状況に追いこまれる。また、そこまで苛酷ではなくても、難病患者や治癒困難ながん患者の状況にも、かなり共通する要素がある。

それらに共通する要素は、生命の危機の「切迫感」であろう。人は誰しもいつかは死ぬ運命にありながら、生命の残された年月の長さについてほとんど深く考えることもしないで日常を過ごしている。しかし、例えば、がんが進行して末期とわかるや、死が避けられないという「切迫感」から、真剣にいのちと向き合い、残された持ち時間の中でいかに生きるかを自らに問うことになる。自分がこの世に生きた証しを遺そうと、闘病記を書いたり、何かの表現活動や研究や事業に全精力を注いだりする。それは生きがいを同時進行で探し求めたり確かめたりする行為ととらえることもできる。それはまた、自分にとって一番大切なものは何なのか、真に生きるとはどういうことなのかを、自分に問いかける場面でもある。

似たようなことは、会社の倒産やリストラによる失業や意に反する職種や関連会社への配置替えなどでも生じる。

そこで考えなければならないのは、人間はそういう「切迫感」に襲われなければ、精神的なものに価値を置く生き方ができないのかという問題だ。それでは真実の生き方をする人々は、難病患者やがん末期の患者など極く限られた人々になってしまう。いったいどうすればよいのか。

そのジレンマに対する解答を探るための貴重なヒントとなるエピソードがある。がんの末期にもかかわらず、いのちの授業を続けた神奈川県茅ヶ崎市浜之郷小学校の大瀬敏昭校長の生き方だ。大瀬校長は、がんの手術を受けて間もない二〇〇〇年一月から末期になって最後の入院を余儀なくされた二〇〇三年十二月までの四年間、子どもたちに自分ががんであることを知らせたうえで、教室の現場で子どもたちに語りかけ続けた。とくに再発して治癒は困難と告げられてからの最後の一年間は、点滴ビンを下げ、教壇からでなく子どもたちの机の横に入りこみ、子どもたちと目の高さを同じにして、いのちの大切さについて語りかけたのだ。

人間だけでなくいのちあるものはすべて、親から子へといのちが引き継がれていくこと、そうやっていのちは消えることなく続いていくこと、自殺などでいのちを縮めるのは自分を粗末にすることになる、神でも家族でも友達でもいいから信じられるものを持つこと、などを、絵本や学校で飼っているヤギなど身近で具体的な例をあげて、じっくりと語りかけるのだ。まさに大瀬校長は迫り来る死への「切迫感」から、全身全霊をこめて子どもたちに語りかけたかったのだろう。

これに対し、子どもたちは真剣に耳を傾け、自分が感じたことや考えたことについて、しっかりとした発言をした。そして、教えを受けた子どもたちは、「大瀬先生は自分たちの心の中で生きています」と語っているという。

このエピソードが教えてくれるのは、いのちへの「切迫感」を抱く者が他者に対して、体当たりと言ってもいいような真剣さで向き合い、肉声でいのちや生き方や人間関係のあり方について率直に語りかけることの重要性についてだ。親子でも教師と子どもでも専門家と一般市民でも、向き合うということが避けられがちな昨今の日本の状況の中で、大瀬校長のいのち教育への取り組みは、重要な示唆を与えてくれる。

さて、現代文明の中の人間のジレンマという点で、神谷さんが紹介しているもう一人の青年の心の病気の回復と再発のエピソードは、あまりにも鮮烈に問題の所在を示している。

その青年は、愛生園で長年にわたって心臓神経症に悩んでいた。ある時、青年は思い切って園内の気象観測所に勤めることにした。意義のある仕事に参加するはりあいを見つけたことで、神経症の症状は消えてしまった。ところが、その後、障害者への年金制度ができて、肢体不自由のその青年も年金を受けられることになったのだが、年金受給者は園内で仕事に就いてはいけないことになっていたため、気象観測の仕事をやめなければならなくなり、暇な時間を持てあますようになった。すると、神経症が再発したというのだ。

神谷さんは、こう書いている。

〈人間はべつに誰からたのまれなくても、いわば自分の好きで、いろいろな目標を立てるが、ほんとうをいうと、その目標が到達されるかどうかは真の問題ではないのではないか。ただそういう生の構造のなかで歩いていることとそのことが必要なのではないだろうか。〉

この議論は、さらに、〈苦労して得たものほど大きな生きがい感をもたらす〉という人間の心の不思議でやっかいな構造の考察へと進められる。すなわち、こうだ。

〈カミュのいう通り、「退屈な平和」は犯罪や戦争の危険をもはらんでいる。〉

〈かりに平和がつづき、オートメイションが発達し、休日がふえるならば、よほどの工夫をしないかぎり、「退屈病」が人類のなかにはびこるのではなかろうか。〉

ここがまさに核心に触れるところだ。神谷さんがこの本を書いてから四十年近く経つ。日本の状況はどうだろうか。経済的に豊かになり、オートメーション化が進み、いまやIT革命という神谷さんには想像もできなかった時代に突入している。子どもたちでさえ、ケータイやインターネットにどっぷりとつかっている。経済界における合理化・効率化は、まるでそれが人類の自明の目的であるかのように、とどまるところを知らずにすすめられている。

その行き着く先には、どのような世界が待っているのか。「退屈だから、何か人と違うことをしてみたい。人は殺したらどうなるのかな」という〝動機なき動機〟で人を殺した少年。「むかつくので、誰でもいいから殺してみたい」という少年による衝動殺人の続発。ネットによるホームページ書きこみやメール交換で、自分は傷つけられたという恨みを自己増殖させ、ホラー映画さながらに、同級生の首をカッターナイフで切って殺害した小学校六年の女児。枚挙にいとまがないほど、往年にはなかった形の少年少女による凶悪事件が続発している。

一方では、二〇〇〇年から日本人の自殺者が年間三万人台にはね上がり、その後も毎年三万数千人が自殺するという異常な事態が続いている。小中学生の自殺、働き盛りの熟年層の自殺、孤独な老人の自殺が、それぞれに増えている。

一つ一つの事件には、それぞれの個別の背景と事情があるだろう。しかし、右のような恐るべき事態の到来を全体として見ると、そこに現代文明の危機を見ないわけにはいかない。神谷さんが予見したように、現代文明の進展、すなわち合理化、効率化、利便性、容易さ、画一化などの追求は、「努力すること」の否定になるばかりか、努力して得ることの「喜び」「満足感」さえも奪い去り、結果、「疎外感」「孤独」「実存的うつ病」を大量生産するかのように生み出している。まさに、生きがい問題が切実なテーマとなる時代に突入したのだ。

だが、現代日本には、そういう暗澹たる状況に拮抗するさまざまな動きが芽吹いていることにも目を向ける必要があろう。全国各地の自治体などによる地域の特性を生かした活性化の取り組み、NPOやNGOを作ったボランティアの人たちによる福祉、医療、文化、環境保護、子どもの育成などの活動が、澎湃として生まれている。「地方の時代」「ボランティアの時代」というキャッチフレーズが、ようやく実体のある広がりをもったものとなりつつある。そして、利益を追求する企業の人々の顔の暗さに対して、無償でボランティア活動をする人々の表情には明かるい輝きが見られるというパラドックスが生じているのだ。

人間が自然に生きられた時代には、生きがいを切羽詰まって求めたり論じたりすることもなかった。しかし、いまや意識的に生きがいを考え、新しい形で個性的な生きがいを見つけなければ生きるのが難しい時代になっている。そういう時代状況なればこそ、神谷さんの『生きがいについて』を新鮮な視点で読みこむならば、これからの時代を生きるうえで不可欠なさまざまなメッセージをその中から汲み取ることができるに違いない。

本書は一九六六年、小社より刊行した『生きがいについて』に、新たに「『生きがいについて』執筆日記」、「解説」を付したものです。本文部分は『神谷美恵子著作集1　生きがいについて』（一九八〇年、小社刊）を底本としました。

本書ではハンセン病について「らい」という呼称を使用していますが、これは初版刊行当時の通例によるものであり、著者が故人であること、差別を助長する内容でないことに鑑み、そのままとしています。その他の病名等についても現在では不適切とされるものが含まれていますが、同様の理由で当時のままとしました。読者各位のご賢察をお願いいたします。

本文でも触れられているとおり、ハンセン病の感染力は非常に弱く、且つ特効薬によって完全に治癒します。また早期治療によって後遺症は残らないこと、回復者から感染することはないことを付記いたします。

二〇〇四年現在、日本には十五のハンセン病療養施設があり、約三千五百人の方々が暮らしています。そのほとんどの方がハンセン病自体は完治していますが、発病初期に適切な治療が受けられなかったことによる後遺症や高齢化（平均年齢七十六歳）等のため、引き続き療養施設での生活をおくっています。

（編集部）

神谷美恵子（かみや・みえこ　1914–1979）

1935年津田英学塾卒、ブリンマー大学・コロンビア大学に留学。1944年東京女子医専卒、同年東京大学医学部精神科入局。1952年大阪大学医学部神経科入局。1957–72年長島愛生園勤務。1960–64年神戸女学院大学教授。1963–76年津田塾大学教授。医学博士。1979年10月22日没。

著　書

『生きがいについて』みすず書房、1966年（「神谷美恵子著作集 1」、1980年）
『人間をみつめて』朝日新聞社、1971年（新版、1974年）（「神谷美恵子著作集 2」1980年）
『極限のひと』ルガール社、1973年
『こころの旅』日本評論社、1974年（「神谷美恵子著作集 3」1982年）
『神谷美恵子エッセイ集I』ルガール社、1977年
『神谷美恵子エッセイ集II』ルガール社、1977年
『精神医学と人間』ルガール社、1978年
『遍歴』（「神谷美恵子著作集 9」）みすず書房、1980年
『ヴァジニア・ウルフ研究』（「神谷美恵子著作集 4」）みすず書房、1981年
『旅の手帖より　エッセイ集 1』（「神谷美恵子著作集 5」）みすず書房、1981年
『存在の重み　エッセイ集 2』（「神谷美恵子著作集 6」）みすず書房、1981年
『精神医学研究 1』（「神谷美恵子著作集 7」）みすず書房、1981年
『精神医学研究 2』（「神谷美恵子著作集 8」）みすず書房、1982年
『日記・書簡集』（「神谷美恵子著作集 10」）みすず書房、1982年
『神谷美恵子　人と仕事』（「神谷美恵子著作集 別巻」）みすず書房、1983年
『若き日の日記』（「神谷美恵子著作集 補巻1」）みすず書房、1984年
『神谷美恵子・浦口真左　往復書簡集』（「神谷美恵子著作集 補巻2」）みすず書房、1984年（新装版、1999年）
『うつわの歌』みすず書房、1989年（新版、2014年）
『神谷美恵子日記』角川文庫、2002年
『ハリール・ジブラーンの詩』角川文庫、2003年

訳　書

マルクス・アウレリウス『自省録』創元社、1949年（岩波文庫、1956年）
ジルボーグ『医学的心理学史』みすず書房、1958年
ミッシェル・フーコー『臨床医学の誕生』みすず書房、1969年（「始まりの本」2011年）
ミッシェル・フーコー『精神疾患と心理学』みすず書房、1970年
ヴァージニア・ウルフ『ある作家の日記』みすず書房、1976年

神谷美恵子コレクション
生きがいについて
二〇〇四年 十 月 四 日 第一刷発行
二〇二四年 四 月 十六 日 第二〇刷発行
著者——神谷美恵子
発行所——株式会社 みすず書房
東京都文京区本郷二—二〇—七
〇三—三八一四—〇一三一(営業)
〇三—三八一五—九一八一(編集)
www.msz.co.jp
本文印刷所——精興社
扉・表紙・カバー印刷所——
リヒトプランニング
製本所——誠製本

ISBN 4-622-08181-4
[いきがいについて]

神谷美恵子コレクション　付録(1)

2004年10月

自著『生きがいについて』を語る

神谷美恵子
聞き手　島崎　敏樹

本稿は一九六六年十月三十日に放送されたNHKラジオ第二放送「読書案内」を抜粋、編集したものです。

島崎　さっそくですが、このご本〔『生きがいについて』〕をたしか七年かかってお出しになったわけですけれど、書かれるまでにも、また長い年月があったのではないかと思います。そのへんいかがでしょうか。

神谷　「生きがい」ということは、私にとって二十歳前、十六、七歳くらいからの問題でございました。それはあくまでも、自分自身の生きる道として常に探求してきたことでございますけれど。本に書こうというよりも、むしろただ書こうと思ったのは、昭和三十二年のことでございます。

島崎　その頃はどちらにいらしたんでしょうか。

神谷　関西のほうに住んでおりまして、大阪大学の神経科教室に籍をおいておりました。学位論文のテーマとして「らいの精神医学的研究」というのを金子仁郎教授から与えられまして、昭和三十二年と三十三年に延べ五十日間、瀬戸内海の長島愛生園に通いました。滞在しまして、いろいろな心理テストやアンケート、面接でございますね、それから、みなさんのいろんな手記をいただいたり。そういうことをいたしまして、どうやら論文のかたちにまとめました。

先生もよくご承知のように、そういう方法はすべて数字や統計で量的に答を出すものですので、どうも人間の心のいちばん深いところまでなかなか届かないような感じをしょっちゅう持っておりました。論文を書き上げたら、その論文に使えなかった量的でない質的なものを、なにかのかたちで自分でまとめてみたいという気持ちが起こったわけでございます。

その時は、本にして出そうというのでなくて、自分の頭のなかでそれを整理してみたいという、そういう気持ちだけでした。いわば独り言のようにずっと三年間書き続けたわけでございます。

島崎　私自身は精神医学をはじめてから、昭和十二年に大学を出まして、それから東大の精神医学の内村〔祐之〕先生の主宰なさってる教室に入りました。それから何年か経った頃にはじめて、神谷さんにお目にかかった記憶があります。戦時中でございましたね。

神谷　はい。昭和十九年に私は入局いたしました。

島崎　じゃあ、十八年の暮れにある方からご紹介いただいてお目にかかって。それで、たしか冬休みに東大の教室に遊びにいらっしゃった。

神谷　そうです。

島崎　それで、〔東京女子医専を〕卒業なさると同時に東大の教室にお入りになったんですかね。

神谷　はい。

島崎　じつは私は、神谷さんが精神科を志される前に、まさにこのご本のなかで問題になっているらいのほうにご自分を投入なさるのではないかと、そういうふうに予想したんですよ。それがね、つまり、転向なさったわけでしょう（笑）。

神谷　それは、医学を志す動機がそもそもらいだったんでございますけれど、亡くなった父がどうしても許してくれませんで。昭和十九年という時にいたってもなお許してくれず、基礎的な研究ならいいけれども、〔当時の時代背景では〕らい園に入ってしまうということは親子の別れを意味するから困ると、父があくまでも言い張りました。気が弱いものですから、とても父にそういう悲しみを与えられないと思っておりましたところ、精神医学というものが私の前に、それこそふと立ち現れて。私は少女時代からたいへん心理学が好きで、ひそかにそんな本も読んでおりましたものですから、こんなに面白い学問があるのかと、はじめて目を開かれるように思いました。それで、ある意味では第二志望だったわけでございますけれども、やはり自分に最もぴったりする学問として精神科に入ることを、内村先生にお願いして許していただいたわけでございます。

その後、私は、やはり精神医学は私に最もぴったりした学問であるということを感じつづけておりますので、その時のそういう選択をべつに後悔はしていないわけでございますけれど。ただ、らいに対する関心はいつでも意識にずっとあったのではないかと思います。それが昭和三十二年のそういうことになってあらわれたのだと思います。

島崎　後々になってみますと、一時、らいからお離れになってはいらしたけれども、この何年か前から、そのふたつが両立、というよりもひとつになったという感じですね。

神谷　じつは、昭和三十二年、三年に調査にまいりました時に、愛生園のなかの精神科診療ということが一切行われていないということを発見いたしました。そこの精神科の患者さんたちは、〔一九世紀に〕精神医学の歴史のうえでフランスのピネルが精神病者たちを解放したと言われていますが、ちょうどあの当時の精神病者たちの置かれていた境遇とほとんど変らない境遇に置かれているということを知ったわけです。

島崎　私も昨年〔一九六五年〕、神谷さんにご案内願って愛生園にまいりましたけれども、あの園のなかで精神障害になれば、その集団からもまた疎外されてしまう。

神谷　そういうわけでございます。看護婦さんも付いておりませんでしたし、それから精神病の治療ももちろんしていないし。また、らい病に対してもこの頃はいい薬があるのに、それが使われていなかったんでございます。ですから、他の患者さんたちのらい病はたいへん良くなっているのに、精神病者たちのらい病は最悪の状態のまま放置されて、悪臭ふんぷんたるなかに置かれていたものですから、もう私は、理屈なしにただ大変だという気がしました。光田〔健輔〕先生の次に来られた高島〔重孝〕先生に、「日本の一隅にこんなところがあるとは、まさに国辱です」というような、放言をしてしまったわけでございます。

そしたら、高島先生がすかさず、「そんなことをおっしゃるなら、あなた来てください」とおっしゃられまして。私のほうも今さらどうにも引っ込みがつかなくなりまして。それで、まだ子供も小さく、しかも女子大の教職にありましたので、暇はほとんどないと言っていいくらいだったわけでございますけれども、全然行かないよりはちょっとでも行くほうがましかと思いまして、月に一回ずつ、これはまったく何の肩書きもなしに通いつめたわけでございます。

島崎　ですから、はじめはボランティアみたいなもので。

神谷　はい。完全なボランティアで。

島崎　そのうちにあちらのほうから、われわれ専門家が解明すれば治ることだということで、精神病棟がなかにひとつできるようになったわけですね。

神谷　東京の全生園にひとつ先にできております。それから熊本のほうにもできる予定で、全国に三ヶ所できることになっております。今では看護婦さんもちゃんと付いて完全看護で、らい病と精神病と両方の治療が行われています〔一九六六年現在〕。

島崎　で、神谷さん、たしか精神科の医長ですね。

神谷　それは名前だけで。

島崎　精神障害にならない人たち、つまり心が健全であるためにこそ、自分がらいであるために悩む人もいるわけです。そういう人のほうが沢山いるわけですが。

神谷　そのほうがずっと多いのです。そういう人たちのための診療も外来治療と称してやりはじめましたのも、もうだいぶ前になります。むしろ、ある意味では、そういう人たちの問題のほうがもっと深刻だと思います。

島崎　つまり、精神障害になってしまうと、ある意味では、われわれがいくら呼んでも呼び返せない世界に行き着いてしまっている人も出るわけです。もう、あなたの生きがいはどこにありますか、ということを尋ねることもできなくなってしまう。けれども、もともとが心が健康な人であれば、その生きがいを求めてわれわれは生きていられるんですけど、それがバサッとなくなってしまったために空虚になって、それで悩んでるわけですね。

神谷　そうなんですね。そういう人たちが大勢います。

島崎　愛生園では昨年〔一九六五年〕まいりましたら、十いくつかの教団がありました。

神谷　あれほど宗教のさかんなところも日本中にあまりないのではないかと思います。

島崎　それで、あなたがたが調査なさって、この病気になってはじめて自分の生というもの、生存というものがありありとわかったという人もありますし。安らぎを得たという人が半数くらい……

神谷　半数はおりませんでしょう。

島崎　それから、むしろ、どうにでもなれとか、あなたの生きがいはどうですか、と尋ねられると、それは愚問であるとか、こういうふうに反応を示す患者さんたちもあるわけでしょう。

神谷　はい。三十パーセントちょっとくらいの方が、積極的に何も生きがいはないと、いろんな調査で答えております。

島崎　どういうんでしょう、まだ自分の心が、精神が開かれないために、つまり扉を自分で開いていないために、あるいは向こうから扉が開かれないために、光が差しこまないのか。それとも、そういう人たちは、とうとうその闇のままで終わりまで行くんでしょうか。

神谷　それは難しいことですけれども。もう少しあのなかで作業の仕組みとか、いわゆるリハビリテーションの仕組みが進めば、その数字はかなり減る見込みもあるのではないかと思っております。

島崎　そうしますと、たとえば宗教というもので自分の悩みがなくなるという人がありますし、あるいは俳句とかね、いろんな作品を書くということで、それに自分の生きがいを見いだす人もありますが、それ以外に、自分たちの仲間を作り、つまり社会的行動です。そういう行動を通じて生きがいを発見する。こういういき方。これを積極的にすすめなきゃならんと。

神谷　はい。すでに今でもかなりございます。たとえば、盲人会はそういうことがさかんなところで、楽団を組織したり、文芸の方面でもいろいろ発展しております。おそらく、盲人の集団がいちばん生きがいを見いだしている集団ではないかという、ひじょうに一見矛盾したような現象が見られるんです。

島崎　らいになりますとね、心の闇に突き落とされるでしょう。そしてまた視力がなくなって、本当に物理的に闇になってしまうこともある。だから、闇の相乗効果みたいになる。どうしてそういうところから生きがいが最も出てくるのか。そこに人間存在のいちばんの飛揚が問われてくるんじゃないかという感じがしますね。

神谷　失明する直前はひじょうに悩みまして、もうほとんど精神病理学的な要素を示すんでございますけれど、完全に失明してしまうと、いろんなことに対する諦めといいますか、もう落ちるところまで落ちたというところに、かえって人間が大悟徹底できるところがあるようなのです。

島崎　もともと信心深い人であったとか、あるいは宗教学に就いていたとか、そういうインテリ的な人ではなくて、ごくごく普通の人だった人がそういう闇に自分が落ち込むことによって開明されると。

神谷　そうして、新しい精神の世界を見つけて、ずいぶん本も読まれます。読むというのはすべて点字とかテープによるわけでございますけれど。一生懸命読書に励んだり、音楽をやったり。そういう精神のよろこびというものを、それまでそういったものに無縁だった人までもが発見するありさまは、ひとつの驚きでございます。

島崎　私ども平生は忙しい生活と申しますか、自分から自分を忙しい生活に巻き込んでいるのかもしれないと、私はよく思うんですけれども。ほんとに、困ったことがある時、仕事をしていると紛らわせますからね。ことに大都会の人たちなんてのは、忙しい忙しいと、みんなこぼしていますけど、こぼしているということじたいが、じつは欺瞞であって、本当は自分を自分で見つめるという、そういうことから無意識のうちに避けているのではあるまいかと思うことがあります。長島の愛生園に行きますと、まさにその逆で、することがない世界でしょう。

神谷　ですから、一方には退屈という病気があるわけでございますけれども。なにかそういうものを掘り当てた人は、本当にごまかさずにそれに徹しますから、こちらは教えられるばかりなんでございます。ただ教えてもらいに行っているという気持ちでおります。

島崎　どうでしょう、人間というもの、生きがいは自分の未来に行き着いていきたいとか、いつも目を前に向けていきたいという気持ちはありますけれども、現代のこの社会のなかでは私どもは自分のやりたいと思うことはなかなかできません。自分の自由というものはない。それこそ大きな社会の機構のなかでひとつの小さな部品になってしまって一生涯を送らなきゃいけない。まるで生きがいがないことになりますね。そういう場合に、どこに生きがいを発見すればいいかという、そういう設問が出てきます。これじつは私ども、若い人からよく尋ねられるんです。困りましてね。

神谷　難しい問題でございますね。あの本に対してもすぐ、ある大企業の重役の方から、現代の巨大な産業組織のなかにある人間の生きがい喪失の問題について、もっと認識を深めてくれといって大きな本を送られまして。だいぶ勉強させられたんでございますけど。でも、欧米ではかなり対策を講じているようでございますね。日本よりも。

島崎　ああ、そうでございますか。神谷さん、今度は間もなくヨーロッパにおいでになるというお話をうかがいましたが。

神谷　前からしていた研究のケリをつけようということでございます。

島崎　資料をお集めになる。

神谷　はい。私、なんでもテンポが遅いものですから。ひとつの仕事に、今度の本もけっきょく三年間かかって書いて、それからまた二、三年放っておいて、それからまた書き上げたというかたちで。今やってることも、もうやはり七、八年くらい前からやってることで、やっとなんとか完成させようかと思ってるわけでございます。

島崎 そのための。

神谷 はい。資料集めに。

島崎 やっぱり、そういうとことんまでの欲求というのも、神谷さんの生きがいかもしれませんね。どうも、本当にありがとうございました。

〔 〕内は編集部注

島崎敏樹（しまざき・としき）一九一二―一九七五
精神科医。都立松沢病院医員などを経て、四四年より東京医学歯学専門学校（現・東京医科歯科大学）教授。一九六七年退官。

＊

編集部より 本稿ではハンセン病について「らい」という呼称を使用していますが、これは放送当時の通例によるものであり、話者が故人であること、差別を助長する内容でないことに鑑み、そのままとしています。読者各位のご賢察をお願いいたします。

ハンセン病は一九四〇年代に特効薬が開発され、完全に治癒するものとなりました。早期治療によって後遺症も残りません。しかしながら特効薬開発以前、また特に戦中から戦後の混乱期にかけては、発病初期に適切な治療を受けることがかなわず、多くの方々が視覚障害、知覚麻痺等の後遺症を負うこととなりました。

またハンセン病はそもそも感染力がきわめて微弱で、日常生活で感染、発症するおそれはないことが明らかになっています。むろん回復者から感染することはありえません。が、戦前の「癩予防法」を引継ぎ一九五三年に制定された「らい予防法」（一九九六年廃止）は、ハンセン病患者の隔離、ハンセン病療養施設入所者の外出制限等を定めていました。このようなことから、この対談が放送された一九六六年当時も含め、長きにわたってハンセン病療養施設は一般社会から孤絶した状況におかれていました。

二〇〇四年現在、国内一五ケ所のハンセン病療養施設で約三千五百人の方々が暮らしています。そのほとんどの方がハンセン病自体は完治していますが、後遺症や高齢化（平均年齢七十六歳）のため、引き続き療養施設での生活をおくっています。

第二回配本『人間をみつめて』は二〇〇四年十一月刊行予定です。解説は加賀乙彦氏、また長島愛生園の入園者宛て書簡を収録いたします。

人生の師

久保　紘章

久保紘章（くぼ・ひろあき）
一九三九年香川県生まれ。四国学院大学教授、東京都立大学教授を経て、法政大学現代福祉学部教授。四国学院大学在学中の一九六三年、集中講義に訪れた神谷美恵子と出会う。その後も同じく四国学院大で神谷の講義を受講した山崎俊生《やまさきとしお》氏（ルガール社社主）とともに深い交流が続いた。神谷は両氏が一九七二年に設立した出版社、ルガール社を物心両面で支援、また英国に留学する久保氏にヴァージニア・ウルフに関する資料集めを依頼するなど、厚い信頼を寄せていた。入院中でいらっしゃる久保氏の枕辺で、山崎氏、久保加枝子《かえこ》夫人にもご一緒いただき、お話をうかがった。

神谷先生との出会い

神谷先生にはじめてお会いしたのは、一九六三年十二月十六日から二十日までの五日間（三十時間）にわたって行われた四国学院大学での「精神衛生」の集中講義のときでした。

友人から言われたのですが、僕は鉛筆を落としても気づかないほど、そのくらい面白くて、集中して聴いていました。先生の講義はとてもわかりやすく、難しくはないけれども、とても深いものがある。ご自身のいろんな体験をまじえて話してくださったのですが、そのエピソードがまた面白くて。とにかく「面白いなあ」と思いながら聴いていました。

当時の日記より——「おそらくこの講義が、今後の僕の転機のときとなるのではないか、という予感を感じつつ講義をきいている」（一九六三年十二月一九日）

神谷先生との出会いは、人生の転機でもありますが、職業選択の転機でもありました。社会福祉の勉強をしていても、そのなかにもたくさんの分野、領域があって、自分がどういう分野のどういう領域を選ぶかということについては、当時は大学三年生でまだ悩んでいました。神谷先生の講義を聴いて、「自分は精神衛生、精神保健の分野に行こう」と方向づけができて、集中講義が終ったお正月明けの一九六四年一月はじめに、ある病院に飛び込んで婦長さんに「とにかく精神科で実習がしたい」と頼み込みました。さいわい医師の先生も理解があって、

久保紘章氏と神谷美恵子（1975 年、宝塚市の神谷の自宅マンションにて）
山崎俊生氏撮影

診察を横で見せてもらったり、病棟で患者さんとの面接をしたり、大学に通いながら病院での実習を続けました。

僕は久保君とは二年あとの神谷先生の二回目の集中講義を受けているのですが、「前回の学生で、二百枚もの手書きの論文を送ってきた人がいます」と自慢そうにおっしゃったことがありました。それが久保君のことだったんです。「精神分裂病に対するカウンセリングの意味」という卒論で、本論の他に病院の実習でのカウンセリング、面接記録なども資料として付けたものでした。（山崎氏）

神谷先生は卒論のことも、幅広いところから、適切な指導をしてくださいました。ひろく柔軟に考えること。そしてどのように考えたらいいかというサジェッションもいただきました。

神谷先生から受けた影響

神谷先生との出会いによって、生きざまのモデルを得たというのか、神谷先生のような生き方の一端でも出来たら、と思いました。いわば人生の師のような感じで、ずっとかかわってきたんです。

神谷先生の何に惹かれるか、というと、先生は医者であって医者らしくない、研究者であって研究者らしくないところがあって、すごい医者、すごい研究者と思われるようなことをできるだけ避けていました。ある役割、もちろん役割は必要なことですが、神谷先生は役割にこだわることがない。僕の好きな言葉に Role Free Role という言葉があるんですが、先生は Role から解放されている人。もちろんそんな軽いものではないし、意識的にそうしようと思ったわけではないんだろうけれども、役割から全く解放されて、ひとりの人間として生きている、そんな生きざまに惹かれていました。

僕は神谷先生が亡くなられたあとに初めて長島愛生園に行って、最近までずっと愛生園の人たちとおつきあいがありました。最初は事務所を通して申し込む「見学」ということだったんですが、「見学」なんてあまりにも失礼な言葉です。数年間は、事務所を通して行かせていただき、その後は、入園者の方に直接アプローチさせていただくようになりました。四国学院大学で教えているときには、毎年ゼミで愛生園に行っていました。十五人から二十人くらいで行って、お話を聞いたり、一緒におでんの鍋を囲んだり。入園者の方たちも、「事務所を通さずに自分たちで直接学生さんを迎えるのは初めてです」と言ってくださいました。

最初の頃（八十年代はじめ）は入園者の方にも大学に来ていただきました。これは当時としては画期的なことでした。六、七人の方に大学のセミナーハウスに泊まっていただき、昼は授業をしていただいて、そして夜はお酒をくみかわしました。当時はまだハンセン病予防法がある時代でしたので、来てくださった皆さんも、そういうつきあいは初めてだと、大変よろこんでくださいました。

私のなかの神谷先生

神谷先生は津田塾大学でも「精神衛生」の講義をなさっていました。津田は学生八百人という大人数の授業だったそうですが、四国学院は十数人でした。

四国学院での二回目の集中講義は一九六五年秋、『生きがいについて』が出る数ヶ月前のことでした。世間的にはまだ皆がお名前を知っているというわけではない時期で、ほんとうに贅沢な時間でした。『生きがいについて』が出た時は、サイン入りの初版本をくださいました。でもある人に貸したらそのまま返ってこなくて。結局失くしてしまったということで、その人は新しい本を送ってきました（笑）。

でも僕も久保君に同じようなことをされて（笑）。神谷先生自身の本じゃないんだけど、先生が講義に使っていたテキストで、先生の名前も書いてあって、書き込みも沢山ある本。久保君に見せましたら羨ましがって「これ、欲しい」というので「いいよ」とあげましたら、後日同じ本を買って送ってきました（笑）。（山崎氏）

僕は先生への追悼文（『神谷美恵子　人と仕事』所収「先生のこと」）のなかで、「（先生に会ったあとの）帰り路、いつのときも充実感で満たされていました。生命をふきこ

神谷美恵子とルガール社

編集部

「これで私も小さな出版社（昔の教え子♂二人でやっているところ）の持ち出しコモンなもので、出版ということに興味があります」（七九・六・十、西丸四方氏宛書簡）。

知人宛ての書簡にたびたび登場する「教え子の出版社」。山崎氏、久保氏が一九七二年に立ち上げたルガール社（京都市）は現在も精神医学・社会福祉の分野で特色ある出版活動を続けている（経営上は山崎氏の自営）。神谷は同社初めての刊行物となる統合失調症の少女の詩集『天の鐘』（久保紘章編、七二年）に序文を寄せるなど、設立当初から深い関わりを持っていた。『極限のひと』（七三年）『エッセイ集Ⅰ、Ⅱ』（七七年）等四冊を刊行、その支援は没するまで絶えることがなかった。

「「本を出すときは出版社と印税契約書をかわすようですけど、あなたたちは別よ」と言ってくださいました。

また、初めの頃の二年間は妻が勤務していた保育園の管理人室に住んでいたのですが、電車の駅が近くに三つあって、取次まで本を運ぶのに手頃な事務所となる古い家が見つかりました。その家の購入のために親戚や知人たちに借金をしなければならなかったのですが、神谷先生にもご相談しましたら、「はいはい」とすぐに百万円を振り込んでくださいました。借用書を持参したら、「そんなものはいらないのに」とおっしゃって」（山崎氏）

七八年刊行の『精神医学と人間』はいくつかの英文論文をも神谷自身があらたに和訳して一冊にまとめたものだが、その頃は既に体調を崩し入退院を繰り返していた。

「先生のお葬式のあと、斎場の二階でご家族とご一緒したときに「特に最後の『精神医学と人間』は、先生に大変な労力をおかけしたことと思い、本当に申し訳なく感じています」と申し上げると、ご長男の律さんが「でも母は新しく出来た自分の本を友人・知人に発送する小包作りをうれしそうにしていましたよ」と言ってくださいました」（山崎氏）

神谷のひととおりでない思い入れ。自分自身の姿を重ね合わせるような心境だったのだろうか。困難な状況のなかで自分の道を切り拓こうとする人への共感が伝わってくる。

まれるような充実感なのです。一所懸命に生きなくては、という気持が心の深いところからつきあげるようでした。先生のいのちとか人間へのまなざしがそのまま伝わってきました。「魂のカウンセラー」というのは先生のようなひとを言うのでしょうか」と書いています。多くの場合、文章を読んで感動しても、実際に会うと異なる印象を持つものですが、神谷先生は会ったらさらに力を与えられる、そういう存在でした。

息子が一歳のときに家族で芦屋のお宅にお邪魔したことがあります。まずすぐにストーブをつけてくださって、それから息子にピアノで童謡を弾いてくださいました。たしか「汽車ポッポ」でした。そのあとも、汽車の玩具や絵本を送ってくださったり……。本当にお優しい雰囲気の先生でした。（夫人）

神谷先生は亡くなられる二、三か月前に僕に電話をくださって、「私の葬式のお世話を頼みます」とおっしゃいました。まだそんな時期ではないのに、どうして……と思いました。（山崎氏）

神谷先生のお葬式で、弔電を読む役をしたんです。式が終って、式場の人が式幕を外したり、片づけをはじめたんだけど、僕はただ呆然と眺めていました。そうしていると式場の人がお葬式の式次第を破り始めたんです。それを慌てて押しとどめ、それを戴き、今も大切に持っています。

ご長男の神谷律さんが、お母さまのことをお書きになった文章がありましたが、普通の生活者としての、家庭での先生の様子が伝わってきて慰められました。先生は「神谷先生、神谷先生」と上へ上へとまつりあげられてしまっているようなところがあります。でも家庭ではごく普通の妻であり、母であり、家族であり――。それはきっとそうだったんでしょう。その文章には慰められました。一方ではすごい才能の持ち主で、その両方のバランスが大変だっただろうと思います。

ヴァージニア・ウルフのこと

一九七五年、僕がイギリスに留学する少し前に山崎君と宝塚のマンションにお邪魔しました。そのときに「けっして無理なさらないで」と遠慮がちに、ヴァージニア・ウルフ関係の、三冊の本のメモを頂きました。かなり古くて、ウルフが生きていた時代の本もあって無理だろうと思ったのですが、神谷先生のお願いだから何とかしたいと思いました。大学図書館の人に頼み込んで、結局、大英博物館の図書館から特別に借りることができました。古い本なのでもう壊れかかっていましたが。

僕は神谷先生の「V・ウルフの夫君を訪ねて」というエッセイが大好きなんだけど、そのエッセイを読んで、どこの駅に降りたらいいかもわからなかったんだけど、ウルフの家「マンク・ハウス」に家族で行ってみました。当時はまだ人が住んでいて中には入ることはできませんでしたが、りんご畑にちょっとだけ入ってみたりしました。その後、渡英したときに三回ほど行ったのですが、そのときはナショナルトラスト（史跡等の保存団体）の管轄にはいっていて、内部を見ることができました。神谷先生とつながりがあるものは、何でも気になってしまうようです。

病床で考える神谷先生

今、がんで、転移もあって、天井を向いたまま首を動かすこともできない、寝たきりの状態です。ちょっとでも自由になりたいと思うことがあります。けっこう、この状態はつらい。

神谷先生が僕にくださったお手紙に「ヴァージニア・ウルフのように、何ものも信じるもの（人間以上のもの）を持たないで、ああいう病気を一生わずらった人の悲劇をこのごろとてもよく考えます」（一九七五年十一月十三日付）という一節がありました。あまり真面目なクリスチャンではないけれども、こういう時期にそのことを実感しています。かたわらに委ねられるものがいるということですかねぇ。

「神谷美恵子論」を書きたいと思っていたのですが、ついに書けなかったのが心残りです。力不足で書けませんでした。自分にとってあまりにも先生の存在が大きすぎて。

でも僕の書く文章のところどころに、先生が出てきます。この四十年間、つねに先生の影響を受け続けてきたことを今更のように思います。特に今の僕にとっては、きわめて身近な存在感を覚えます。

（二〇〇四年六月二十一日）

（聞き手・構成／編集部）

久保紘章さんは、お話をうかがった約一ヶ月半後、二〇〇四年八月二日に逝去されました。謹んでご冥福をお祈り申し上げます。

（編集部）

『生きがいについて』を読む前に　坪内祐三

神谷美恵子の『生きがいについて』について何か一文を、ということであるけれど、実は、申しわけないけれど、私は、『生きがいについて』に関して、あまり書くべき言葉を持たない。むしろ私は『生きがいについて』というタイトルの本に安易に手を出してしまいがちな、そういうヤワな読者が嫌いだ。

そういう人は自分のことをそれなりに真剣であると思っているのだろうが、それは違う。本当に真剣な人は、「生きがい」とは何か、まさにギリギリまで考え抜き、そのギリギリの極で思考されたものを、ようやく筆にし、それを『生きがいについて』と題して作品化することはあるかもしれないが、『生きがいについて』という本を自らは読もうとしないだろう。例えば、『神谷美恵子日記』（角川文庫）を読めば、そのことがよくわかる。だから、『生きがいについて』を読みたいと思った人は、その前に、まず『神谷美恵子日記』を手にするべきだと思う。

そこで神谷美恵子に振り落とされてしまう人もいるだろう。むしろ、そういう人の方が多いかもしれない。

そして、そこで振り落とされなかった人は、はじめて『生きがいについて』を読む資格を持つことができる。

自分の「生きがい」について、例えば、三十歳（一九四四年）の神谷美恵子は、こんなことを書き記している。

「漸《ようや》く落ち着いて勉強が出来るようになった。同時に、自分の中に、自分のものを生み出したい衝動がうちにみなぎる。今まで勉強したこと、これから勉強すること、それらすべてを、自己の生命に依て燃焼せしめよう。女であって同時に「怪物」に生まれついた以上、その特殊性をせい一杯発揮するのが本当だった。男の人の真似をする必要もなければ女の人の真似をする必要もない。かといって中性で満足しようとする必要もない。傍若無人に自分であろう。女性的な心情も、男性的な知性も、臆《おく》病《びょう》な私も、がむしゃらな野心家の私も、何もかも私の生命に依て燃やしつくそう。誰に遠慮する必要があろう」。

ここにふられた傍点は原文、すなわち神谷美恵子自身の手になるものであるが、「自分のもの」「自己」「自分」と書いて行く神谷美恵子は、しかし、いわゆる〝自己中〟の人ではない。まったくの正反対の人間である。

『生きがいについて』というタイトルの本にひかれてしまう読者に対して私が感じる異和感も、そこにある。

『生きがいについて』を手に取る読者の多くは、たぶん、自分探しをしている人たちだろう。

だが、そういうあなたたちは、どこまで本当の自分探しをしているのだろうか（ここで私が述べる、本当の自分探し、とは、もちろん、〝本当の自分〟探し、ではなく、〝本当の〟自分探し、である）。単なる〝自己中〟によって、すなわち実は他者の眼を意識しながら自分の「生きがい」を探し求めようとしているのではないか。

けれど、神谷美恵子はまったく違う。同じ年（一九四四年）六月五日の日記で彼女はこう書いている。

「私がもし何か研究したり、創作したりしたとしても、それは決して「人類のために」などではない。そうであって欲しくない。学問や芸術の世界に於ける活動は、極端に言えば、人生に及ぼす影響など考慮していないでよいのだ。少くとも私は自分が書くものが人にどんな力をおよぼすか知らないし考えたくない」

だから、神谷美恵子の述べる「生きがい」とは、他者との関係性から生まれてくるものではなく、もっと根源的、まさにラディカルなものなのだ。

先に私は『神谷美恵子日記』に目を通して、はじめて『生きがいについて』を読む資格を持つことができると述べた。それは極論であるとして、ここに紹介したこの二つの引用文にもう一度深く目を通してもらいたい。

そこで何かを感じたなら、あなたには『生きがいについて』を読む資格がある。（つぼうち・ゆうぞう　評論家）

慈雨のような一冊

佐藤　律子

初めて『生きがいについて』を読んだとき（それは今年の春のことでしたが）、ずいぶんと驚いたものです。私にとってそこに書かれている言葉のひとつひとつは、ハンセン病の方について、あるいは生きがいについての一般論などでなく、もっと切実に小児がんで亡くなった十六歳の二男のことであり、二男を失ってから今日に至るまでの、私の七年間を語っているように思われたからでした。

わが家の二男、拓也は、反抗期のまっただ中で小児がんを発症し、苦しみながら、執着のひとつひとつを手放していく様を見せてくれました。拓也にとって私は、あまりに不甲斐ない母親にすぎませんでしたが、私にとって拓也は、人としての生死を身をもって示してくれた先達でした。

「おとんもおかんも僕の看病で疲れたやろう。もう楽にしてやるな。ゆっくりお休み。僕も疲れた」

亡くなる前日、労りをこめてそういわれ、返す言葉がありませんでした。私の前に横たわっていたのは、かつて朝毎に母親を睨みつけて登校していた反抗期の少年ではなく、自分の人生のチリを払い、長い別れを告げようとしている一人の旅人でした。翌日、きっと元気になれるからと励ます私に向かって、「分かった。僕のいのちをもう一度女神の天秤にかけてみる。けどどっちにしろ、今日明日が峠だ」といい置いて生涯を終えました。

一年二ヶ月の闘病期のなかで、一度は生きることに絶望した拓也を、再びよみがえらせ最期まで支えたものは、「きっと元気になって、あとに続く難病の子どもらの希望になるんだ」という、少年らしい生きがいの発見でした。

そして、当時は気がつきませんでしたが、親としてわが子を守ってやれなかったという苦しみを担って生きることになったとき、私もまた、その苦しみに引きあうだけの新しい糧（生きがい）を必要としていたのでした。それは体験談集『種まく子供たち・小児ガンを体験した7人の物語』（ポプラ社）の出版であり、インターネットを利用した「いのちの語り手登録バンク」のささやかな試みでした。

学校や医療現場で必要とされるなら、出かけていって亡くなったわが子の話をしてもよいと考える方たちを登録しておく「いのちの語り手登録バンク」は今年で四年目。当初は小児がんで子どもを亡くした方ばかりでしたが、昨年末から、インフルエンザ脳症、心不全、18トミソリー、震災と、さまざまなかたちでお子さんを亡くした方たちも、加わってくださっています。

あまりにも短い子どものいのちを人前で語ることは、口でいうほどたやすいことではありませんが、「生きがいについて」から言葉を借りるなら、「この事を無駄に終わらせてはならない、娘の不幸を社会的に意味あらしめようという烈しい意欲」や、「ひととともに苦しみ、ひととともに癒されたい、と願う心」（だれかの役に立ちたい）が、語り手として登録くださっている方たちの背中をそっと押してくれているのかもしれません。

生徒さんたちの反応はさまざまですが、私の場合、「もっと真剣に生きないと、生きたくても生きることができなかった子どもたちに失礼だと思った」「しょっちゅう死にたいと思うけれど、やめた方がいいかな」などの感想が一通でも返ってくると、「ああ、よかった。もう少し続けていける」と思えるのです。

押しつけにならないように注意しながら、生徒さんたちにお気に入りの言葉や書籍を紹介することもあります。慈雨のような一冊『生きがいについて』のことも、そんなふうに伝えていけたらしあわせだな、と思っています。

種まく子供たち HP　http://www.cypress.ne.jp/donguri/Top.html

（さとう・りつこ　語り手・書き手）